Антон Леонтьев

Трудно быть солнцем

Москва
ЭКСМО
2004

УДК 882
ББК 84(2Рос-Рус)6-4
Л 47

Оформление серии художника *А. Саукова*

Серия основана в 2003 г.

Л 47   **Леонтьев А. В.**
        Трудно быть солнцем: Роман. — М.: Изд-во Эксмо,
        2004. — 384 с. (Игры богов).

        ISBN 5-699-04804-9

Получив странное анонимное письмо, приглашающее ее в провинциальный городок Староникольск, Юля почти не удивилась, ведь именно там
в начале прошлого века таинственно исчезла Юлина прабабка, знаменитая
актриса немого кино Анна Радзивилл. Разбирая семейный архив, Юля узнала,
что сто лет назад на Староникольск наводил ужас таинственный убийца по
прозвищу Садовник, одной из жертв которого, по слухам, и стала Анна.
Убийства, копирующие преступления Садовника, возобновились, когда в
городе появилась Юля. И девушка сразу оказалась втянутой в загадочные и
страшные события прошлого и настоящего...

УДК 882
ББК 84(2Рос-Рус)6-4

24 сентября

Плети дождя хлестали по витражному стеклу, затем послышался мерный грохот — белоснежные жемчужины града обрушились на старинный Староникольский монастырь.

Юлия, чувствуя, что слабость разлилась по телу, опустилась в старинное кресло. Она вслушивалась в утробно-низкое гудение ветра. За окном царила непроглядная тьма. Вот он, ураган...

Теперь-то она знала, кто является безжалостным Садовником, который душил женщин тогда, в 1916 году. Она знала, кто копировал его преступления сейчас. Но это знание пугало ее.

Эта книга в темно-синем сафьяновом переплете — ключ ко всему. И эта книга лежала у нее на коленях. Юлия захотела подняться с кресла, но не смогла. За дверью раздались тихие шаги. Юлия поняла — это шаги смерти.

Ее смерти.

Садовник здесь. Он пришел за розой. За последним цветком.

И этим цветком была она!

Кованая дверь, издав пронзительный вскрик, как душа грешника в аду, медленно раскрылась.

На пороге стояла фигура в черном плаще до пят с капюшоном, закрывавшим лицо, в садовых перчатках на руках. Вот он, Садовник, загубивший столько жизней. И в этот раз он пришел за ней.

— Юлия, ты же получила вчера мое послание: «Завтра ты умрешь». Завтра наступило. И ты умрешь! Сейчас!

29 июля

Часы гулко пробили половину одиннадцатого. Так же гулко стучало сердце Юлии, таким же раскатистым эхом отдавались в висках слова, которые только что произнес Виталий:

— Я думаю, нам надо поговорить, Юля...

Она и сама прекрасно понимала, что разговора, тяжелого и, скорее всего, последнего, им не избежать. Виталий... С ним она познакомилась почти год назад. В течение этого года было все — равнодушие, первое пьянящее чувство, перешедшее в страсть, снова равнодушие. И вот теперь...

Неужели этот год пролетел так быстро? Юлия не могла поверить. Сегодня ей исполнилось двадцать восемь.

Виталий занимал пост директора одной крупной строительной фирмы, у него была жена и ребенок. Юлия давно терзалась вопросом — а что дальше? Как дипломированный психолог, она понимала, что боится ответа на этот вопрос, поэтому-то и не заводит с Виталием разговор. Она боится того, что он скажет ей.

Скажет, что им пора расстаться. В течение последних месяцев неприятности сыпались на Юлию, как будто кто-то решил наказать ее за грехи прошлой жизни. Сначала сменилось начальство в институте, где она работала. Новое руководство сразу же заявило, что некоторым придется в ближайшем будущем расстаться с рабочим местом. И, судя по упорно курсировавшим слухам, в черных списках была и ее фамилия. Юлия не могла понять — почему? Но институт-то частный, поэтому сопротивление бесполезно.

Ее статья по подростковым психозам, над которой она работала почти два месяца, была отклонена редакцией журнала с унизительной формулировкой «черновой материал». Как же так, она старалась, а получается, что ей как девчонке указывают на якобы грубые недоработки. Или все дело в том, что главный редактор толстого журнала по психологии лучший друг нового директора института?

Или ей лучше было тогда согласиться? Новый дирек-

Трудно быть солнцем

тор, достаточно молодой, но с уже объемистым брюшком и еще более крупными амбициями, свежеиспеченный доктор наук, вызвал ее через пару дней после своего прихода к себе в кабинет. Он хотел поближе познакомиться с каждым из сотрудников. «Поближе» в его понимании означало — постель. Он был достаточно умен, чтобы напрямую не предложить Юлии провести с ним уик-энд у него на даче, однако она видела, как его масленые глаза обшаривают ее тело. Ей так и хотелось дать ему пощечину, а пришлось, подогнув ноги на неудобном низком кресле, улыбаться, выслушивать пустопорожние разглагольствования директора и его намеки на то, что удержаться на престижном месте и сделать карьеру ей поможет только его покровительство.

Как она потом узнала, фирменным приемом нового директора было усаживать приглянувшихся сотрудниц с низкое кресло, так, чтобы они были вынуждены скрючиться и волей-неволей расположиться во фривольной позе.

— Юля, ну вы же понимаете, — он навис над ней, а его рука легла ей на плечо. — Вы молоды, работаете отлично, блестяще защитили кандидатскую. Наш институт, как вы знаете, представляет интерес для всех, начиная от правительственных структур и заканчивая богатыми меценатами и зарубежными фондами.

Юлия была в курсе. В институт, где она работала в качестве доцента, стремились попасть почти все выпускники вуза с дипломом психолога. В отличие от других заведений, тут платили много и существовала возможность быстро сделать себе карьеру и имя в науке.

— Я думаю, мы сработаемся, — произнес директор.

— Мне кажется, что нет, — в тон ему ответила Юля.

Она и сама не понимала, с чего это вдруг решила обострить отношения с новым начальником. Скорее всего, потому, что хотела сразу же возвести стену между ним с его притязаниями и собой.

Директор, натужно улыбнувшись, произнес:

— Ну-ну, Крестинина, можете быть свободны.

С этого все и началось. Потом последовало уже открытое предложение поработать над статьей у него дома. Причем секретарша, болтливая особа, от которой ничего нельзя было утаить, сказала Юлии, что супруга директора только что укатила в Америку на три месяца и он чувствует себя, как уголовник, вышедший на волю после десяти лет строгого режима.

Юлия отказала, причем сделала это в присутствии той же секретарши, которая моментально улетучилась из директорского кабинета. А через час весь институт знал, что Юлия Крестинина подписала себе смертный приговор, сказав твердое «нет» начальнику.

— Зря ты это сделала, — пеняла ей потом одна из подруг. — Конечно, он мерзавец, пользуется тем, что все от него зависят, но ведь тебе надо потерпеть всего недельку-другую. Он же бабник, волочится за каждой юбкой. Жена держит его в ежовых рукавицах, он боится ее до смерти. Поэтому и все связи у него краткосрочные. Зато подумай — карьера тебе обеспечена, и над докторской пора задуматься. А еще учти, в следующем году грядут выборы заведующего кафедрой, это лакомое местечко. Да и гранты пришли на сто тысяч долларов, хорошо бы получить...

Юлия, давно не будучи наивной простушкой, была в курсе того, кто отправляется в зарубежные командировки и получает теплые места в институте. Ей было противно, если не сказать омерзительно, продаваться облеченному властью борову. Нет, что он с ней сделает?

Не прошло и месяца, как Юлия в полной мере ощутила на себе все прелести опалы. Ее статью зарубили, ее имя значилось в тайных черных списках, ее проект, представленный на получение гранта от Нью-Йоркского университета, был в пух и прах раскритикован и признан едва ли не самым худшим.

Неприятности на работе и в личной жизни, как же она устала от всего этого! Юлия давно чувствовала, что ей пора отдохнуть, взять отпуск и скрыться от всех на три недели, лучше на месяц, но позволить себе этого она не могла.

Трудно быть солнцем

С финансовой точки зрения она была обеспечена, ей помогали родители, оба геологи, которые уже пять лет работали по контракту в Южной Африке. Так как Юлия была их единственным ребенком, причем горячо любимым, то они не скупились на переводы. Благодаря этому — а совсем не достаточно большой зарплате в институте — она сумела купить небольшую, но вполне уютную квартирку в центре Москвы.

И вот теперь, что же хочет ей сказать Виталий? Неужели для того, чтобы расстаться, он выбрал именно ее день рождения?

Он появился с роскошным букетом бордовых роз, преподнес ей тонкую золотую цепочку, выполненную в виде змейки, кусающей собственный хвост, с крошечными изумрудами в качестве глаз. Юлия знала, что Виталий более чем обеспечен. Но ей не требовались деньги!

Когда она впервые увидела его, высокого, темноволосого, с потрясающей улыбкой, в гостях у одной из дальних родственниц, то сразу почувствовала притяжение к нему. Он ответил ей тем же. Меньше чем через неделю они были вместе, затем последовали упоительные дни в его, как он выражался, загородном поместье. Именно там, случайно, она и обнаружила фотографии, запрятанные на самое дно ящика — Виталий, блондинка и рядом с ними мальчик семи лет.

Он не стал скрывать, что женат. Юлия, которой он раньше говорил, что не связан узами брака, едва не разорвала с ним отношения. Она терпеть не могла ложь.

Однако Виталий значил для нее многое. Она с ужасом почувствовала, что, похоже, влюблена в него. Он столько раз твердил ей, что она «его единственная девочка» и «любимая мышка», а что получается? Она была для него не более чем любовницей. Сколько раз она разбирала чьи-то судьбы, скрытые в учебниках по психологии и научных трудах за безликими инициалами, сколько раз она сталкивалась на практике с любовным треугольником, и вот... Кто бы мог подумать, что она окажется любовницей женатого мужчины.

Вечерний ветер, удушливо-жаркий и торопливый, теребил занавески, словно до них дотрагивались невидимые пальцы. Юлия, которая самым тщательным образом подбирала платье, меню и сервировку стола, чувствовала, что ее бросает то в жар, то в холод. И из-за кого, из-за Виталия! Она пыталась внушить себе, что разрыв отношений только к лучшему, но никак не могла убедить себя в искренности этих слов. Ей же больно, ей так больно...

— Юля, ты же все прекрасно понимаешь, — произнес он на одном дыхании, не глядя на нее и вертя пальцами пустой бокал, в котором еще недавно пенилось французское шампанское. — Понимаешь, что так больше продолжаться не может. Поэтому я решил все изменить.

— Ты делаешь мне предложение? — с некоторым сарказмом произнесла Юлия.

Виталий вздрогнул, затем, горько усмехнувшись, взял ее ладонь в свои руки:

— Юлечка, поверь, так будет лучше для всех нас. Я люблю тебя...

— Но жену и сына любишь еще больше, — закончила вместо него Крестинина.

Ну что же, все ясно. Золотая змейка, поблескивая изумрудными глазками, лежала на темно-синей скатерти. Это его прощальный подарок.

— Я не хочу расставаться с тобой, но я не могу ничего изменить, — сказал он. — Ты ведь это знаешь...

Юлия вздрогнула. Еще бы, все, как в учебнике по психологии для студентов второго курса. Он расстается с ней и пытается при этом сделать ее своей сообщницей.

— Нет, не знаю. И мне все равно. Виталик, не обижайся, если я попрошу тебя немедленно уйти.

Похоже, такое развитие событий его совсем не смущало. Еще бы, внизу, под окнами квартиры, его ждал «Мерседес». Дома, в шикарном особняке, который Виталий сам спроектировал, его ждали жена и ребенок.

А что ждало ее? Почему в этом году все идет наперекосяк? Она по гороскопу Лев, неужели в этом месяце все так ужасно для нее? Она практически безработная, брошенная любовником, впадающая в депрессию, стареющая.

Хотя... Кто сказала, что это именно так? Она сама! Все можно рассмотреть под совершенно иным углом зрения: молодая, уверенная в себе, чрезвычайно талантливая дама освобождается, наконец, от тяготящих ее отношений, радикально меняет направление деятельности и входит в новую, безусловно, самую удачную стадию своей жизни. И все это в день рождения!

Виталий, даже не пытаясь ее поцеловать, сказал:

— Юля, спасибо тебе, ты великолепная женщина... Мне нужно подумать. Точнее, нам нужно подумать, собраться с мыслями.

Дверь за ним затворилась неслышно. Значит, он действительно бросил ее. Иначе к чему эта якобы утешающая, а на самом деле унизительная фраза «нам нужно подумать»!

Юлия заметила, что ни она, ни Виталий не притронулись к еде. А ведь она так старалась. Да и спиртное все осталось, за исключением открытой бутылки шампанского.

— Поздравляю тебя, крошка, — произнесла она, смотрясь в большое зеркало. Отражение, державшее бокал, до краев наполненный шампанским, выглядело потрясающе. Что же, у господина директора института были все основания возжелать ее в качестве любовницы.

Юлия Крестинина, двадцати восьми лет. Высокая шатенка с правильными чертами лица, темно-зелеными глазами и стройной фигурой. Платье из темно-бордового шелка, которое она специально выбрала для сегодняшнего вечера, подчеркивало белизну ее кожи. Ну что же, недаром ее прабабка была в начале века знаменитой актрисой немого кино, а ее бабке то ли Ворошилов, то ли Буденный, плененный ее красотой, предложил прямо на банкете в Кремле стать его любовницей.

Что же, тяга к связям с женатыми мужчинами у нее в крови. Бабушка гордо отказалась. А вот прабабке не повезло — она была убита. Хотя это темная история, она просто исчезла в небольшом городишке, где шли съемки очередного фильма, незадолго до революции. Говорят, ее убил любовник-аристократ.

В их семье предпочитали не распространяться на эту тему. Когда-то это было просто опасно — заявить, что являешься родственницей дивы немого кино Анны Радзивилл, а теперь едва ли кто-то мог вспомнить это имя, гремевшее в начале двадцатого века наряду с именами Веры Холодной и других примадонн.

Юля, поздравив себя с днем рождения, отпила шампанское. Внезапно слезы покатились по ее лицу. Нет, ну почему Виталий выбрал для расставания именно этот день. И что делать дальше? Может быть, плюнуть на гордость и, как предлагают ее многочисленные подруги, потерпеть — отдаться господину новому директору? Нет, на это она никогда не пойдет. Лучше пусть ее уволят, чем она поступится своими принципами. Или, не дожидаясь увольнения, уйти самой? Но почему она должна покидать институт, работать в котором ей нравилось. Только из-за этого любвеобильного сморчка, который по чьей-то протекции занял место директора. Она не собирается этого делать! Ни за что! Это он должен покинуть институт, а не она.

Но что же тогда? Решение созрело в одну секунду. Конечно же, она отправится в отпуск. Тем более что заканчивался июль, работы было не так уж много. Как же ей хочется скрыться из Москвы, улететь куда-нибудь подальше, например, к океану, подставить нежным лучам солнца свое тело, расслабиться в его лазурных волнах.

Родители давно и настойчиво зазывали ее к себе в Южную Африку. Они обитали в большом коттедже недалеко от побережья, у них было два автомобиля и прислуга. Они могли себе это позволить, работая на крупнейшего монополиста в алмазной отрасли, концерн «Де Бирс».

Может быть, и правда принять их приглашение? Это, разумеется, не решит ее проблем, она по-прежнему останется в конфликте с начальством и в разладе с самой собой, но что поделаешь! Ей срочно требовался отдых, она это чувствовала.

Трудно быть солнцем

Юля убрала праздничный стол, комната снова обрела прежний стандартный вид. Вот и все, Виталий не вернется, но это и к лучшему.

Она включила телевизор, было около полуночи, по всем программам шли или фильмы, выдаваемые за остросюжетные, или последние выпуски новостей. Юлю не интересовало ни то, ни другое. Она опустилась на диван, закрыла глаза. Хорошо помечтать, представить себя за рулем темно-красного кабриолета, который, рассекая пространство, несется вперед по шоссе, уходящему за горизонт. А сбоку виднеется океан, величественный и полный свежести. С другой стороны возвышаются монументальные горы. О, как же ей хочется оказаться в подобном месте, сменить обстановку, забыть обо всех проблемах последнего времени. Но суждено ли ей это?

В конце концов, все зависит только от нее. Стоит позвонить маме, как та немедленно примется за поиски наиболее оптимального решения. Не пройдет и двух недель, как она окажется в Южной Африке. Но то ли это на самом деле, к чему так стремилась Юлия?

Она не знала. Крестинина не видела родителей уже более полутора лет, однако она не была девочкой, которая льет слезы из-за того, что нет с ней папы и мамы. Но как же ей хотелось, чтобы они оказались рядом с ней. А еще больше Юлии хотелось, чтобы рядом с ней был человек, которому она могла довериться и которого она любила. Виталий предпочел отказаться от этой роли. Ну что же, значит, так тому и быть.

На пушистом белом ковре, под ногами Юлии, зашелестели газеты и письма. Надо же, сегодня утром, когда она готовилась к праздничному ужину, она достала почту и даже не удосужилась ее прочитать. Спать ей совершенно не хотелось, настроение внезапно улучшилось. Прихватив вторую бутылку шампанского, Юля плюхнулась на диван.

Новости ее совершенно не интересовали, она переключила на другой канал и попала на триллер. По всей видимости, далеко не первой свежести, фильм выпуска конца семидесятых — начала восьмидесятых, судя по смешным теперь прическам и одежде. Молодая героиня, которая чем-то напомнила Юле ее саму, получает анонимное письмо. Там буквами, вырезанными из газетных заголовков, кто-то сообщает ей, что она немедленно умрет.

Едва девушка прочитала это странное послание, раздается звонок по телефону. Причем, несмотря на явно дешевый трюк, Юлия, находившаяся в темной комнате, вздрогнула. Господи, ее же никогда не привлекали триллеры и фильмы ужасов. Она предпочитала лирические комедии и романтические истории с хеппи-эндом. А в этом фильме хеппи-эндом для бедной героини и не пахнет.

Телефон продолжал настойчиво трезвонить, и уже кто-то, облаченный в лыжный костюм, с лицом, закрытым страшной маской, ломился через стеклянную дверь террасы в дом. Этот кто-то сжимал в руках кинжал. Героиня, вопя от ужаса, стала звонить в полицию, но телефонная линия была занята. Маньяк гигантскими прыжками настиг свою очередную жертву на втором этаже, где та пыталась скрыться от него в ванной. Она заперла дверь, но преследователь пробил отверстие, затем, просунув руку, сумел открыть замок...

Девушка, всхлипывая, забилась под туалетный столик, мириады сверкающих пузырьков обрушились на нее потоком. Камера показала, как к ней подошла грозная тень, взметнулся кинжал...

Побежала реклама. Юлия перевела дух. Как психолог, она понимала, что подобные фильмы, дешевые и примитивные, вызывают животный страх. Человек боится того, чего не понимает. Надо же, этот фильм явно не может претендовать на «Оскара», а пробрал ее до мозга костей. Ей стало страшно.

Она ни разу за шесть лет, которые прошли с окончания университета, не имела дела со случаями, в которых были бы замешаны маньяки или личности, обуреваемые настойчивым желанием лишить кого-либо жизни. Ее контингентом являлись по большей части подростки, о проблемах которых она и писала. Адаптация в новой среде,

Трудно быть солнцем

переходный возраст, увлечение наркотиками, фальшивые кумиры.

Как она знала, подобные случаи, когда психологи работали с преступниками, совершающими серийные убийства, были единичны. Однако в последние годы, то ли по причине изменения темпа жизни, то ли в результате крушения старых идеалов и отсутствия новых, все больше людей становились способны к насилию и жестокости. Словно рухнули моральные запреты, и дозволенным стало все.

Юлия убрала звук у телевизора, отпила еще полбокала шампанского и принялась за прессу. Газеты — желтые ежедневники, надо же было находиться в курсе текущих событий. И несколько писем.

Ага, поздравление от родителей, они обещали позвонить, но почему-то не позвонили. Скорее всего, находятся где-нибудь в алмазных копях, как именовала это Юлия. Им по контракту было запрещено распространяться об условиях работы и в особенности о системе безопасности. Кроме того, почему-то нельзя было пользоваться сотовой связью. Ну что же, они никогда не забывают о ее дне рождения, объявятся позже.

Поздравления от двух теток, маминой и папиной сестер, пожелания всего наилучшего. Она попытается воплотить их пожелания в жизнь. Если, конечно, у нее это получится.

Реклама, которую можно тут же отправить в мусорное ведро, и еще одно письмо. Оно привлекло внимание Юлии своей необычностью.

Странный конверт, темно-красного цвета, оттенок свернувшейся крови. Ее адрес написан печатными буквами, причем у нее сразу сложилось впечатление, что писал ребенок — буквы были немного скособочены, строчки заваливались вниз. Странное послание...

Она повертела его в руках. Обратного адреса не было. А на другой стороне конверта была надпись: «Ваш Друг».

Ха-ха-ха! Она первый раз в жизни получила анонимное письмо. От кого бы оно могло быть, от директора института или одной из ее знакомых, которая давала ей советы? Юлия присмотрелась. Штемпель немного смазан, пришлось включить свет, чтобы суметь прочитать название города, откуда было отправлено таинственное послание.

Не Москва, как она предполагала, и даже не Подмосковье. Староникольск, письмо отправлено четыре дня назад. Староникольск — это название ей о чем-то говорило. Юля напрягла память, ответ всплыл совершенно неожиданно, как будто, гуляя по темному коридору, она распахнула дверь и в лицо ей ударил ослепительно белый свет.

Конечно же, Староникольск! Городок в Ярославской области, где когда-то исчезла ее прабабка, красавица начала двадцатого века Анна Радзивилл. Исчезла без следа! Об этой истории она уже вспоминала сегодня... Точнее, вчера, потому что было далеко за полночь.

Юля почувствовала легкий озноб, и это несмотря на жару. Ее взгляд упал на мельтешащий экран телевизора. Возобновился дурацкий фильм, полицейский с какой-то юной дамой бегут по замусоренным проулкам, пытаясь настичь таинственного убийцу. Тот в самый последний момент ускользает от них, перепрыгивая через железнодорожную насыпь, а по путям через секунду проносится поезд.

Как все банально, сплошные штампы, но ей все равно стало страшно. Дурочка, чего ты боишься, сказала Юлия себе. Письмо из Староникольска. Анонимное, безымянное... Прямо как в этом третьеразрядном триллере. А что будет дальше — к ней нагрянет маньяк в лыжном костюме и попытается лишить ее жизни? Слава богу, мелькнула у нее мысль, что она живет на десятом этаже и стеклянной двери террасы у нее нет.

Любопытство перебороло внезапную волну паники, Юлия надорвала конверт и выудила из него белый лист, на котором тем же детским почерком, впрочем, вполне грамотно, всего с несколькими ошибками, было написано:

«Дорогая Юля! Вы меня не знаете, но это Вам и не требуется. Я на Вашей стороне, поверьте мне. Вы наверняка знаете о трагической судьбе Вашей прабабки, Анны Радзивилл. Она исчезла в Староникольске 24 сентября 1916 года. С тех пор ее больше никто и никогда не видел. Единственное, что я могу Вам сообщить — в тот день она была убита. Если хотите узнать больше, то приезжайте в наш городок. Он ждет Вас. Но будьте осторожны — Садовник не дремлет. И мой совет: уделите особое внимание княжескому особняку. Ваш Друг».

Что за бред! Крестинина прочитала письмо три раза, потом откинулась на спинку софы. Внезапно в комнате прогремел скрипучий зловещий голос:

— Готовься к смерти, красотка!

Юлия вздрогнула. Надо же, она задела головой дистанционный пульт, включила звук. Экранный маньяк продолжал бесчинствовать, лишая жизни на этот раз стриптизершу. Юлия выключила телевизор.

Это что, глупая шутка? Едва ли кто-то кроме родителей и ее самой знал об этой истории с прабабкой, Анной Радзивилл. Что это за письмо? Прабабку вроде бы убил ее любовник, молодой князь, который потом покончил жизнь самоубийством. Но к чему это послание? Ей предлагают приехать в Староникольск? Но зачем?

Аноним пишет, что прабабка была убита. И дата совпадает — она исчезла в конце сентября 1916 года, накануне революции. И что за Садовник, при чем тут княжеский особняк?

Ответов, конечно же, она не знала. В Староникольске, заштатном провинциальном городишке, у нее не было друзей, тем более таких, которые могли бы прислать ей подобное письмо. Что же ей делать — выбросить это странное и немного зловещее послание в мусорное ведро или все же уделить ему внимание?

Раздался телефонный звонок, пронзительный, дребезжащий, похожий на требовательный голос судьбы. Второй раз за несколько минут Юлия вздрогнула. Она в первые секунды не могла сообразить, где же находится телефонная трубка. Конечно же, около нее, под диванной подушкой.

Крестинина вытянула руку и ощутила резкую боль в конечностях. Она слишком много времени провела в одной позе, по рукам и ногам побежали мурашки. Телефон продолжал трезвонить. В тот самый момент, когда она подняла трубку, он смолк.

Кто бы это мог быть? Вместо телефонного номера сплошные прочерки, прямо-таки как в дешевом триллере, который она смотрела совсем недавно. Юлия снова ощутила страх. Чего ей бояться, она находится в собственной квартире, за железной дверью...

И все же... Голосу разума иногда внять ой как сложно. Телефон снова пробудился к жизни, Крестинина схватила его и на одном дыхании выпалила:

— Я вас слушаю!

— Доченька, с днем рождения, извини за поздний звонок, у вас в Москве ведь уже ночь, — услышала она голос мамы.

Юлия перевела дыхание. Надо же, как все просто объясняется.

— Ты, наверное, уже спала, а мы тебя разбудили, — виноватым тоном продолжала та. — Мы тебе звонили минуту назад, но никто не подошел. И мы уж решили, что разбудили тебя, поэтому решили продолжить. Наши самые теплые поздравления к твоему дню рождения, Юлечка!

Крестинина отвечала на вопросы родительницы односложно. Разумеется, у нее все в полном порядке. Да, и с работой, и, безусловно, в личной жизни. Не рассказывать же матери, которая звонит ей из Южной Африки, о том, что ее вот-вот могут вышвырнуть из института, а любимый только что дал ей отставку. Они никогда не были близки с мамой, да и с отцом тоже. Те вечно находились в разъездах, командировках, экспедициях, дочь поручили заботам бабушки.

Вот бы кто смог помочь, подумала Юлия. Бабушка, она это точно знала, была в курсе того, что произошло с Анной Радзивилл в 1916 году в Староникольске. Однако бабушка умерла шесть лет назад, незадолго до того, как Юлия окончила университет.

— Мама, — решилась-таки Крестинина, — что тебе

Трудно быть солнцем

известно про Стороникольск и Анну Радзивилл? — произнесла она.

Повисла пауза, Юлии показалось, что она слышит дыхание матери. Затем раздался ее осторожный и немного испуганный голос:

— Юля, а зачем тебе это?

Действительно, зачем? Сказать родителям, что ей пришло непонятное послание из маленького городка за подписью «Ваш Друг»?

— Понимаешь, — произнесла Крестинина, — я работаю над статьей, посвященной... посвященной психологии людей, совершающих преступления на почве страсти. А ведь Анна Радзивилл, как я знаю, была убита своим любовником и, скорее всего, именно по этой причине.

— Ничего ты не знаешь, — сердито произнесла мать. — К чему тебе эта древняя история? Забудь об этом, Юля, прошу тебя! Кроме того, никто так точно и не знает, что же на самом деле случилось с твоей прабабкой, моей бабкой. Она исчезла, растворилась в воздухе... Ты права, у нее был поклонник, некий молодой князь, но это ведь только слухи, что он ее убил. Никаких тому подтверждений нет. Да и вообще, в Стороникольске, как говорила твоя бабка, дочь Анны, в то время происходили странные дела. Вроде бы... Ну ладно, тебе это неинтересно, да и не хочу я тратить деньги на эти столетние воспоминания.

Ну да, ее матушка, которая могла болтать по телефону часами, невзирая на счета с множеством нулей, никогда не заботилась о таких мелочах. Она придерживалась мнения, что нужно наслаждаться жизнью в полном объеме. Зарабатывали они с отцом весьма прилично, даже по западным меркам, поэтому разговор ночью из пригорода Йоханнесбурга никоим образом не мог пробить брешь в семейном бюджете.

— Мама, мне это чрезвычайно необходимо, — попробовала настоять на своем Юлия. — Эта статья очень важна для моей карьеры. У нас в будущем году грядут выборы заведующего кафедрой...

— О, моя крошка, — запричитала мама. — И тебя выдвигают на эту должность! Я всегда знала, что ты достойна занять этот пост. Ну конечно же, если тебе это нужно для статьи... Но я и в самом деле много не знаю. Вот твоя бабка, царство ей небесное, могла бы рассказать. Но, сама понимаешь, это уже невозможно. Хотя... Мне кажется, где-то на даче, скорее всего, на антресолях или в подвале, находится ее небольшой архив, посвященный Анне Радзивилл. После смерти бабушки я не решилась его выкинуть, и, если мыши не закусили им, он по-прежнему где-то на даче. Можешь попробовать найти, там вырезки из газет, фотографии... Твоя бабка также интересовалась этим делом, даже ездила в Староникольск, чтобы расследовать таинственное исчезновение Анны.

Затем последовали жалобы на отвратительное качество питьевой воды, невыносимую жару, воровство местной прислуги — и разговор завершился.

Для себя Юлия сделала единственное важное заключение — она поедет в Староникольск. Ее там ждут, и странное письмо лишнее тому подтверждение. Ей в любом случае необходим отпуск, вот она и сбежит от своих проблем, но не на Средиземное море или к океану в Южную Африку, а в провинцию.

Прежде всего она попытается отыскать архив бабушки. Мама, никогда не отличавшаяся особым рвением к чистоте и порядку, считала, что любая старая вещь может в дальнейшем пригодиться, поэтому их подмосковная дача походила на филиал плюшкинского особняка. Юля в последнее время не ездила на дачу, участок, на котором никогда ничего не выращивали, зарос травой, дом был полон паутины и пыли.

Итак, ей предлагается путешествие в прошлое. Почему бы и нет, она обманула маму, но, может быть, после изысканий на самом деле появится великолепный материал для статьи. Увы, очевидцев событий, произошедших в 1916 году, в живых давно нет, разве что древние старушенции и деды, которые в те времена были детьми. Но что они могут ей рассказать?

Ее зовут в Староникольск. Она поедет туда хотя бы

Трудно быть солнцем

затем, чтобы выяснить — кто этот человек, который поставил под письмом подпись «Ваш Друг». Что-то в этом письме не давало ей покоя. С одной стороны, кто-то претендует на то, чтобы оказать ей любезность и помочь, а в то же время... Нет, дело явно нечисто!

Но если она захочет расследовать исчезновение и, вероятнее всего, убийство своей прабабки, то сделать это будет крайне затруднительно. Только в детективах Агаты Кристи и Мэри Хиггинс Кларк возможны подобные повороты сюжета, а на самом деле — велика ли вероятность того, что она сможет докопаться до чего-либо спустя... Спустя почти девяносто лет после событий.

Юлия не верила в это. Но август, месяц, который казался ей страшным, напряженным и полным неудач, вдруг расцветился яркими красками. Решено — в ближайшие дни она возьмет отпуск за свой счет, найдет архив бабушки и отправится в Староникольск. Эта пауза одновременно даст ей возможность собраться мыслями и выработать стратегию по борьбе с неприятностями, воплотившимися в данный момент в лице нового директора института. Он — Юлия знала это точно — пользуясь отсутствием супруги, укатил на две недели куда-то в сторону Лазурного побережья. И явно не за свой счет. И явно не один — очередная дурочка из числа симпатичных сотрудниц поверила его обещаниям и клюнула на приманку.

Значит, у нее есть возможность и самой немного расслабиться. Почему бы и не Староникольск? Что она знает об этом городишке? Практически ничего. Кажется, существует древняя, уходящая корнями в мрачное средневековье история. Что-то, связанное с женой одного из русских царей из династии Рюриковичей.

Наивно думать, что бурная жизнь кипит только в больших городах. Юлия, сама москвичка в третьем поколении, знала, что в подобных городках, где каждый знает практически каждого, есть масса давних преданий, там тоже живут люди. И зло, которое в больших городах рассеяно среди миллионов, там концентрируется на нескольких тысячах жителей.

Староникольск, она уже представляет его себе — небольшой, с массой старинных зданий и церквей, садами и палисадниками, соседками, знающими все обо всех, вальяжными котами, развалившимися в тени заборов...

И злом, притаившимся где-то неподалеку. Что же говорила бабушка, она ведь упоминала, что Анна Радзивилл стала не единственной жертвой... Но жертвой кого или чего?

Вот это и предстояло выяснить. Юлия отпила последний глоток из бокала и с удивлением заметила, что бутылка абсолютно пуста. Надо же, она умудрилась справиться почти с полутора бутылками шампанского. Нельзя так расслабляться, неприятности, которые сыплются на нее, как из рога изобилия, вовсе не причина, чтобы распускать себя.

Она отметила, что страх и непонятное чувство тревоги, которые терзали ее, улетучились. Было два сорок пять. Давно пора отправляться в постель. Благо что завтра — воскресенье, не надо идти на работу, а с понедельника она уходит в отпуск. И пусть будет то, что будет!

Крестинина в который раз перечитала письмо из Староникольска. Человек, написавший его, знает не только ее имя, фамилию и московский адрес, что само по себе уже удивительно, он в курсе их семейных тайн. Кто же он, этот Друг? И друг ли он на самом деле? Насколько она знала, анонимные послания практически всегда отправлялись недоброжелателями. Значит, это не друг, а враг? Или она делает чересчур поспешные выводы?

Что же, осталось потерпеть совсем немного. Еще неделя, и она окажется в Староникольске. У нее там нет ни родственников, ни знакомых, но это и к лучшему. Она попытается раскрыть тайну исчезновения Анны. Если эта миссия потерпит неудачу, она в любом случае проведет незабываемые дни в Староникольске.

Юлия не знала, до какой степени она была права. События в Староникольске, которые после ее приезда в этот замшелый городишко понеслись с огромной скоростью, врезались ей в память. Она и не подозревала, что кто-то в

Трудно быть солнцем

милом провинциальном городке лелеял жуткие, кровавые планы. И она была составной частью этих сумасшедших планов. И ей предстояло вскоре узнать это...

30 июля

Тьма распласталась над Староникольском, как бархатное одеяло. Старинный монастырь, гордость городка, возвышался над мерно текущей речушкой, как сказочная крепость. Его было очень хорошо видно из леса, раскинувшегося на другом берегу.

— Братья и сестры, — произнес глухой призывный голос. — Я вижу, вы все собрались! Все тринадцать. Сегодня, в полнолуние, мы приступим к нашему ритуалу!

Поляна была идеальным местом для их сборища. Лес издревле пользовался дурной славой, и никто из местных не рискнул бы ночью, в особенности когда бледный лик луны сиял подобно глазу адского чудовища в темном небе, оказаться здесь и стать свидетелем их ритуала.

Фигуры, закутанные в черные плащи с капюшонами. Ровно тринадцать. Двенадцать на поляне и одна на возвышении — тринадцать, чертова дюжина...

Создавалось впечатление, что поляна — это гигантская шахматная доска, а люди в черном — игровые фигуры. Они расположились в определенном порядке. Около каждого из них горела небольшая свеча, накрытая колпаком из темно-красного стекла. Лиц не было видно вовсе, нельзя было сказать, кто из собравшихся мужчина, а кто женщина — все в одинаковой степени походили на призраков, вышедших в самый зловещий час из чрева преисподней.

Глава этого сборища выделялся осанкой и поведением. Высокий, ростом около двух метров, облаченный в черный плащ, который был украшен богатой вышивкой. Присмотревшись, можно было бы распознать в узорах страшные буквы и знаки черной магии. Человек держал в одной руке зажженную свечу из черного воска, в другой у него был зажат обоюдоострый нож.

— Вы готовы? — произнес он, обводя взором двенадцать фигур, выражавших покорность и потаенное желание.

— Да, да, да... — послышались приглушенные ответы, которые срывались с губ людей, закутанных в плащи.

— Это хорошо, — с удовлетворением произнес глава сборища. — Прежде чем мы приступим к ритуалу, хочу сказать вам следующее, братья и сестры. Церковная власть, а вместе с ней и светская, проявляют беспокойство по поводу нашей активности. Они желают уничтожить нас.

По сборищу прокатился глухой ропот недовольства. Еще бы, все были в курсе: уже несколько лет как в Староникольск прибыл новый священник, в чьи функции — это являлось секретом Полишинеля — наряду с заботой о прихожанах входила борьба с тайной и страшной ересью, поразившей старинный русский городок. Секта Тринадцати — так именовалась она. Про нее мало что было известно, разве только то, что состоит она из тринадцати человек. Казалось бы, какая ерунда — если тринадцать безумцев и вероотступников желают заниматься чем-то непотребным, то это их полное право. Однако, как ходили слухи, на самом деле Секта Тринадцати существовала во многих городах, и там их число насчитывало гораздо большее количество приверженцев.

Что именно стояло за ритуалами, никто не знал. Втихую говорили, что Секта Тринадцати не брезгует человеческими жертвами, а возглавляет ее в Староникольске могущественный член Большого Совета — тринадцати человек, которые состоят в связи с потусторонним миром. Однако многие считали, что секта — всего лишь фантазия, не более чем очередная городская легенда одного ряда с оживающими мертвецами на городском кладбище, оборотнями из леса и зелеными человечками.

— Мы знаем, знаем об этом... — послышались голоса.

Глава сборища кивнул и продолжил:

— Однако хочу сказать, что у этого священника, который облечен властью уничтожить нас, ничего не получится. Мы будем противостоять этому, как только можем.

И сегодня... Сегодня мы сделаем первый шаг на пути к этому великому противостоянию!

Колокол расположенного неподалеку монастыря ударил три раза. Было ровно три часа ночи.

Глава сборища знал, что необходимо торопиться. Скоро, через каких-то два часа, рассвет, а еще предстоял ритуал и посвящение новых членов. Он получил указания от Великого Магистра, главы Большого Совета, в который входил и сам, — Секта Тринадцати должна расширять свое влияние. Молодежь оказалась падкой на подобные вещи, почти все подростки города знали о том, что секта существует в действительности. И очень многие, наслышанные о том, что члены секты приобщаются к древним ритуалам и магической силе, хотели бы вкусить запретный плод.

— Итак, братья и сестры, — продолжал вещать глава сборища. — Представляю вам новых наших собратьев!

Словно повинуясь его словам, вокруг поляны взметнулись и тотчас погасли столбы сине-зеленого пламени. Двенадцать собравшихся повалились на землю. Они знали, что их властелин всесилен, у них десятки раз была возможность убедиться в этом.

Пять новых фигур, закутанных в белоснежные одеяния, возникли из леса. Неофиты встали полукругом перед главой собрания, тот громовым голосом стал произносить заклинания на латыни.

Процедура посвящения длилась около получаса, затем новые члены Секты Тринадцати сбросили белые плащи, оставшись в черных, одетых снизу.

— Мои поздравления, — пророкотал верховный жрец. — Вы знаете, что последует теперь?

Все знали, даже те, кто только что приобщился к ритуалам секты. Жертва, теперь должна быть принесена жертва!

— Что же, приступайте! — воскликнул глава еретического собрания.

Столбы пламени снова осветили поляну. Главарь взметнул обоюдоострый нож над головой и приготовился. Ждать оставалось совсем немного...

Луна, единственная свидетельница зловещего ритуала, равнодушно взирала на людские страсти.

1 августа

— Ваша светлость, — сказал адвокат. — Прошу вас, вот пакет документов по Старо-никольску.

— Великолепно, — произнес тот, кого адвокат назвал столь необычным для республиканской Америки титулом. Разговор велся по-английски. — Я очень доволен вами, мистер Уорвик.

— Для нашей адвокатской фирмы большая честь вести дела такого известного человека, как вы, ваша светлость, — произнес мистер Уорвик, узкие губы которого расплылись в улыбке.

«И богатого, — добавил он про себя. — Чертовски богатого!»

Молодой человек, носящий титул князя, посмотрел в окно, на величественную панораму Манхэттена, расстилавшегося вокруг. Они находились в Нью-Йорке, финансовом центре США.

Он, Александр Святогорский-младший, князь, к тридцати двум годам достиг практически всего, о чем можно мечтать. Он был гражданином Соединенных Штатов, но наряду с этим принадлежал к одному из древнейших российских аристократических родов. Его предки, еще до Февральской революции предчувствуя грядущую катастрофу и низвержение прежних порядков, переехали во Францию, откуда перебрались в Голландию, а когда маленькое королевство было оккупировано нацистами, отправились за океан, в Америку. Александру не пришлось думать о деньгах, он был богат. Его прадед, старый князь Феликс Святогорский, сумел чрезвычайно мудро распорядиться и без того колоссальным семейным состоянием. Их семейство являлось элитой американского общества, а молодой князь, Александр Второй, как называли его желтые еженедельники, одним из самых желанных женихов Нового Света.

Александр, окончивший Гарвардский университет, внимательно просмотрел документы, подготовленные адвокатской фирмой, возглавляемой мистером Уорвиком. Что же, все безупречно.

— Великолепно, — еще раз произнес молодой князь. — Если позволите, я оставлю их у себя и подпишу позднее. Мне нужно обдумать. Да, мне нужно все очень хорошо обдумать...

— Как вам будет угодно, — сказал адвокат.

Он с некоторой завистью посмотрел на молодого князя Святогорского. Молодой Александр из тех, кому все досталось при рождении, он стал наследником мультимиллионного состояния, едва только появился на свет в престижной частной клинике Бангора. В отличие от него, мистеру Уорвику пришлось приложить огромные усилия, чтобы пробиться из самых низов и стать совладельцем крупной и, что самое важное, обладающей безупречной репутацией адвокатской фирмы на Уолл-стрит.

А вот князья Святогорские... Репутация — вот их ахиллесова пята, и мистер Уорвик, который почитывал бульварные еженедельники, был в курсе всех сплетен. Александра упрекнуть не в чем, он — представитель золотой молодежи, бриллиантовый мальчик, как про себя с сарказмом именовал подобных молодых наследников мистер Уорвик. Он не был замешан ни в одном скандале — он не напивался вдрызг, не увлекался наркотиками, не заказывал в номер фешенебельного отеля дюжину проституток, не был «голубым» и вообще мог сделать любую карьеру. Ему не светило стать президентом, человека с труднопроизносимой для рядового американца фамилией Святогорский избиратели никогда не сделают главой государства, а вот занять другой, не такой высокий, но, возможно, гораздо более влиятельный по своей сути пост он вполне мог. Ему всего тридцать два, а он уже является членом нескольких советов директоров в крупнейших американских компаниях. Скорее всего, через пару лет он займется политикой. Почему бы нет, он вполне может стать сенатором, а затем и министром в очередной администрации. Но...

Мистер Уорвик знал, что это за «но». Никто и никогда не проголосует за человека, которого обвиняют в убийстве. Александр никого не убивал, а вот его дед, Феликс-младший...

Святогорские вели происхождение от Рюриковичей, их фамилия была среди претендентов на русский престол, когда в ненастном 1613 году бояре выбирали нового властелина. При Петре они впали в немилость, так как активно противились реформам гневливого императора, зато взлетели при Екатерине и особенно при Александре Первом. Кирилл Святогорский стал военным министром. Не повезло разве что с Феликсом-младшим, дедом Александра. Семейство князей, обитавшее попеременно то в Петербурге, то в Царском Селе, то за границей — в Биаррице, Баден-Бадене, Ницце, имело роскошный особняк, настоящий дворец, возведенный архитектором Баженовым в Староникольске, городке в русской провинции, где князья владели большими угодьями.

Именно там, в самый канун революции, Феликс-младший и покончил жизнь самоубийством. А до этого убил свою любовницу, звезду немого кино Российской империи Анну Радзивилл. А говорят, и не только ее...

Княжеская фамилия никогда не делала никаких заявлений по этому поводу, предпочитая молчать, но зачастую молчание красноречивее любых слов. В эмиграции Святогорские стали крайне непопулярны среди иных аристократических семейств. Феликса-старшего, отца Феликса-младшего, подозревали в том, что он специально пытался замять скандал, разгоревшийся вокруг его сына. Кроме того, в отличие от множества других знатных семейств, Святогорские не только сохранили, но и приумножили богатства, вывезенные не вполне честным путем из России.

Некоторые газеты раскопали, что сына старого князя подозревали не только в непосредственной причастности к бесследному исчезновению Анны Радзивилл, но и еще в нескольких убийствах, которые произошли в провинциальном городке Староникольск накануне столь поспешного отъезда семьи, больше похожего на бегство от правосудия. Княжеское семейство же окрестили «русскими Дракулами», намекая на их вину в гибели нескольких молодых русских девушек. Феликс-старший приложил все усилия и истратил не одну сотню тысяч долларов, чтобы эта история не получила широкого распространения, но тщетно. Он даже подал в суд на один из таблоидов, требуя гигантской компенсации морального ущерба, опровержения и публичных извинений. Процесс закончился, так и не начавшись. К всеобщему изумлению, адвокаты истца пошли на мировую — князь снял все требования, а еженедельник продолжил печатать серию статей про «русского Дракулу». Фактически Святогорский проиграл дело, что дало новую пищу для разговоров о виновности его сына в серийных убийствах.

Старик князь, давно парализованный и прикованный к креслу, скончался спустя несколько дней после разразившегося на Уолл-стрит финансового кризиса в конце октября 1929 года в возрасте семидесяти восьми лет. Его наследником стал Феликс Третий, его несовершеннолетний внук, сын его покончившего с собой сына, опеку над которым взяла невестка старого князя, мать Феликса Третьего и супруга Феликса Второго, Аделаида Святогорская, урожденная княгиня Шереметева. Но и она не сумела унять волну публикаций, слухов и даже телевизионных передач про своего супруга, который предпочел самоубийство правому суду.

Однако все это, как считал мистер Уорвик, мало волновало молодого князя. Он был богат, молод, умен и красив. Он пошел в своего деда, несчастного Феликса-младшего — такой же высокий, атлетического телосложения, с темными волосами, серыми глазами и классическими чертами лица. Единственное, что его портило, был капризный рот. Про Святогорских рассказывали, что они не могут контролировать свой гнев и способны в таком состоянии на самые ужасные поступки. Именно в таком припадке дед Александра якобы и убил свою пассию...

Адвокат предпочитал молчать, так как знал — достаточно всего единственного неосторожного слова, и князь Святогорский сменит адвокатскую фирму. А упускать такого выгодного клиента крайне неосмотрительно. В конце концов, про каждое семейство, добившееся социального и финансового успеха, ходят подобные слухи. Чем лучше, к примеру, Рокфеллеры?

— Вы можете быть свободны, мистер Уорвик, — произнес в задумчивости молодой князь.

Уорвик поджал губы. Александр разговаривает с ним, как мог бы разговаривать его далекий предок с камердинером, не вовремя появившимся в спальне. Вот она, подлинная аристократия... Мистер Уорвик, выходец из бедной ирландской семьи, привык улыбаться в самых напряженных и неприятных ситуациях. Это помогло ему достичь высот в юриспруденции.

— Моя секретарша свяжется с вами, как только я подпишу документы, — сказал на прощание Александр Святогорский. Короткое, крепкое рукопожатие, и мистер Уорвик оказался вне пределов кабинета князя.

Апартаменты Святогорского располагались в одном из небоскребов, здесь, в изящно и богато обставленных помещениях, он и вел дела, распоряжаясь многими миллионами. Помимо того что он наследник больших денег, он — представитель одной из древнейших фамилий России.

Александр говорил по-русски практически без акцента, по настоянию отца, Феликса Третьего, сына покончившего с собой Феликса-младшего, Александру наняли русскую няню, крестили в православии и воспитывали в русской культуре. Его мать, представительница элитарного и очень богатого семейства Маккормиков, пыталась было противиться, но поняла, что мужа переубедить не удастся. Ее супруг, два срока заседавший в сенате, крупный промышленник и финансист, друг нескольких президентов и желанный гость в Белом Доме, не терпел противления собственной воле.

Мать Александра вздохнула с облегчением, когда ее супруг-диктатор в возрасте пятидесяти шести лет, вскоре после рождения Александра, внезапно скончался от инсульта. Хелена Святогорская, еще до того, как согласилась выйти замуж за Феликса Третьего, вместе со своим родителями тщательно взвесила все «за» и «против». Святогорские были чрезвычайно богаты, стареющий князь, который до достижения пятидесятилетнего возраста вел сибаритскую жизнь, не отказывая себе ни в каких удовольствиях, в результате чего он в итоге и проиграл очередные выборы в сенат, был выгодным женихом. Его первая супруга, голландская графиня, погибла в автомобильной катастрофе, детей у них не было. Но вот эта старая история, произошедшая в России... Впрочем, кому, кроме читателей бульварных газетенок, были интересны сплетни более чем полувековой давности.

Роскошные свадебные подарки князя — яхта «Хелена», четвертая по водоизмещению в мире, редкостный квадратный изумруд и полотно кисти Рембрандта — убедили родителей Хелены ответить согласием на предложение Феликса Третьего. Единственным их условием было, чтобы сына-наследника, рождения которого с нетерпением ожидали и Маккормики, и Святогорский, крестили в лютеранстве и нарекли Эдуардом — в честь его деда по материнской линии. Феликс дал свое согласие, но все изменилось в тот момент, когда в апреле 1970 года Хелена разродилась здоровым и крепким мальчуганом.

Феликс Третий, давно бредивший наследником и с ужасом, после легкого инфаркта, осознавший, что он может умереть, так и не произведя на свет потомства, буквально сошел с ума, когда увидел мальчика. Он единоличным решением, не советуясь с женой, тещей и тестем, назвал его Александром, в честь своего прадеда, знаменитого военного стратега, и на третий день после рождения тайно крестил в православном храме.

Скандал разгорелся нешуточный. Семейство Маккормиков потребовало чуть ли не развода Хелены с князем и грандиозного судебного процесса, связанного с правами по опеке над сыном, но князь, мобилизовав все имеющиеся связи, пригрозил тестю подлинной финансовой войной.

Эдуард Маккормик вскоре убедился в реальности намерений зятя — Святогорский начал скупать акции некоторых предприятий, принадлежавших семейству его жены, затем созвал на одном из них внеочередное собрание акционеров, отправил в отставку прежний совет директоров и практически прибрал к рукам выгодное предприятие по производству автомобильных покрышек. Все это произошло в течение считанных недель. Когда Святогорский нацелился на крупный фармацевтический концерн и начал приготовления к его захвату, Маккормик, видя, что зять не считается с затратами и готов вести войну до победного конца, невзирая на жертвы с обеих сторон, запросил перемирия.

Семейный совет, созванный в техасском поместье Маккормиков, постановил придерживаться статус-кво: мальчик остается Александром, однако, следуя протестантской традиции, получает второе имя Эдуард. Религиозный вопрос также остался без изменений — юный Александр стал прихожанином православного храма Святой Елизаветы. Старший Маккормик особенно противодействовал в этом пункте, он надеялся, что его внук когда-нибудь займет пост президента США, а его православие стало тому серьезным препятствием.

— Нет, — заявил Феликс Третий, — мой сын скорее станет русским царем, чем президентом Америки.

Святогорский лелеял мечту о триумфальном возвращении на родину. Он сам родился в Староникольске, однако после самоубийства отца его дед принял решение — немедленно уехать в Париж, туда же перевести и все капиталы. В империи, которая вела войну, это выглядело крайне непатриотично, однако у старого князя были на то веские основания. Его сына, покончившего с собой, подозревали, помимо убийства любовницы, актрисы Анны Радзивилл, в совершении ряда жестоких преступлений, взбудораживших провинциальный городок летом и осенью 1916 года. Княжеское семейство, всегда популярное по причине их щедрой благотворительной деятельности, возненавидели, и старый Святогорский счел необходимым убраться восвояси еще до того, как полные гнева граждане разгромят его дворец и перебьют все семейство.

Феликс Третий, который провел в России всего несколько месяцев своей младенческой жизни, желал во что бы то ни стало вернуться на родину. И не как турист, а как хозяин. У него были фотографии его дворца, превращенного после революции сначала в клуб для просвещения безграмотных, потом в избу-читальню, затем в хлебопекарню, и под конец в склад. Святогорский всеми фибрами своей аристократической души ненавидел большевиков и считал коммунизм порождением сатаны. Это не помешало ему трижды побывать в СССР, и в том числе один раз съездить в Староникольск, где он, насупив брови и сузив глаза, осмотрел роскошный остов некогда величественного особняка, заросший сад, превращенный в городской парк, перестроенную систему когда-то чудных фонтанов, которые современники сравнивали по красоте с петергофскими.

После возвращения в Америку князь предложил советскому правительству выкупить принадлежавшие некогда его семейству угодья и дворцовые площади за колоссальную сумму — двести пятьдесят миллионов долларов. Брежневские чиновники сначала сочли письмо, пришедшее в Кремль, дикой шуткой, затем рассматривали это как провокацию диссидентов и заморских спецслужб, а под конец на безупречном английском в сладко-вежливых фразах ответили «его сиятельству князю Феликсу Святогорскому», что подобная сделка не может иметь место ни в коем случае, так как советское государство не нуждается в деньгах и не намерено продавать национальное достояние, «собственником которого является народ СССР».

Святогорский после этого бушевал на своей вилле во Флориде, крича: о каком достоянии идет речь, если дворец зарастает бурьяном и используется жителями городка как огромный общественный туалет. Спустя неделю после этого инцидента князь во время перелета из Майами в Нью-Йорк на частном самолете почувствовал себя плохо, самолет был вынужден запросить экстренную посадку, однако живым увидеть землю Феликсу Третьему так и не довелось — он впал в предсмертную кому еще до того, как шасси его самолета коснулись поверхности взлетно-посадочной полосы аэропорта в Вирджинии.

Хелена Маккормик-Святогорская не особо горевала по поводу кончины супруга, с которым она так и не сумела найти общий язык. Александру в тот момент было два года, и он стал наследником огромного состояния, которое грозило увеличиться после кончины его бабки и деда Маккормиков. Так и произошло, и в возрасте двадцати одного года Александр вступил в права владения колоссальным состоянием. Его матушка, нашедшая счастье в объятиях личного дантиста, бывшего на девять лет ее моложе, с удовольствием передала сыну бразды правления.

Александр, практически не помнивший отца, воспитывался Хеленой в отстраненной к нему критике. Феликс Третий считался эксцентриком и неудачником. Но Александр, сызмальства поражавший удивительно трезвыми суждениями и несгибаемой волей, сумел разобраться в действительном положении вещей. Мать он чтил, предоставил ей два особняка — в Калифорнии и Нью-Йорке, а также чрезвычайно щедрое годовое содержание, которое Хелена и ее любовник-дантист не могли потратить даже при всей их склонности к мотовству. Отца он уважал. Он, как Феликс Третий, бредил Россией, утерянной землей обетованной, которую ему предстояло обрести.

Поэтому, когда рухнул железный занавес, он тотчас отправился в Москву, а оттуда в Староникольск. Городок произвел на него гнетущее впечатление, а кирпично-мраморный труп дворца вызвал у него слезы. Александр, как и отец, сначала отреагировал крайне эмоционально, однако потом, подумав, принял решение помогать Староникольску, своей малой родине.

Он завязал прочные финансово-торговые отношения с Москвой, занялся нефтяным и продуктовым бизнесом, в Староникольске под его патронажем были отреставрированы старинные здания, возрожден древний Староникольский монастырь, открыта бесплатная школа для молодых дарований, музыкальный колледж. Он щедро спонсировал открытый по его настоянию Староникольский филиал Открытого гуманитарного Московского университета, устраивал шикарные и запоминающиеся городские праздники, помогал ветеранам войны, инвалидам, сиротам, не забывал и о постоянной подпитке власть имущих.

Молодой князь стал желанным гостем в городке, а некоторые молодые (и не очень) барышни, закатывая глаза, заявляли, что Александр Святогорский — истинный секс-символ, а Лео Ди Каприо и Ричард Гир ему и в подметки не годятся!

Результатом этого и стало решение, которое, спустя целых одиннадцать лет после его возвращения в Россию, было принято на самом высшем уровне сначала в Москве (исключительно благодаря большому количеству долларов, которые перекочевали из кармана князя в карманы нескольких высокопоставленных чинуш), а потом в Старо-никольске (количество денег, которым удовольствовались местные власти, было на порядок меньше, чем в столице).

Князь получил право реставрации дворца, а также — об этом мало кто знал — приобрел в собственность достаточно большое количество земли, которая раньше была угодьями его семейства.

И вот теперь, после визита мистера Уорвика, молодой князь Александр Святогорский в одиночестве и с некоторым трепетом просматривал документы, которые предоставляли ему окончательное право на земли в Старо-никольске. Сделка была подозрительна с точки зрения как американского, так и российского права. И князь, выпускник Гарварда с дипломом юриста, не мог этого не знать. Однако ему было куда важнее, что сбылась мечта его отца и его самого — он возвращается в Старо-никольск.

Князь открыл сейф, достал оттуда кожаную папку, вынул толстую пачку эскизов. Вот он, княжеский дворец, который воссияет в своем великолепии буквально через два года. Он возродит прежний блеск и величие рода князей Святогорских. Александр был уверен, что в этом и заключается его миссия.

У него были деньги, а значит, было все. Он восстановит дворец, английский парк, систему уникальных фонтанов. Мрамор он уже заказал в Италии, статуи для фонтана отливают во Франции, затем их в Париже покроют позолотой... Благо, что остались фотографии и чертежи старого дворца, а также подробное описание внутреннего убранства.

О, он не только восстановит дворец, он создаст новый шедевр. Он не будет жалеть денег, все равно у него их больше, чем он сможет истратить за всю жизнь. Жаль, что в Москве не удалось добиться права собственности на дворец. Оказывается, несмотря на то что особняк пребывает в ужасном состоянии, он занесен в какой-то кодекс-реестр, запрещающий передачу его в частную собственность как национальное достояние. Надо же, чиновники, ответившие его отцу, не издевались, они говорили правду.

И тем не менее Александр был уверен, что пройдет несколько лет, и он сумеет убедить нужных людей в столице — и дворец станет его. Возможно, неофициально, но он сумеет сделать его собственной резиденцией. Конечно, о восстановлении в России монархии нельзя и помыслить, но все же как хорошо будет хотя бы раз в год приезжать из далекой Америки на родину, в Староникольск, в собственный дворец...

Александр был прагматиком. Он истратит на приведение в порядок дворца, паркового комплекса и каскада фонтанов не менее двадцати миллионов долларов, своих собственных долларов. Ни у Москвы, ни тем более у Староникольска нет таких астрономических средств. Поэтому-то он и может диктовать свои условия.

В папке находилось несколько проектов, подготовленных по его заказу известными архитекторами в России и Америке. Он уже нанял строительную компанию, которая пообещала ему восстановить дворец в кратчайшие сроки — полтора года. Еще полгода понадобится на парк и фонтаны. Что же, весьма оперативно, учитывая огромный объем работы.

Дизайнеры в Германии и Финляндии уже ждут его приказания, чтобы начать разработку внутреннего интерьера дворцового комплекса. Итак, все готово. Строительные работы начнутся через неделю. Он лично приедет в Староникольск, чтобы присутствовать на символическом заложении первого камня нового дворца. И новой жизни, как надеялся Александр.

5 августа

Олеся откинулась на спинку тяжелого, обтянутого красным бархатом кресла и с любопытством уставилась на Брониславу. Что ей предстояло узнать от знаменитой гадалки? Свою судьбу! Именно за этим она и пришла сюда!

Олеся не то чтобы особенно верила предсказателям, однако ей было крайне любопытно. В последнее время судьба наносила ей удары один за другим — сначала этот странный конфликт с профессором, затем неожиданное расставание с Владом... Господи, ей же всего двадцать три года, ей так хочется, чтобы все было хорошо. За этим, собственно, Олеся и пожаловала к Брониславе.

Знаменитая в Староникольске гадалка и ясновидящая Бронислава обитала в старинном особняке из красного кирпича. Подобное здание, пусть и в отдаленном районе, стоило ужасно много. Даже арендная плата была наверняка высокой. А Брониславе она была по карману.

О Брониславе ходили разные слухи, о ней слагали легенды. Олеся знала, что попасть на прием к предсказательнице сложно, нужно записываться заранее, иногда приходилось ждать целый месяц, чтобы оказаться в кресле перед ней. Олесе повезло — ее тетка была хорошей знакомой дамы, работавшей в приемной Брониславы. Та внесла Олесю в список, не моргнув глазом. В любом случае Брониславе было все равно, кого принимать.

— Итак, чем я могу вам помочь? — сказала гадалка певучим грудным голосом, появившись перед Олесей.

Девушка, которой, несмотря на палящую августовскую жару, было холодно, вздрогнула. По коже побежали мурашки. Ей доводилось несколько раз видеть Брониславу — ее фотографии в газете, а также на городских праздниках.

И вот она стояла перед ней, словно возникшая из небытия, вышедшая из колыхающейся черной занавески. Достаточно высокая, полнотелая, облаченная в свободные, ниспадающие одежды. Иссиня-черные волосы, красные губы, бледная кожа. Пальцы с длинными кровавыми ногтями унизаны сверкающими перстнями, на шее перекатываются многочисленные золотые и серебряные цепочки и ожерелья из янтаря, бирюзы, сердолика.

— Молодая дама, — произнесла Бронислава, скупо улыбаясь. — Вы наверняка хотите узнать собственное будущее, не так ли? Ну что же, если это так, то приступим!

Олеся вжалась в кресло и с восторгом уставилась на Брониславу. Именно такой она всегда и представляла себе истинную предсказательницу. А то, что Бронислава была настоящей, а не шарлатанкой, она знала почти со стопроцентной уверенностью. Все подруги Олеси, ее родственницы, в особенности тетка, в один голос уверяли — Бронислава творит чудеса. Она может предсказать будущее, снять порчу или сглаз, помочь отвести несчастья и приворожить суженого. Все это стоило дорого, но что поделаешь, клиентам был важен результат.

Гадалка опустилась в кресло с высокой спинкой, которое стояло за круглым столом из дуба, ее руки замерли над хрустальным шаром. Олесин взор волей-неволей сконцентрировался на пассах Брониславы. Гадалка, разводя руками, что-то бормотала себе под нос. Олеся, до сих пор ничего не сказавшая, почувствовала легкий страх.

Это письмо... Оно лежало у нее в сумочке. Странное, непонятное письмо, которое она получила вчера. Оно пришло не по почте, кто-то опустил ей в почтовый ящик. Это что, скрытая угроза или идиотская шутка? Может быть, таким образом профессор, с которым она по собственной глупости обострила отношения, решил ей отомстить? Или это проделки Владика, бывшего приятеля Олеси, который цинично бросил ее, едва Олеся вошла в черную полосу неприятностей.

Трудно быть солнцем

Девушка закрыла глаза. Она старалась не думать о неприятностях. Не может быть, чтобы все было так ужасно! Ей всего двадцать три, жизнь в самом начале. А все эти неприятности — они же пройдут, исчезнут, как утренний туман!

И все же ей было страшно. То ли обстановка в кабинете Брониславы подействовала на нее подобным образом, то ли еще что-то, но Олесе внезапно захотелось оказаться дома, в своей квартирке, где она чувствовала себя в относительной безопасности. Возможно, идея навестить предсказательницу была далеко не самой удачной.

— Я вижу могущественного человека, которого ты разозлила, и он кипит от гнева, когда слышит твое имя, — произнесла Бронислава.

Олесины голубые глаза с длинными ресницами широко распахнулись. Откуда Бронислава это знает? Так ведь на самом деле и есть, она, несомненно, ведет речь про профессора...

— Ты недавно пережила предательство, — продолжала гадалка. — Тебе очень тяжело, но, поверь мне, это пройдет. Не думай о плохом, череда неприятностей для тебя...

Она внезапно смолкла, уставившись в глубины хрустального шара. Олеся, приоткрыв рот, с нетерпением ждала слов Брониславы. Это же чудо! Что бы там ни говорили — Бронислава действительно заслуживает того доверия, которое к ней испытывают жители Староникольска. И тех денег, каких стоит визит к ней.

— Что вы видите, каково мое будущее? — прошептала девушка, и ее руки схватились за резные подлокотники кресла.

Гадалка всмотрелась в хрустальный шар. Краткое, мимолетное видение, которое предстало перед ее взором минуту назад, было совершенно ясным. Как будто она включила крошечный телевизор.... Давно видения не приходили с подобной четкостью. И то, что она увидела в горном хрустале, ей не понравилось. Очень не понравилось...

Бронислава уже почти тридцать пять лет занималась предсказаниями, и она понимала, что это — бизнес, причем бизнес весьма выгодный. Поэтому, обладая подлинным даром и не обманывая клиентов, в отличие от сотен шарлатанов, она твердо знала — никогда не стоит напрямую подавать жуткие, неутешительные новости. Хотя несколько раз, когда она понимала, что человек, сидящий перед ней, обречен на смерть, она не скрывала от него правду. Ей в большинстве случаев не верили, скептически качали головой и, рассерженные, громогласно выражая свое недовольство предсказанием, уходили прочь. Но что она могла поделать — судьбу не переспоришь...

Несколько раз она видела в глубинах шара тяжелую и внезапную болезнь — рак, инсульт, инфаркт. Или катастрофу, в которую попадает клиент. Ей даже довелось однажды спасти человека, упросив его не лететь на самолете, который, как потом выяснилось, рухнул на землю по причине технической неполадки.

Но то, что Бронислава увидела в хрустальном шаре сейчас, было совершенно иным. Смерть распластала крылья над Олесей, симпатичной, хотя и глуповатой девушкой, которая замерла перед ней в кресле. И это не была внезапная болезнь или несчастный случай. Это было убийство!

Прорицательница со всей четкостью видела ужасную картинку — тело девушки, с подвернутой правой ногой, с руками, вцепившимися в траву, лежащее где-то... Где-то в парке. На ее груди покоится цветок — белая лилия.

Но к чему бы это? Бронислава вздрогнула. Так и есть, она же читала о зверских, непонятных убийствах, которые сотрясали Староникольск незадолго до революции, в 1915 или 1916 году. О них ей рассказывала ее бабка, Бронислава-старшая, которая скончалась в возрасте ста четырех лет и была свидетельницей огромного количества событий.

— Так что же вы видите, скажите, прошу вас, — произнесла Олеся. — Вы не должны скрывать от меня правду.

Девушка права. Бронислава должна предупредить ее. Предсказательница знала: судьбу можно повернуть вспять, ее можно изменить, если очень постараться. Для этого нужно обладать сильной волей и огромным желанием жить. Но обладает ли Олеся, хрупкая русоволосая красавица в коротком белом сарафанчике, подобными качествами?

— Я должна обратиться к картам, — сказала Брonislaва. Она знала: хрустальный шар не может ошибаться или обманывать, а карты тем более не подведут. Поэтому она достала колоду, разложила ее по правилам, выработанным ее знаменитой бабкой, и попыталась узнать будущее Олеси.

Так и есть, могущественный враг, любовник, трусливо бросивший девушку, а что значит это?

— Письмо, — провозгласила гадалка. — Ты получила письмо, которое изменит всю твою жизнь!

Олеся съежилась. Проклятое послание, чья-то безвкусная шутка, было при ней. Она никому не рассказывала о нем. О других фактах биографии Бронислава, к примеру, могла узнать от ее тетки, но о письме... Нет, о нем не знал никто — кроме самой Олеси и, разумеется, той персоны, которая бросила его в почтовый ящик.

— Да, я получила письмо, — прошелестела помертвевшими губами девушка. — Скажите, умоляю вас, что это все значит? Когда закончатся мои мучения? И что мне надо делать?

— Бежать, — мрачно проронила гадалка. Она ощутила внезапный приступ резкой головной боли, словно пуля пробила ее череп. Но она не имеет права прервать сеанс. Девушке требуется помощь.

Она перевернула последнюю карту и тотчас прикрыла ее ладонью. Ухмыляющийся скелет с косой. Смерть! Снова смерть, которая поджидает девушку за дверью. Как и хрустальный шар, карты говорили — Олеся обречена на то, чтобы стать жертвой убийства. Убийства, которое произойдет в течение нескольких дней, возможно, даже часов.

— Прошу вас, почему вы мне ничего не говорите, — несколько капризным тоном произнесла Олеся. — Я же пришла к вам, чтобы узнать будущее.

Прорицательница вздохнула. Девушка, безусловно, права. Она должна раскрыть ей правду.

— Ты получила письмо, которое изменит твою жизнь.

Это письмо может привести к ... к твоей смерти, — хрипло сказала гадалка. — Ты должна быть осторожна.

— Что вы такое говорите, — плаксивым голосом ответила Олеся. Она испугалась по-настоящему. Холод сковал ее. Милое развлечение превратилось в страшный спектакль. — Почему я должна умереть, — сказала Олеся. — Мне же всего двадцать три. Скажите, это будет катастрофа? Или болезнь?

Олеся вспомнила о визите к ней бритоголового, накачанного брата профессорской жены. Тот, перемежая речь матерщиной, заявил девушке, что если она будет продолжать сопротивление, то ей каюк. Неужели этот местный мафиози причинит ей вред?

Бронислава не решалась сказать. Да и как она может произнести это страшное слово «убийство». Бедная девушка, разве она заслужила такую участь!

— Ты не должна ходить в парк, — сказала гадалка. — На тебя могут напасть, и это может закончиться трагически. Пообещай мне это!

Олеся перевела дух. Надо же, ей стоит опасаться темных и безлюдных мест. Всего лишь! Страх, который только что терзал ее, прошел. А Бронислава показалась комической фигурой. Вот оно что, мелькнула у Олеси мысль, прорицательница пытается выудить из нее лишние доллары. Конечно, сейчас заведет речь о том, что нужно посещать дополнительные сеансы, в ходе которых она избавит от порчи...

Бронислава, заметившая перемену в настроении Олеси, произнесла:

— Ты должна мне верить. Я могу постараться избавить тебя от клейма смерти...

— Спасибо, но мне это не нужно, — веско ответила Олеся. — Я думаю, мне больше у вас делать нечего.

— Постой, — произнесла гадалка. — Я еще не закончила сеанс...

— Зато для меня он закончился, — сказала Олеся. — Всего хорошего!

Она выбежала из темной комнаты, пронеслась сквозь

Трудно быть солнцем

приемную, где, несмотря на поздний час, сидело несколько страждущих, и вышла в августовскую ночь. Олеся была разочарована. Теперь-то она понимала, что Бронислава на самом деле — такая же обманщица, как и те личности, которые дают объявления в бесплатных газетенках об оказании экстрасенсорной помощи. Та же начинка, только уровень повыше. Все было великолепно до того момента, как эта расфуфыренная особа завела разговор о смерти. Олеся не верила, что ей предстояло вскорости умереть. Конечно, когда-то, лет через пятьдесят или даже шестьдесят, в почтенном возрасте, в постели, около которой толпятся скорбящие внуки и правнуки.... Но в возрасте двадцати трех лет? О нет! Гадалка намеревалась выудить из нее дополнительные деньги, и это у нее не получилось.

Бронислава, оставшись в кабинете одна, не кинулась за девушкой. Что же, она сделала свой выбор и понеслась навстречу смерти. Каждый волен поступать так, как считает нужным, каждый сам несет ответственность за свои действия...

И за свое бездействие. Она должна была остановить эту дурочку. Девчонка не понимает, что шутить с судьбой нельзя. Ей выпал уникальный шанс — воспротивиться року, остаться в живых, несмотря на то, что Бронислава четко видела в хрустальном шаре безжизненное тело Олеси. Это один из вариантов развития событий, вовсе не обязательный. Но девушка проигнорировала возможность спастись.

Головная боль нарастала. Бронислава, знавшая, что ее ожидают еще несколько клиентов, приложила пальцы к вискам. Она не в состоянии продолжать сеансы. Придется извиниться и перенести встречи. Ей необходим отдых, чашка зеленого чая и массаж.

— Все в порядке? — спросила невысокая дама, облаченная в желтое платье, появившись в комнате. Ее верная секретарша, Людочка. Без ее организаторских способностей Бронислава давно утонула бы в бумажной работе и не сумела бы выстроить приносящую такой хороший доход сеть клиентуры.

— Кажется, нет, — слабым голосом ответила Бронислава.

Людочка покачала головой и сказала:

— Тебе необходим отдых, на тебе лица нет. Я перенесу прием ожидающих клиентов на другие дни. Извинюсь и скажу, что ты заболела. Ты можешь позволить себе отдохнуть. Да и вообще, возьми отпуск, хотя бы неделю, смотайся в Италию или на Канары.

Бронислава слабо отмахнулась. Ей нравился Староникольск, она была истинной дочерью этого небольшого провинциального городка. Куда же она поедет, она не сможет оставить своих клиентов.

— Девчонка вылетела от тебя, как кипятком ошпаренная, — продолжала Людочка, включая бра, которые озарили комнату мягким, рассеянным светом. — Что ты ей сказала, Броня?

— Правду, — ответила прорицательница. — Ничего, кроме правды. Но она, как и большинство людей, не оказалась к ней готова. Девушка отмечена печатью скорой смерти, и я не решилась утаить от нее это. Однако она не поверила мне.

Людмила кашлянула. Она работала с Брониславой больше двадцати пяти лет и знала: предсказания Брониславы точны, и объяснения этому нет. Во всяком случае, логичного объяснения. Они начинали в далекие социалистические времена подпольно, в подвале, где был их офис, опасаясь налета милиции. Милиция к ним пожаловала — в виде супруги высокопоставленного милицейского чина Староникольска. Дама желала узнать свою судьбу и боялась, что ее муж проведает о визите к гадалке.

Бронислава увидела, что даме грозит потеря ребенка, она предупредила ее об этом. Та восприняла предсказание в штыки — особе было за сорок, у нее были взрослые сын и дочь, ни о какой беременности она и не помышляла. Однако спустя три месяца милицейская жена едва не умерла, когда у нее случился выкидыш, она даже и не знала, что беременна. Женщину едва спасли, и после этого она снова пожаловала к Брониславе, на этот раз с шикарной

Трудно быть солнцем

коробкой конфет и конвертом, в котором находилась хрустящая наличность. Помимо всего прочего ее благодарность выразилась в том, что дама начала создавать прорицательнице сеть клиентуры.

Во времена, последовавшие за падением коммунистической системы, все изменилось. Людмила, знавшая, что Бронислава ничего не смыслит в бизнесе, взяла на себя все функции по управлению их небольшим, но крайне рентабельным предприятием.

— Ну что же, это проблемы девушки, если она не хочет смотреть в глаза правде, то пусть ждет, пока будущее нападет на нее из-за угла, — заметила Людмила со смешком. Она давно превратилась в циничную особу, которая не знала, что на самом деле стоит за бесспорным даром Брониславы, и измеряла все в денежном эквиваленте.

— Ты не понимаешь, — тихо и обреченно проговорила гадалка. — Ее должны убить, причем очень и очень скоро. Возможно, даже сегодня. И это видение... Оно не дает мне покоя. Оно так похоже на то, о чем рассказывала мне моя бабка. Помнишь, я упоминала когда-то о так называемых «цветочных убийствах», которые происходили в Староникольске в начале века?

Людмила наморщила лоб:

— Ах, ну да, что-то такое я читала. Об этом шептались, а в музее даже когда-то пытались сделать стенд, посвященный этим событиям, но потом все так и заглохло. Князь... Князь убивал всех, он потом покончил с собой.

— Моя бабка была уверена, что на самом деле не молодой Феликс Святогорский был подлинным безумцем, а кто-то другой, использовавший его как козла отпущения, — сказала прорицательница. — Видение, которое сообщил мне шар, было до крайности похоже на рассказы бабушки. Молодая девушка и цветок на груди.

— Забудь об этом, — сказала Людмила.

Она знала, что Бронислава чрезвычайно впечатлительна и подвержена депрессиям. Поэтому-то она и настаивала на отдыхе. Пусть лучше Броня отдохнет неделю-другую, наберется сил, чем будет отменять сеансы и тем самым уменьшать как свой доход, так и прибыль Людмилы. Бронислава получала много, даже очень много по староникольским меркам, однако львиную долю забирала себе верная Людочка. Финансовыми вопросами Броня никогда не интересовалась, всю бухгалтерию — как белую, так и черную — вела Людмила. Обеих женщин это устраивало.

Бронислава снимала старинный особняк в качестве офиса, построила себе загородный дом, приобрела квартиру в центре городка, у нее имелось две иномарки, масса драгоценностей, а семь кошек питались отборным мясом. Людмила, жившая в тесной квартирке с больной матерью и взрослым сыном, копила деньги. Все бы поразились, узнав, что у Людочки под кроватью находится старый чемодан, набитый пачками стодолларовых купюр.

— Тебя не касаются проблемы клиентов, ты не можешь жить еще и их жизнью, и ты это знаешь лучше меня, — заявила Людмила.

Бронислава покорно кивнула. Людмила, натянув на лицо милую улыбку, отправилась в приемную — извиняться перед клиентами. Гадалка, вздохнув, снова потянулась к картам. Она должна знать... Должна знать, когда же Олеся умрет.

Смерть была завораживающим и, как считала прорицательница, самым значимым событием для каждого из людей.

Она вновь раскинула карты Таро. Ответ пришел моментально, словно кто-то только того и ждал, чтобы сообщить его Брониславе: сегодня! Олесе суждено расстаться с жизнью сегодня. Но как это возможно? До окончания дня оставалось два с половиной часа. Так что же делать? Она не смогла остановить девушку, и предупредить ее она уже не сможет. И, значит, спасти тоже.

Бронислава погрузилась в горестные мысли. Зачем она обладает даром, если не может помочь людям? Видимо, как и Кассандре, ей суждено испытать недоверие и в некоторых случаях откровенные насмешки над ее прорицаниями.

Трудно быть солнцем

Но что значит цветок на груди Олеси?

Неужели это возобновление убийств, которые происходили в Староникольске давно, еще до революции? И кто виноват в тех смертях? Князь Святогорский? Но ее бабка была уверена, что это не так... Князь давно мертв, он покончил с собой. Кто же замышляет убийство наивной Олеси?

Она не знала.

Выбежав из особняка, в котором располагался офис прорицательницы Брониславы, Олеся остановилась. Наверное, глупо, что она так бурно отреагировала на слова гадалки. Но кто бы мог остаться невозмутимым, когда тебе предсказывают смерть — причем жуткую смерть от руки убийцы в самом ближайшем будущем.

Олеся перевела дыхание. Взглянула на наручные часики. Почти половина десятого. Уже темнело, звездное небо было затянуто мрачными фиолетовыми облаками. Олеся снова ощутила приступ страха. Ведь Бронислава никогда не ошибается — она сама верила в это. Но если это так... Значит, и ее предсказание насчет насильственной смерти тоже сбудется.

Девушка оглянулась. Общественный транспорт в Староникольске, особенно в ночное время, работал отвратительно. Но и городок был не таким уж большим, в случае необходимости его можно пройти насквозь за полтора-два часа неспешным шагом. Офис гадалки располагался на окраине, около некогда величественного, а теперь заброшенного княжеского дворца и городского парка.

Ей показалось, что за углом здания мелькнула фигура. Нет, иллюзия, расшалившиеся нервы, не более того. Олеся ускорила шаг. Ей действительно стало жутко. Страх, закравшийся в душу, пронзил ее мозг. Она одна на пустынной, похожей на кладбище улице. Ни единой живой души, абсолютно никого. Этим и отличаются небольшие городки — стоит зайти солнцу, как с улиц исчезают прохожие.

Она облегченно вздохнула, когда мимо нее проехал автомобиль, из распахнутого окошка доносилась веселая, зажигательная музыка. Надо же, люди живут и не помышляют о смерти. И она, конечно, тоже! С чего это она раскисла? Да, в последнее время на нее обрушились неприятности, но это не повод для отчаяния. Над профессором она одержала верх, все признали ее правоту. Жалко, что Владик оказался редкостной сволочью — едва она впала в немилость, как возлюбленный тотчас ее бросил. Ну что же, найдет себе другого. Олеся знала, что симпатична, проблем с выбором поклонников у нее не было.

Она проторчала на автобусной остановке около сорока минут, мимо нее пронеслись две маршрутки, набитые пассажирами. Места для нее не было. Ждать автобуса не имело смысла. После десяти эти развалюхи вообще не появлялись, а часы показывали уже четверть одиннадцатого. Придется добираться пешком.

Олеся никак не могла избавиться от назойливого ощущения, что ее кто-то преследует. Она чувствовала на себе пристальный взгляд кого-то затаившегося и жестокого. Внезапно обернувшись, она увидела вдалеке темную фигуру, которая мгновенно нырнула в проулок. Это на самом деле так или только буйство ее воображения? Олеся снова подумала о письме, которое лежало в ее сумочке. Жаль, что у нее нет никакого средства для самообороны. Разве что пилочка для ногтей.

Староникольск — городок тихий, замшелый, преступлений здесь почти не бывает, хотя в последнее время отмечались бесчинства подростковых банд да курсировали невнятные слухи о таинственной секте, которая якобы приносит в жертву людей. Олеся не то чтобы верила в подобные россказни, но обещала родителям быть осторожнее.

Девушка, поддавшись внезапному импульсу, бросилась бежать. Так она сможет понять, преследует ли ее кто-то или нет. Пробежав метров триста в темноте, она остановилась и, тяжело дыша, оглянулась. Никого. Так и есть, фигура, которую она приняла за злодея, была на самом деле одиноким прохожим, который, что вполне вероятно, испугался ее саму, как Олеся его.

Трудно быть солнцем

Она была в парке. Когда-то здесь били фонтаны, стояли удивительно красивые мраморные статуи, и вообще, парк принадлежал княжеской фамилии. Молодой князь из Америки приезжает в Староникольск несколько раз в год. Олеся видела его фото в газетах. Симпатичный и жутко богатый. Хорошо было бы после ее пузатого Влада заиметь подобного друга. А еще лучше мужа.

За спиной у Олеси хрустнула сухая ветка. Она обернулась. Темная фигура снова маячит неподалеку. Девушка ускорила шаг. Фонарей в парке практически не было, она стремилась вырваться из темноты и оказаться на слабо освещенном пятачке под одним из них. До ближайшего фонаря было не меньше ста метров. Олеся снова побежала.

На этот раз темная фигура бросилась за ней. У Олеси отпали все сомнения — ее преследуют. Паника охватила девушку. Что же делать? Она не знала. Бежать, вот что говорила гадалка совсем недавно.

Олеся попробовала закричать, но из горла вырвался хриплый прерывистый возглас. Боже, неужели Бронислава не ошиблась и эта темная фигура — ее смерть?

Она вылетела к фонарю, замерла. Свет создавал иллюзию безопасности. И в то же время не давал ей всмотреться в густую темноту. Олеся начала всхлипывать. Как же ей хотелось, чтобы все обернулось кошмарным сном, а не реальностью.

Черная фигура бросилась на нее внезапно, как коршун на добычу. Олеся завизжала, пытаясь отбросить от себя нападавшего, и почувствовала легкий укол в руку. Несколькими секундами позже она стала терять сознание. Но еще до того, как она провалилась в темноту, из которой возврата для нее уже не было, она ощутила, как что-то обвило ее шею.

Нападавший захлестнул на шее девушки странный шарф, выцветший, с изображением лилии. Ему хватило нескольких секунд, чтобы лишить Олесю жизни. Ее тело он бережно опустил на аллею, поросшую травой. В предсмертной агонии руки девушки схватились за траву, которая так и осталась в кулаках. Правая нога жертвы, как ви-

дела это в хрустальном шаре Бронислава, была подверну-
та. Голова повернута набок. Голубые глаза приоткрыты.

Убедившись, что жертва мертва, убийца достал из кармана цветок — белую лилию — и положил на грудь Олеси.
Темная фигура, оставив тело на дорожке, под одиноко
светящим фонарем, исчезла во мраке.

Начало цепи убийств было положено. Белая лилия
опять умерла. Садовник вновь принялся за работу...

7 августа

Алина Полоцкая, звезда российского экрана, воскликнула:

— Ну и дыра же этот Староникольск!

Ее супруг, не менее, чем она сама, известный режиссер
Глеб Плотников, приземистый усач лет пятидесяти, только усмехнулся. Он прекрасно знал привычки своей жены.
Еще бы, она привыкла к съемкам, которые проходят в
Москве, к отдыху за границей, на роскошных курортах.
А тут они попали в провинцию, старинный городок Староникольск, расположенный в Ярославской области. Этот
городок был провинциальным и незначительным, а ветка
железной дороги была подведена только к нефтезаводу, и
добираться до Староникольска пришлось на автомобиле.
По августовской жаре, несколько часов кряду, это было
настоящим мучением. Алина, обмахивавшаяся веером,
вся взмокла, и чем выше поднималась температура, тем
ледянее становилось ее спокойствие. Глеб прекрасно знал:
если его жена сжимает губы и молчит, то это означает
одно — она чрезвычайно недовольна происходящим.

Когда же их съемочная группа наконец-то добралась
до Староникольска, Алина первым делом заперлась в ванной, откуда появилась через час. Глеб, меланхолично ку-
ривший на балконе единственной приемлемой для них
староникольской гостиницы, уставился на жену. Он не
зря сделал свой выбор в пользу Алины. Его бракоразвод-
ный процесс с дочерью известного поэта, который состоялся несколько лет назад, стал пищей для желтых газет.

Трудно быть солнцем

Они вовсю смаковали подробности романа восходящей звезды театра и кино Алины Потоцкой и ее новоявленного супруга, маститого режиссера Глеба Михайловича Плотникова.

Плотников, увидевший Алину в ее первой картине, был сражен наповал ее грацией, талантом и несомненным умом. Он ходил на все спектакли в театре, где она работала. Затем, на одной из тусовок, устроил так, чтобы их представили друг другу. Через месяц он сделал Алине предложение.

Двадцатипятилетняя красотка с гривой темных волнистых волос и изумительными зелеными глазами стала супругой режиссера, старше ее в два раза, лысеющего крепыша с мировым именем. Алина не могла сказать, что испытывает к Глебу чувство безраздельной любви, однако он ей нравился и, в отличие от десятков, если не сотен, ухажеров и приятелей, обладал подлинным могуществом. Алина сделала верную ставку — всего за пять лет она превратилась из мало кому известной актрисы одного из московских театров в звезду российского кино. В первую очередь благодаря Глебу, который поставил и снял для нее за эти пять лет восемь картин и три сериала.

Ее роль в последней картине, «Рожденные, чтобы умереть», была удостоена «Ники», на Потоцкую со всех сторон посыпались восторженные отклики, ей пророчили блестящее будущее. Алина взяла небольшой тайм-аут — она забеременела и, разродившись здоровым и крепким мальчиком, которого нарекли Глебом, еще больше привязала к себе супруга-режиссера. Те, кто не любил звездную пару, а таковых было почти такое же количество, как и фанатов Алины с Глебом, за глаза с сарказмом именовали их «Дабл-Пэ» — двойное Пэ, намекая на то, что фамилии Алины и Глеба начинались на одну букву. Однако за этим прозвищем стояло большее — Плотников принципиально снимал жену во всех картинах, которые производила его киностудия, они удачно дополняли друг друга — невозмутимый, флегматичный Глеб и искрящаяся, холеричная Алина.

— Слава богу, что в этом Старо... как его там, в гостинице есть горячая вода. Удивительно по нынешним временам, — томным голосом произнесла Алина, завернувшаяся в тонкий шелковый халат фиолетово-розоватых расцветок. — Ну что же, теперь я чувствую себя пришедшей в чувство, дорогой.

— Я уже позвонил в Москву, — сказал Глеб, — у Глебушки все в порядке.

Они наняли великолепную гувернантку, и, помимо этого, мать и старшая сестра Алины взяли на себя функции воспитателей сына Потоцкой и Плотникова.

— Я, конечно же, предполагала, что Староникольск не Москва, но что это такая провинция... — протянула Алина. — Глеб, мы обязательно должны снимать сериал здесь?

— Ты же знаешь, что этого не избежать, — ответил Плотников.

Он улыбнулся в усы. Его супруга напрочь забыла о том, что и сама-то не была коренной москвичкой, а появилась на свет в подмосковном городке, до ужаса похожем на Староникольск. В возрасте шестнадцати лет, сразу после окончания школы, она сбежала из ненавистной малой родины и отправилась искать счастья в Москву. Ей повезло — она поступила в театральный институт с первого раза.

— Ну что же, — вздохнула Алина и уселась на софу. — Ничего не поделаешь. Но, Глеб, постарайся, чтобы наше пребывание в Староникольске не затянулось.

Муж обнял Алину, нежно поцеловал и прошептал:

— Обещаю тебе, как только съемки закончатся, мы отправимся во Францию. Ты ведь ничего не имеешь против Лазурного берега?

— О, я так хочу в Канны! — воскликнула Алина. — Мы ведь попадем туда?

— Ну да, мы обязательно окажемся там, — ответил ей супруг. — А теперь нам необходимо работать, Аля. Ты же знаешь, съемки начнутся буквально послезавтра.

Алина вздохнула. Ей было не привыкать к бешеному темпу, который был характерен для Глеба. Возможно, поэтому-то она и дала согласие на брак. Она знала, что он до безумия ее любит и готов горы свернуть ради нее.

Его проект под названием «Колдовские хроники» и привел их в Староникольск. Они собирались снять новый сериал, который должен явиться вехой в российском сериальном бизнесе. В сериале действие происходило как в конце восемнадцатого века, так и в наше время, и разыгрывалось в маленьком русском городке. Мистика, любовь, романтика, детектив — все переплелось в «Колдовских хрониках». Алине надлежало играть обеих главных героинь — Анастасию в нашем времени, молодую выпускницу исторического факультета, которая решила заняться хрониками своего городка, и Марию, красавицу, которую сожгли на костре в восемнадцатом веке, обвинив в колдовстве. Алина знала, что Глеб обладает потрясающим чутьем. Сериал обязательно станет хитом, музыка для него была заказана лучшим композиторам, над созданием костюмов для ушедшей эпохи трудились лучшие костюмеры и дизайнеры. Алина не сомневалась, что «Колдовские хроники» получат «Тэфи» как лучший сериал года. Однако сама Алина хотела большего. Она втайне надеялась, что рано или поздно Глебу удастся создать шедевр, который можно будет показать за границей, и тогда она выйдет на международный уровень.

— Дорогая, мы начинаем со сцены в монастыре, — сказал Глеб, докурив сигарету. — Договоренность уже существует, но мне сейчас необходимо съездить туда и уладить все формальности. Да и ребятам нужно заняться освещением. У нас крайне мало времени. Ты сама понимаешь, сериал должен пойти в прокат в конце осени или в самом начале зимы, до Нового года. Иначе наш сериал не сможет номинироваться на «Тэфи», и придется ждать еще год.

— Мы успеем, — сказала Алина. Он знала — если Глеб ставил перед собой цель, то достигал намеченного.

— Поэтому тебе придется на какое-то время остаться одной, — сказал Плотников, вновь целуя жену. — Я поеду в монастырь. У нас еще есть время сегодня...

Алина осталась в одиночестве. Они занимали самый шикарный и дорогой номер местной гостиницы. Увидев невысокое здание из бетона, Алина закусила губу. И ей предлагалось жить здесь! Номер состоял из трех комнат, с японским телевизором, хрипящим кондиционером и на удивление хорошо обставленной ванной комнатой. Эта гостиница оказалась лучшей из всех, которые имелись в Староникольске. Здесь был даже фитнес-центр и бассейн!

За полтора месяца они сумеют снять весь сериал. Затем поедут в Москву, чтобы заняться монтажом и озвучанием. А потом... Глеб обещал, что после всего они полетят на Лазурное побережье. Канны, пальмы, белоснежная лестница с красным ковром — вот предел мечтаний Алины. Ну что же, когда-то настанет и ее время. Она это знала.

Потоцкая уселась перед большим зеркалом, расставила перед ним батальон баночек с кремами, пузырьков с парфюмом, больших и маленьких коробочек. Сегодня, в одном их местных ресторанов, ее большой выход. И пусть эти провинциалы увидят ее во всем великолепии. Даром, что ли, она прихватила с собой восемнадцать чемоданов с одеждой.

Алина принялась колдовать над своей внешностью. Она не хотела ехать в Староникольск и еще по одной причине, о которой Глебу знать вовсе не обязательно. Здесь когда-то жили ее родственники... Но это давняя и нехорошая история. Глеб расстроится, если узнает об этом. Она притворилась, будто и понятия не имеет, что это за город, и названия его не помнит. Потоцкая редко обманывала мужа, только в случае необходимости — Глеб обладал поразительным чутьем на неправду. Но это как раз тот случай, чтобы утаить от Глеба истину.

Алина гордилась собой. Ей удалось одурачить мужа. Недаром же она была лучшей российской актрисой!

10 августа

Юлия с любопытством посмотрела на небольшую церквушку, которой, по всей видимости, было никак не меньше трехсот лет. Надо же, какой раритет! Староникольск походил на декорации к фильму про Древнюю Русь — такой же маленький, буквально кукольный, полный старинных зданий и приветливых жителей.

Крестинина только что вышла из автобуса, который доставил ее из Ярославля в Староникольск. Пришлось три с половиной часа провести в духоте и жаре, зато у нее была возможность еще раз ознакомиться с архивом бабушки, который она разыскала на подмосковной даче.

Она сумела откопать на антресолях старую сумку, забитую пожелтевшими бумагами, принадлежавшими ее бабке. Юлия и не знала, что ее бабушка, дочь бесследно исчезнувшей в Староникольске Анны Радзивилл, так живо интересовалась судьбой своей матери. В папке она нашла вырезки из газет, в которых сообщалось об исчезновение звезды немого кино Анны Радзивилл. Юлия и не представляла, что ее прабабка была такой популярной. Примерно как Алина Потоцкая, которая не так давно прибыла в Староникольск, чтобы вместе с мужем, известным режиссером Глебом Плотниковым, начать съемки нового телесериала.

Юлия поразилась, когда впервые увидела фотографии Анны. Она была чрезвычайно похожа на прабабку. Не то что похожа, она была ее копией. Природа любит подобные шутки.

Архив настолько захватил Юлию, что она, усевшись на полу дачного коттеджа, несколько часов перебирала пожелтевшие листы и знакомилась со всем, что произошло задолго до ее рождения. Анна снялась в двенадцати фильмах, а учитывая, что кинематографу в то время было всего несколько лет, это было впечатляющей карьерой. Она была четыре раза замужем, у нее имелась дочь — бабушка Юлии, родившаяся незадолго до того, как Анна приняла роковое решение отправиться в Староникольск для съемок фильма. Фильм был посвящен вампирам. Действие разворачивалось не в Трансильвании, а в России, требовался соответствующий антураж. Выбор режиссера пал на Староникольск.

Фильм был практически завершен, когда Анна исчезла. Он так никогда и не вышел на экран — сначала возникла суматоха из-за исчезновения Радзивилл, потом грянула революция, за ней еще одна, и затем стало не до фильма. Он, насколько знала Юлия, хранился где-то в архивах Госфильмофонда. Хорошо бы увидеть его...

Анна Радзивилл, как узнала Юлия из тщательно собранного бабкой архива, была вовсе не единственной жертвой таинственных событий, потрясших Староникольск летом и осенью 1916 года. Помимо нее исчезли еще четыре девушки, причем три из них — задушенные кем-то неизвестным — были обнаружены в городке. На теле каждой из жертв покоился цветок, что и дало пищу для слухов. Серию убийств окрестили «цветочными убийствами», а таинственного маньяка — Садовником. Юлия сразу же вспомнила: автор анонимного письма, подписавшийся как «Ваш Друг», заклинал ее — нужно опасаться Садовника.

Обстановка в Староникольске, как понимала Юлия, была накалена до предела. Предреволюционные события смешались с ужасом, который излучали нераскрытые убийства. Полиция старалась вовсю, из Петрограда был командирован следователь с особым заданием от министра внутренних дел — как можно быстрее изловить «цветочного убийцу» и предать его суду. Эта миссия провалилась — следователь и сам стал жертвой непонятного несчастного случая.

Злые языки тотчас сообщили, что это на самом деле месть убийцы, потому как следователь вплотную приблизился к разгадке «цветочной» тайны, был готов схватить нелюдя, и тот нанес последний смертельный удар. Тот факт, что следователь был найден мертвым после серьезного разговора, перешедшего в скандал, который он имел с молодым князем Феликсом Святогорским, сразу же позволил кое-кому сделать вывод: убийца именно Феликс-младший.

Юлия почувствовала, что события почти девяностолетней давности захватывают ее. Но каким образом она сможет проникнуть в тайну тех лет? Прошли десятилетия,

Трудно быть солнцем

свидетелей не осталось, нет никаких источников информации, все следы давно исчезли. И все же она не отказалась от затеи поехать в Староникольск. Если с ее ретроспективным расследованием ничего и не получится, то у нее будет возможность оправиться от всех неприятностей и обдумать последующие шаги. Впрочем, Юлия постепенно приходила к выводу, что единственно верный шаг — подать заявление об уходе по собственному желанию, пока директор института не вышвырнул ее с ужасной формулировкой. Но пока он расслабляется с очередной любовницей за счет бюджета института на пляже, у Юлии есть время забыть о нем.

Бабушка делала кое-какие заметки, кроме того, ей удалось несколько раз побывать в Староникольске и опросить людей, которые помнили о деле «цветочного убийцы». Это произошло в середине пятидесятых, с момента исчезновения Анны прошло почти сорок лет, однако бабушка сумела кое-что выяснить.

Об убийствах помнили, хотя и говорили о них шепотом. Людская молва обвиняла в смертях молодого князя, который покончил с собой. Старый князь, поспешно прихватив вдову-невестку и только что народившегося внука, бежал за границу.

Однако бабушка, судя по ее записям, не была так уж уверена в виновности молодого Святогорского. Но почему? Бабушка отвергала мысль о том, что Феликс-младший убил Анну, которая, и это не вызывало ни малейших сомнений, была его любовницей. Кто же в таком случае скрывался под личиной Садовника?

Староникольск, как гласила статья в энциклопедии, был впервые упомянут в 1092 году. Городок обладал удивительной историей. Несколько раз войска татаро-монгольских завоевателей сжигали его и сметали с лица земли, и каждый раз трудолюбивые жители восстанавливали Староникольск. В шестнадцатом веке на речушке Тишанке, которая протекала через город, был основан знаменитый мужской Староникольский монастырь. Его закрыли сразу после революции и возродили не так давно. Монастырь славился своими колоколами.

В городке, который, как казалось, отличался набожностью, гнездилось зло. Из Староникольска происходила одна из невест Ивана Грозного, так и не ставшая женой царя, потому что ее заподозрили в желании опоить властелина ядом и навести на него порчу — бедную девушку по приказу тирана сковали цепями, закатали в просмоленную бочку и бросили в Волгу с высоченного утеса. Невеста была из рода князей Святогорских, отметила для себя Юлия.

В середине девятнадцатого века в Староникольске была совершенно случайно раскрыта секта вероотступников, более известная как Секта Тринадцати. Главарю секты, учителю местной гимназии, удалось избежать наказания и скрыться в неизвестном направлении. Говорили, что еретичество полностью искоренено не было, и сектанты тайно продолжают свою деятельность, затаившись в глубоком подполье.

В городке, как говорилось в энциклопедии, было великое множество церквей и садов. Юлия убедилась в этом лично — едва она сошла с подножки автобуса, как увидела древнюю церковь. Здесь же располагался и дворец княжеского рода Святогорских, а также огромный парк и комплекс фонтанов. Правда, что касалось дворца и парка, то от них мало что осталось.

Юлия медленно шла по булыжной мостовой, везя за собой чемодан на колесиках. Она заранее заказала себе номер в одной из гостиниц. Цены оказались вполне приемлемыми. Она сможет позволить себе провести в городке две, даже три недели. А что будет потом, она еще не знала.

Староникольск поразил ее отсутствием суеты и неспешным течением жизни. На игровой площадке резвились дети, на лавочке сидели и шептались кумушки, которые бросали заинтересованные взгляды на элегантно одетую Юлию, а в особенности на ее громыхающий по мостовой чемодан, купленный когда-то в Австрии.

Юлия хотела взять такси, но потом раздумала. До гостиницы под названием «Советская» было совсем недалеко, она лучше прогуляется и ознакомится со Староникольском. С городком, где была убита, если верить автору анонимного послания, ее прабабка Анна. Впрочем, и ее бабушка не сомневалась в том, что ее мать пала от руки «цветочного убийцы».

Крестинина помнила — из пяти жертв были обнаружены тела только трех. Это значит... Это значит, что тело ее прабабки, вполне возможно, погребено где-то здесь. Ее взгляд замер на парковом комплексе. Например, под таким же раскидистым и мощным деревом.

Внезапно Юлия ощутила непонятный страх. Городок, такой милый и уютный, похожий на картинку в детской книжке, вдруг испугал ее. Чего же она боится? Юлия не могла сказать. Вряд ли чего-то определенного, скорее всего, в воздухе, палящем и сгущающемся, разлито непонятное чувство тревоги.

И страха! Да, местные жители тоже чего-то боятся, это видно по их глазам. Но чего боятся эти люди? Староникольск, уютный, приторно-сладкий городок-леденец, в котором никогда и ничего не происходит... Но разве это так? Серия убийств в 1916 году опровергает это полностью. Здесь кипят такие же страсти, как и везде. И Юлия вдруг поняла — если она разворошит спящее осиное гнездо, это может привести к непредсказуемым последствиям. Разве она имела на это право?

Но и уехать отсюда через полчаса после того, как оказалась в Староникольске, Крестинина не собиралась. В конце концов, она решила отдохнуть, и кто ей запретит сделать это именно в Староникольске?

Юлия вдруг поняла, что заблудилась. Пока она предавалась размышлениям, ноги занесли ее совсем в другую сторону. Молодой мужчина, к которому она обратилась за помощью, оказался очень любезен. Он не только объяснил, как добраться до гостиницы, но вызвался лично проводить Юлию, взявшись за ручку ее чемодана.

— Вам требовалось свернуть не направо, а налево от

церкви Вознесения, — сказал ее попутчик. — Гостиница располагается здесь, всего в двух кварталах.

— Спасибо вам, — поблагодарила его Юлия.

Молодой человек расплылся в улыбке.

— Вы приезжая, — с любопытством произнес он. — Меня зовут Денис, разрешите пригласить вас сегодня вечером, если вы свободны...

Крестинина, не готовая к такому моментальному развитию отношений, покачала головой:

— К сожалению, у меня все дни заняты. И вечера тоже.

— Жаль, — вздохнул Денис. — Вы же наверняка из Москвы. И наверняка из команды Глеба Плотникова. Приехали снимать фильм? Кое-кто этим очень недоволен, наш городок станет фоном для убийств и кровавых событий. Нам и так хватает того, что было.

Юлия оказалась около пятиэтажного бетонного здания с горделивой вывеской «Гостиница «Советская». Да, накануне отъезда она читала в «Комсомольской правде», что Глеб Плотников, знаменитый режиссер, собирается снимать в Староникольске фильм. И наверняка с Алиной Потоцкой в главной роли.

Молодой человек не обманул — всегда сонная и малообитаемая в это время года, гостиница буквально кипела энергичными людьми, членами команды Плотникова. Юлия, сумевшая протиснуться к окошку администратора, назвала свое имя.

Администраторша, дама лет сорока с рыжими вьющимися волосами и массой золотых украшений, протянула ей формуляр. Юлия вздохнула с облегчением — она правильно сделала, что заказала номер заранее, иначе вряд ли бы смогла получить комнату.

— Прошу вас, — администраторша протянула ей ключ, прикрепленный к огромной деревянной грушевидной бирке. — Ваш номер 409, на четвертом этаже по коридору направо. Желаю хорошего пребывания в нашем городе!

Юлия оказалась в лифте с несколькими гогочущими бородачами, которые, судя по разговору, были подручной силой в команде Глеба Плотникова. За пятьдесят секунд, в течение которых скрипучая кабина лифта медленно поднималась на четвертый этаж, они успели сделать Юлии массу комплиментов и поинтересоваться ее планами на вечер.

Крестинина, которая приехала в Староникольск отдохнуть и заняться давнишней детективной историей, во второй раз за пятнадцать минут ответила отказом.

— Ну ничего, мы умеем ждать, — заявил один из бородачей, и его приятели поддержали эту фразу гомерическим хохотом.

В руках у ребят были бутылки пива. Юлия подумала — а знает ли режиссер о намерениях его сотрудников предаться пороку Бахуса? Ответ на ее вопрос пришел незамедлительно — едва двери лифта распахнулись, как она столкнулась лицом к лицу с самим Глебом Михайловичем Плотниковым, которого видела до этого на фотографиях в газетах и с телевизионного экрана.

Режиссер, облаченный в белые полотняные штаны, черную майку и бейсболку с надписью «Колдовские хроники», любезно помог Юлии выбраться из лифта и страшным тоном обратился к притихшим бородачам:

— Напиваемся перед напряженным рабочим днем? По-моему, я четко сказал, что на съемочной площадке и в гостинице царит абсолютный сухой закон. Бутылки сюда, соколки, — и по номерам, причем без баб! Еще один такой инцидент, и отправитесь в Москву ближайшим автобусом. Безработными!

Видимо, слова Плотникова являлись для бородачей абсолютным и непререкаемым законом, потому что, не успела Юлия дойти до комнаты, как их и ветром сдуло. Юлия, улыбнувшись, повернула ключ в замке и вошла в свой номер.

Он оказался маленьким, но на удивление уютным. Крестинина приняла душ и, даже не спустившись к ужину, легла спать. Она утомилась, последние ночи прошли для нее без сна, поэтому, оказавшись в постели, она мгновенно провалилась в сон.

11 августа

Она проснулась около одиннадцати утра на удивление свежей и бодрой. Проблемы, которые терзали Юлию, теперь казались смешными и незначительными. С аппетитом позавтракав, она решила совершить небольшую экскурсию по Староникольску. Итак, она прибыла сюда, чтобы участвовать в расследовании. Но с чего же начать? Она даже немного растерялась.

День был солнечным и теплым. Облачившись в тонкое шелковое платье, Юлия отправилась гулять по Староникольску. Она миновала церковь, расположенную около гостиницы, и вышла на центральную магистраль Староникольска — проспект Кирова.

В Староникольске было несколько крупных магазинов. Юлия зашла в них. Выбор не такой уж богатый, но и цены вполне приемлемые. Она купила открытки с видами Староникольска и попросила, если есть, карту города. Таковой в продаже не оказалось.

Она брела по улице, ни о чем не думая. С обеих сторон возвышались одно- или двухэтажные здания, в основном жилые дома и магазины. Церквей в городке на самом деле было большое количество.

Юлия замерла перед зданием из красного кирпича с вывеской «Краеведческий музей Староникольска». Надо же, имеется и подобное заведение. Не пожалев десяти рублей, она купила входной билет.

Похоже, она оказалась чуть ли не единственной посетительницей. Юлия шла по пустынным залам, в которых находились экспонаты, повествующие об истории Староникольска. Такой маленький городок, а почти на полвека старше Москвы.

— Ее нашли в парке, удушенной, — донесся до нее взбудораженный женский голос. — Ты и не представляешь, какой ужас! А на груди... Нет, ты только подумай, белая лилия!

— Не может этого быть, — ответил другой голос. — Это что, повторение тех самых убийств?

Трудно быть солнцем

монстрировала. Олянич, снова надев очки, внимательно его изучила, нахмурив брови.

— Такое впечатление, что написал его ребенок... Или кто-то под диктовку неизвестного лица, — вынесла она собственное заключение. — Ну что же, Юлечка, могу вас поздравить, своей персоной вы пополняете ряды детективов-энтузиастов. Пейте компот, я же вижу, что вам нравится. Кстати, хотите перекусить?

Юлия не отказалась. Через десять минут перед ней была тарелка с зелеными щами, салат из свежих овощей и шкворчащая яичница, которую внесла в кабинет директрисы одна из кумушек, чью беседу Крестинина ненароком подслушала в стенах музея. На этот раз, явно раболепствуя перед Викторией Карловной, смотрительница улыбалась.

— Ешьте, вы на редкость отощавшая особа, — приказала Олянич, и Юлия, следившая за своим питанием, в особенности за его калорийностью и содержанием жиров, плюнула на все и набросилась на вкусный обед.

— Виктория Карловна, — с набитым ртом проговорила Крестинина, уплетая первое. — А о чем говорила дама, только что вышедшая из кабинета, со своей подругой, может быть, вы в курсе? Они вели речь, как мне показалось, о серии убийств, «цветочных убийств». Вы же понимаете, о чем я. Девушка с лилией на груди...

Тяжело вздохнув, Олянич потянулась к пачке сигарет, но затем отдернула руку.

— Я не понимаю, что происходит в нашем маленьком Староникольске, — сказала она с грустью. — Если бы неделю назад меня спросили, что представляет собой Староникольск, то я бы ответила — тишайшая провинция в лучшем смысле этого слова, в которой нет места для насилия и страха. Но все изменилось несколько дней назад. Конечно, вы не можете об этом знать, вы же приехали вчера... И газеты местные вы наверняка не читали. Пять дней назад в городском парке, под одиноким фонарем, было обнаружено тело студентки. Кажется, девушку звали Олеся. Она была убита. Наш городок не исключение из правил, в нем тоже живут люди со своими страстями и тайными желаниями. У нас есть и наркоманы, и, говорят, непонятная секта. Однако Олеся была удушена, а на груди у нее покоилась белая лилия...

Виктория Карловна помолчала, а затем продолжила:

— Похоже, кто-то решил возобновить серию убийств, потрясшую Староникольск в 1916 году. Тогда погибло пять женщин. Как минимум пять, в том числе ваша прабабка и моя бабка...

— Да что вы, — ахнула Юлия. — Вот это да! Елена Карловна... — она взглянула на портрет. — Но я читала газеты тех времен, там не было упоминания о жертве с фамилией Олянич, ведь вашу бабку звали именно так?

— Вы правы, деточка, — директриса вновь включила чайник. — Жертв было пять, три тела нашли, два — так и нет. В том числе тело вашей прабабки, знаменитой Анны Радзивилл. Моя бабушка, Елена Карловна, была в Староникольске начала двадцатого века душой прогресса. Еще бы, она окончила университет, не в России, а за рубежом, в Геттингене, увлекалась археологией, физикой, историей, биологией. Основала и возглавляла этот музей. Вплоть до своей смерти. Официальная причина ее смерти, которая произошла в начале октября 1916 года, — несчастный случай. Но я не верю в это, Юленька! Моя бабка, я в этом убеждена, была хладнокровно лишена жизни тем самым человеком, который уничтожил четырех девушек.

Олянич смолкла, налила себе в чашку кипяток, размешала содержимое и продолжила:

— Моя бабка пыталась самостоятельно расследовать «цветочные убийства» и, как мне кажется, вплотную подошла к разоблачению зверя, который занимался смертоубийствами в Староникольске.

— Но ведь убийца вроде бы известен, это молодой князь Феликс Святогорский, — сказала Юлия.

Олянич махнула рукой:

— В это верят только детишки и старые бабуси на скамейке. Феликс невиновен, я в этом уверена! На него свалили все грехи, а поспешное бегство его отца с невесткой и крошкой-внуком только усилило ненависть, которую испытывали жители к Святогорским. Кто-то решил, что Феликс — самая подходящая кандидатура в убийцы. Он же покончил с собой, а значит, не может защищаться. — Моя бабка вела дневники, в которых подробно описывала ход расследования и атмосферу, царившую в Старони-кольске тем летом и осенью, — продолжала директриса. — Увы, в моем распоряжении находится только первая часть, а существуют еще две или три части. Где они, я могу только догадываться...

— Значит, ваша бабушка тоже стала жертвой убийцы, — протянула Юлия. — Невероятно, Виктория Карловна... Этот человек совершил столько убийств и вышел сухим из воды? Но если не князь, то кто?

— Именно это я и пытаюсь выяснить в течение уже многих лет, — произнесла горьким тоном Олянич. — Поэтому я и выбрала стезю историка, поэтому и приняла предложение возглавить музей. Впрочем, особого выбора у меня не было. Мой отец, Карл Степанович, возглавлял музей сорок один год, после его смерти бразды правления переняла я. Папа также пытался выяснить правду, но у него ничего не получилось. Да и времена, сами понимаете, были совершенно иные. При советской власти было запрещено говорить о «цветочных убийствах», было приказано верить, что убийца — молодой князь.

В этот момент дверь в кабинет распахнулась, на пороге возник тощий субъект, облаченный в темные штаны и зеленую рубашку, украшенную неуместной черно-белой бабочкой. Человеку, без стука вошедшему в кабинет директрисы, было лет пятьдесят. Худое крысиное личико, мелкие желтые зубы, злобные глазки, гневно сверкающие за стеклами очков без оправы.

Потрясая сухонькими, покрытыми пигментными пятнами ручками, субъект, за спиной которого прыгала смотрительница, причитая, что входить к Виктории Карловне нельзя, произнес:

— Вика, на этот раз ты перешла все границы! Твоя

мерзопакостная статейка лишена всякого смысла. Если я раньше хотя бы уважал тебя как человека, закончившего университет, то теперь я понимаю — ты ничтожество, ты ноль, ты такая же провинциальная клуша, как и твоя бабка.

Виктория Карловна с полуулыбкой выслушивала претензии гневливого посетителя. Когда он выдохся и сделал паузу, он заметила полным горделивого спокойствия тоном:

— Валерий Афанасьевич, не кипятитесь! Мне известно, что вы уже двадцать лет завидуете тому, что я, а не вы, стала директором музея. Поэтому ваши нападки на мое рассмотрение некоторых аспектов средневековой истории нашего города обусловлены личными, субъективными мотивами. И вообще, Валера, попрошу тебя удалиться!

— Я и не собираюсь задерживаться в этом вертепе! — провозгласил Валерий Афанасьевич и, обдав Юлию взором, полным презрения, хлопнул дверью перед самым носом смотрительницы, пытавшейся вытолкать его прочь.

— Прошу прощения, — начала смотрительница, открывая дверь, но Олянич отпустила ее кивком головы.

— Вы имели честь, деточка, познакомиться с Валерием Афанасьевичем Почепцовым, моим, так сказать, конкурентом и бывшим женихом. Теперь я ежедневно ставлю свечку в соборе, что господь уберег меня от опрометчивого шага и я не стала супругой этого стервозного и закомплексованного типа. С тех пор, как я дала ему отставку, он и возненавидел меня, его ненависть только возросла, когда меня утвердили в должности директора музея, хотя он, тогда кандидат наук, считал, что именно он имел полное право возглавить это заведение. Может быть, это и так... Его гнев вызвала моя последняя статья в научном сборнике трудов, который вышел в издательстве местного университета, где я в пух и прах раскритиковала его взгляды. Согласна, я была в чем-то не права, сгустила краски и так же, как и он, перешла на личности, но Почепцов мне неприятен.

Юлия, которая видела Валерия Афанасьевича мельком, придерживалась точно такого же мнения. Он вызвал у нее чувство недоверия и скрытой тревоги. Вроде бы безобидный, на самом деле он может затаить обиду и решиться на месть годы спустя.

— И самое ужасное, дорогая деточка, что у Почепцова в его, безусловно, роскошном частном архиве находится часть дневника моей бабки, Елены Карловны. Я столько раз просила предоставить мне возможность взглянуть на дневник, сделать с него копию или хотя бы дать прочитать, но он с циничным смехом заявлял, что он не понимает, о чем я говорю. Хотя мне прекрасно известно, что дневник находится у него. Он обнаружил его не так давно в городском архиве. Жаль, что он опередил меня! Он делает это исключительно по причине личной ко мне неприязни. Он же в курсе, с каким рвением я ищу все части дневника бабушки, поэтому и получает колоссальное наслаждение оттого, что препятствует мне. Жуткий тип. Еще раз хвала создателю, что уберег меня от неверного шага в моей далекой юности! Впрочем, лет тридцать назад он был вполне симпатичным и не таким хамоватым. Но времена меняются, и мы меняемся вместе с ними, Юленька...

Крестинина улыбнулась и попросила еще компоту. Олянич сменила тему:

— Понимаю, что наши внутримузейные дрязги вас совершенно не интересуют, но вы же видите, как тесно все переплетено. Моя бабка, как вы поняли, вела дневник, достаточно объемный, он занимает несколько тетрадей в коленкоровом переплете. Сейчас я вам покажу! Осторожность никогда не помешает. Почепцов, зная, что я брежу дневником и расследованием тайны «цветочных убийств», загорелся идеей опередить меня и выяснить, кто же был этим кровожадным монстром. Поэтому он пойдет на все, чтобы украсть у меня первую часть дневника Елены Карловны. Как, скажу вам честно, и я сама, чтобы заполучить вторую часть, которой обладает уважаемый Валерий Афанасьевич. Приходится блюсти полную секретность. Я распространила слух, что храню дневник в сейфе, а на самом деле...

Виктория Карловна похлопала по железному боку большого допотопного сейфа, на котором стоял раскидистый фикус.

— Здесь дневника нет, деточка. Но пусть все, включая Валерия Афанасьевича, именно так и думают.

Директриса подошла к одному из шкафов, распахнула его, отодвинула гипсовый бюст Пржевальского, вытащила несколько книг на самой верхней полке, достала большую папку. Из образовавшегося тайника с дальней полки она вытащила коробку из-под обуви, водрузила ее на стол и сняла крышку. Там, на дне, выложенном ватой, покоилась большая тетрадь в коричневом с красными искорками переплете.

— Вот оно, мое подлинное сокровище, — проговорила восторженным тоном Виктория Карловна. — Первая часть дневника моей бабки. Если хотите, Юленька, можете посмотреть. Вам я доверяю абсолютно.

Крестинина бережно взяла в руки оказавшуюся тяжелой тетрадь, раскрыла ее. Пожелтевшие листы, заполненные витиеватым, разборчивым крупным почерком настоящего ученого. Даты... Дневник Елены Карловны. Юлия ощутила легкое головокружение. Значит, был человек, который пытался раскрыть тайну убийств и поймать жестокого маньяка. Человек, который собственной жизнью поплатился за это!

Она взглянула на портрет Елены Карловны. Ученая смотрела на нее, словно пытаясь сказать: «Ты должна сделать то, что я не смогла. Ты должна, Юлия!»

— Знаете что, Юленька, — произнесла Олянич. — Вы наверняка остановились в гостинице, не так ли?

— Да, — ответила Крестинина, не понимая, к чему клонит Виктория Карловна.

Директриса заявила:

— Я в полном одиночестве живу в чудном особнячке. В комнате для гостей у меня уже давно никто не жил, последний раз мой племянник, который навестил свою тетку лет семь или восемь назад. Поэтому, деточка, рискуя показаться назойливой, я все же предложу вам переселиться ко мне. Абсолютно бесплатно, разумеется!

Трудно быть солнцем

Юлия в растерянности посмотрела на Викторию Карловну. Она симпатизировала директрисе, но так скоро, познакомившись всего лишь час назад...

— Я понимаю, Юля, что вы думаете, — сказала Олянич. — Но поверьте, это в наших общих интересах. И вы, и я имеем общую цель — расследование убийств. Вы можете спокойно ознакомиться с дневником Елены Карловны. И...

Директрису прервала трель телефонного звонка. Виктория Карловна, извинившись, сняла трубку, произнесла несколько фраз. Закончив разговор, Олянич продолжила:

— Я же сказала, Юля, что в нашем городе совершено убийство, до ужаса похожее на те, жертвой которых стала ваша прабабка и еще четыре девушки. Значит, кто-то решил возобновить череду ужаса и страха. И этот кто-то живет среди нас. Письмо, которое вы получили... Оно пугает меня. Почему-то мне кажется, что некто специально заманил вас в Староникольск, так как вы являетесь частью зловещего и кровавого плана. А если так, деточка, то, пожалуй, лучше всего вам было бы уехать.

— Нет! — с полной решимостью ответила Юлия. — Я не для того приехала в Староникольск, чтобы позорно бежать. Кроме того, я хочу узнать — что же произошло с Анной и с другими жертвами.

— Очень хорошо, — одобрительно заметила Виктория Карловна. — Вы такая же, как и я сама двадцать пять лет назад. Неукротимая идеалистка, слепо верящая в свои силы. Впрочем, я и осталась такой. Знаете, что я подумала...

Виктория Карловна подмигнула портрету Елены Карловны и сказала:

— Мы с вами на пару, как равноправные сыщицы-любительницы, можем попытаться разгадать тайну происходящего. Почему убийства возобновились именно сейчас? Это должно что-то значить. Именно с лилии все и началось, сейчас жертвой стала студентка Олеся, а в 1916 году первой жертвой была дочь известного в Староникольске промышленника Евгения Ирупова, задушенная в день своей свадьбы. На ее теле покоилась белая лилия...

— Виктория Карловна, — с восхищением произнесла Юлия, — вы подали великолепную идею! Но как вы считаете, нам по плечу такая задача?

— Почему бы и нет! — воскликнула Олянич. — Нам требуется соблюдать осторожность. Вы же, вероятно, в курсе, деточка, что убийца в тот год уничтожил помимо девушек мою бабку и следователя, который был специально командирован из Петрограда, чтобы провести расследование. Этот человек, кто бы он ни был, опасен, как бешеная собака. Точнее, я бы сказала, как гремучая змея, притаившаяся в траве. Вот поэтому-то я и предлагаю вам переселиться ко мне. В моем доме мы будем в безопасности. Старинный особнячок с железными дверями. У нас огромное преимущество перед моей бабкой — нас в два раза больше. И если убийца доберется до одной из нас, то другая продолжит дело!

Юлия еще раз бросила мимолетный взгляд на портрет Елены Карловны. Еще сегодня утром она не имела представления, с чего же начать, а тут ей предлагается такой удивительный шанс.

— Я согласна, — произнесла она. — Елена Карловна, я перееду к вам сегодня же!

12 августа

— Смотрите внимательно, вот он, молодой американский князь, — сказала Виктория Карловна, указывая на трибуну.

Юлия всмотрелась. Святогорского было легко распознать среди множества людей, открывавших праздник. Высокий, темноволосый, облаченный в безупречный серый костюм, наверняка сшитый на заказ у лучшего дизайнера. Князь Александр Святогорский, наследник многих миллионов, гражданин Соединенных Штатов и щедрый меценат.

— Он так похож на своего деда, молодого Феликса, — продолжила директриса. — Считается самым выгодным женихом. Наши девицы сходят по нему с ума, одна местная фирмочка неплохо заработала на том, что выпустила календари с его изображением. Разошлись за один день! Скажу откровенно, у меня тоже есть пара экземпляров, но мне должность и возраст не позволяют вешать их на стенку в кабинете!

День, несмотря на прорицания Виктории Карловны, выдался таким же солнечным и жарким, как и предыдущий. В городском саду, бывшей территории дворцового комплекса, собралось множество народу. Праздник был в самом разгаре. Нарядно одетые горожане с детьми, лотки с мороженым, сладкой снедью, шашлыками и прохладительными напитками. Бравурная музыка, бесплатные аттракционы.

Все это спонсировал князь Александр. Когда он возник на трибуне, толпа возликовала, послышались аплодисменты, свист и доброжелательное улюлюканье. Словно по команде, взметнулось несколько плакатов с аршинными буквами: «Мы возродим дворец», «Добро пожаловать, Саша!» и «Дворцу быть!».

— Спасибо, — князь подошел к микрофону. — Спасибо, дорогие друзья, я тронут от всей души!

Он говорил с еле уловимым грассирующим акцентом, однако строил фразы безукоризненно.

— Пойдемте, я покажу вам место, где было обнаружено тело Олеси, — прошептала Виктория Карловна, дергая Юлю за локоть. — Или вы хотите послушать краснобайство нашего молодого князя? Он же юрист, умеет вешать лапшу на уши. Впрочем, весьма симпатичный юрист, сказала бы я!

Юлия отправилась вслед за Викторией Карловной. Они рассекали людскую толпу, Виктория Карловна вывела ее на аллею. Они подошли к фонарю. При свете дня место выглядело вполне безобидно.

— Насколько я понимаю, все произошло именно здесь, — сказала Олянич, — хотя я могу и ошибаться. Понимаете, у меня есть информаторы в милиции... — директриса усмехнулась.

Крестинина бросила беглый взгляд на аллею, где было

обнаружено тело студентки по имени Олеся. Значит, убийца вновь наносит удар. Разумеется, другой человек, который пытается копировать убийства, произошедшие много десятилетий назад. В любом случае тот, кто совершал убийства в 1916 году, давно мертв...

— Ну что же, мы пришли сюда отдохнуть и развеяться, а вовсе не затем, чтобы заниматься расследованием, — сказала директриса. — Юлечка, хотите мороженое? В Староникольске удивительно вкусное мороженое, его готовят по старинным рецептам, не чета американскому из магазина!

Купив по эскимо, они отправились к трибуне. Молодой князь как раз заканчивал речь, в которой выражал серьезную надежду на то, что не пройдет и двух лет, как дворец, парк и каскад фонтанов вновь предстанут во всем великолепии.

— Он истратит на все это кучу денег, — авторитетно заметила Виктория Карловна. — А зачем? Посмотрите, от дворца остался один остов.

Вдалеке виднелось величественное здание бело-зеленой расцветки. Князь Святогорский, поблагодарив слушателей за внимание, уступил место мэру, дородному господину. Тот рассыпался в комплиментах и превозносил князя, как только мог.

— Святогорский купил его с потрохами, — сказала Виктория Карловна. — Деньги, как и во времена вашей прабабки, решают все. Князь нанял дорогую строительную компанию, лучшего архитектора. Впрочем, что я вам рассказываю, пусть это делает наш градоначальник.

Юлия, невнимательно слушавшая речь мэра, полную штампов, присмотрелась. Не может быть! На трибуне, рядом с князем и прочими влиятельными лицами Староникольска, стоял Виталий, ее бывший возлюбленный, который всего две недели назад дал ей отставку. Но что он здесь делает?

— Слово предоставляется нашему уважаемому гостю, от которого теперь зависит очень многое, главе строительно-архитектурной фирмы господину Лаврентьеву Виталию Владимировичу, — сказал мэр.

Виталий, облаченный в легкий светлый костюм с шелковым галстуком — этот галстук Юлия сама выбрала и подарила Виталию, — начал свое выступление.

Заметив ее легкое замешательство, Виктория Карловна поинтересовалась:

— Юленька, что-то не так?

— Я знаю этого человека. К сожалению, — произнесла Крестинина.

В прошедшие дни она старалась не думать о Виталии, и это у нее получилось. Но теперь... Теперь она снова столкнулась с ним. Надо же, до чего изобретательна судьба — они встретились в Старбникольске, кто бы мог подумать! Впрочем, она отправилась в городок, чтобы развеяться и заодно, если повезет, раскрыть тайну исчезновения прабабушки, а Виталий находился в городке по долгу службы.

Юлия теперь вспомнила, он как-то упоминал, что у его фирмы появился новый, чрезвычайно выгодный клиент. Виталий только сказал, что это американец, чертовски богатый, который желает строить дворец. Он не любил говорить о работе в свободное время, а Юлия и не настаивала.

Фирма, которую возглавлял Виталий, была одной из самых крупных в столице. Поэтому ничего удивительного в том, что князь Святогорский остановил свой выбор именно на ней. Виталий, надо отдать ему должное, умеет напряженно работать.

— Ну надо же, до чего тесен мир, — промолвила Виктория Карловна. — Давайте я покажу вам дворец, вернее, что от него осталось. В музее имеются чудные фотографии конца девятнадцатого века, на них изображено семейное гнездо рода Святогорских. К великому сожалению, в советские времена дворец не рассматривали как музей, а использовали как склад. Мой отец и я сама пытались протестовать, но это едва не стоило Карлу Степановичу, моему папе, места директора музея. По чьему-то непонятному мнению дворец не представлял собой памятник архитектуры, нуждающийся в защите государства, поэтому...

Она горестно вздохнула, Юлия снова отправилась вслед за Олянич. Директриса, облаченная в жаркий день в легкое светло-желтое платье, выглядела потрясающе молодо и соблазнительно. Юлия заметила — со стороны они походят на мать и дочь. Она закусила губу. На самом деле они пытаются изображать из себя расследователей, этаких староникольских мисс Марпл.

Доступ к дворцу был открыт. Огромное трехэтажное здание с облупившимся фасадом, гигантской мраморной лестницей грязновато-серого цвета, окнами, среди которых почти ни единого целого.

— Построен в стиле раннего классицизма, — вещала Виктория Карловна. — Я считаю, город должен быть благодарен князю за то, что он тратит неподъемные для нас суммы на восстановление дворцового комплекса. Мне удалось бросить беглый взгляд на предполагаемый проект реставрации. Прадед нашего молодого князя, старый Феликс, мог быть доволен — дворец возродится в былой красе, а парк и комплекс фонтанов станут еще более величественными. Однако все это обойдется князю в копеечку. Говорят, что никак не меньше пятнадцати миллионов долларов. Однако он богат, этот молодой человек...

Юлия взглянула на Александра Святогорского, который со скучающей миной пребывал на трибуне, слушая выступление пышнотелой дамы в красной шляпе. Его прадед был любовником ее прабабки. И, как уверены очень многие, ее убийцей. Так ли это? Юлия отдала бы очень многое, чтобы узнать это.

— Дорогие друзья, слово вновь предоставляется нашему гостю, его светлости князю Александру Феликсовичу. — Мэр кашлянул в микрофон. — Прошу вас, князь!

Святогорский сказал:

— Дамы и господа! Вы же знаете, я ждал этого момента с самого детства. Я чрезвычайно благодарен местным властям, в особенности господину мэру, Петру Георгиевичу, за колоссальную поддержку...

Трудно быть солнцем

— И знаете, в чем выражалась поддержка? В том, что наш городничий подмахнул все бумаги, которые положил перед ним князь. Святогорские, когда им это выгодно, обладают железным терпением и несгибаемой волей, — вещала Виктория Карловна. — Мэр наш взяточник, это же написано на его лице, а князь беззастенчиво этим пользовался. Однако, я считаю, восстановление дворца за счет Святогорского пойдет городу только на пользу. Возможно, это даже привлечет туристов. Ах...

Олянич тяжело вздохнула, Юлия улыбнулась. Она уже давно заметила, что Виктория Карловна обожала свой городок. Староникольск произвел на Юлию отрадное впечатление. Однако жить в нем она бы не хотела. Кроме того, в этом милом местечке притаилось зло...

— Поэтому, мои дорогие друзья, сегодня мы начнем работу по восстановлению дворца, — продолжал Святогорский. — Вы наверняка заметили технику — экскаваторы, бульдозеры, которые принадлежат фирме господина Лаврентьева. Мы не будем откладывать на завтра то, что можно сделать уже сегодня. Ведь так?

— Построим дворец, возродим парк! — послышались крики из толпы.

Князь улыбнулся. Юлия про себя отметила, что молодой Святогорский чрезвычайно привлекателен. Однако в то же время он производит впечатление несколько надменного и упрямого типа. Еще бы, у него есть практически все, о чем только можно мечтать. На какое-то мгновение они встретились глазами. Юлия отвела взгляд. Конечно же, князь ее не заметил, она — одна из сотен людей, заполнивших в этот чудесный выходной день городской парк.

— Ну что же, — продолжил Александр Святогорский. — Я отдаю символическую команду!

Он поднял руку и опустил ее. Толпа затихла. В отдалении раздалось гудение. Заработал первый экскаватор. Послышались одобрительные крики.

— В честь такого знаменательного события его светлость предоставляет возможность пить пиво бесплатно —

причем в любых количествах, — добавил мэр. — На территории парка установлены павильоны, где каждый желающий может получить великолепный прохладительный напиток.

Фраза потонула в диких воплях. Виктория Карловна ухватила Юлию за руку.

— Ну, начинается! Горожане уже привыкли к тому, что каждый праздник, который и так по большей части оплачивается из кармана Святогорского, князь устраивает подобную бесплатную акцию. В последний раз был мартини, сегодня пиво... Он, безусловно, умен, этот молодой князь. Он завоевывает симпатии народа. Ему так хочется построить дворец и сделать его собственной летней резиденцией. И чтобы все забыли о причастности его деда к убийствам.

Основная масса народа ринулась к одному из пивных павильонов. Мэр объявил, что через пятнадцать минут около здания дворца, на территории бывшей оранжереи, состоится символическая закладка первого камня.

— На это стоит взглянуть, — сказала Виктория Карловна. — Юленька, вы не утомились, а то у вас такой бледный вид?

Крестинина сама не знала, что с ней такое. Внезапная усталость навалилась на нее. День был жарким, они провели в парке уже около двух часов. И еще возник Виталий, о котором она думала, что никогда больше не увидит его. Хорошо, что он не заметил ее...

— Юля, — вдруг услышала она его голос.

Крестинина моментально обернулась. Так и есть, Виталий собственной персоной стоял перед ней. Его лицо выражало удивление и озабоченность.

— Ты что здесь делаешь? — спросил он. — Ты что, преследуешь меня? Я же считал, что мы с тобой обо всем поговорили...

Юлия едва не поперхнулась мороженым. Надо же, Лаврентьев подозревает ее в том, что она преследует его, нет, вы только подумайте!

Виктория Карловна встряла в их разговор:

Трудно быть солнцем

— Вы что-то хотите от моей племянницы, молодой человек?

Виталий удивленно посмотрел на директрису и проговорил миролюбивым тоном:

— Я и не знал, что у тебя есть тетка в Староникольске. Значит, это совпадение...

— Юленька, нам пора, сейчас состоится закладка камня, это у южного крыла, там когда-то располагались княжеские оранжереи. Нам необходимо поторопиться, а то не останется свободных мест!

— Я сейчас, — сказала Виктории Карловне Юля.

Обернувшись к Виталию, она произнесла:

— Ты абсолютно прав, между нами уже не может быть ничего общего. Ведь так? Как я вижу, твоей фирме повезло с новым клиентом. Князь Святогорский миллионер, не так ли?.. Мои поздравления.

— Юля, — донесся до нее голос бывшего друга, однако Крестинина решительным шагом удалилась прочь. Виктория Карловна с любопытством взглянула на нее.

— Приношу свои извинения за назойливость, Юленька, но, как я понимаю, это ваш экс-приятель. Надо же, как тесен мир. Кто бы мог подумать, что именно его фирме князь поручит восстановление дворца. Однако нам пора. У вас будет возможность увидеть вблизи молодого Александра.

Виктория Карловна, лавируя среди праздношатающейся публики, повела Юлию к южному крылу. Там, на зеленом газоне, раскинулся огромный белый тент, под которым стояли стулья, практически все занятые. Олянич подошла к первому ряду, где были зарезервированы два места.

— Все же хорошо принадлежать к элите города, — сказала она. — Что же, Юля, ждать осталось совсем недолго...

Во втором ряду Юлия заметила облаченного в белый костюм со смешным галстуком-бабочкой Валерия Афанасьевича Почепцова. Историк, вытянув шею, делал вид, что не замечает Виктории Карловны и ее спутницы. Олянич, усмехнувшись, намеренно громко поздоровалась с ним. Почепцов не ответил.

— Хам, — коротко произнесла Виктория Карловна. — Каким был, таким и остался. Поэтому-то я с ним и рассталась, деточка.

Прямо напротив них располагался котлован, около которого замер экскаватор. Через несколько минут заиграл оркестр, появился мэр вместе с супругой, молодой князь и Виталий. Лаврентьев, заметив Юлю в первом ряду, сжал губы и намеренно направил взгляд в небо.

— Дорогие друзья! — провозгласил градоначальник. — Вот и настал торжественный момент, ради которого мы, собственно, и собрались. Мы закладываем сегодня фундамент нового дворца, точнее, фундамент нашего нового совместного будущего. Будем надеяться, что, возродив семейное гнездо князей Святогорских, мы одновременно возродим и былое величие нашего города!

— О чем это уважаемый Петр Георгиевич, — фыркнула Виктория Карловна, достав небольшой веер. — Он почему-то думает, что великолепно разбирается в истории, а на самом деле полный профан в этом. Староникольск никогда не был значительным городом, мы должны это признать.

На трибуне Юлия заметила странного молодого человека — неуклюжего, полного, одетого не по погоде тепло. На его лице красовалась постоянная непонятная улыбка, он вел себя странно.

— Отпрыск Петра Георгиевича, его крест и гордость одновременно. Сын Стасик. К сожалению, мэру не повезло, молодой человек страдает то ли аутизмом, то ли еще чем-то. Впрочем, совершенно безобидный и чрезвычайно ласковый. И одаренный, как я могу судить. Увлекается коллекционированием жуков и бабочек. У него коллекция лучше, чем у меня в музее.

Стасик что-то произнес, его громкий голос заглушил речь отца. Мэр, нервно обернувшись, посмотрел на свою супругу, элегантную даму лет сорока пяти, в шикарном брючном костюме, с массой драгоценностей. Та взяла сына за руку, что-то прошептала ему на ухо. Молодой человек радостно закивал головой и, неуклюже переваливаясь, отправился прочь.

— У мэра есть еще дочь, которая учится в Москве. Однако ходят нехорошие слухи, что наш градоначальник собирается послать ее в Америку: якобы в благодарность за предоставленное право возрождать дворец Святогорский оплачивает его дочери место в самом престижном университете США.

Виктория Карловна, как поняла Юлия, была неистощимым источником информации и местных сплетен. Но это только на руку, если они собираются заняться расследованием, то это должно им помочь.

— Итак... — восторженным тоном произнес мэр.

Он протянул символические золоченые ножницы князю, тот перерезал красную ленточку, которая закрывала проход к котловану. Затем Святогорский на глазах у публики заложил первый кирпич. Защелкали фотовспышки, Виктория Карловна сказала:

— Наверняка изображения князя появятся в завтрашних местных газетах. Хотя смотрите, тут есть даже корреспонденты с центрального телевидения.

Загудел экскаватор. Его ковш прогрыз землю. Работа началась.

— Святогорский настоял на том, чтобы работа велась практически без выходных, — сказала Олянич. — Он оплачивает все в долларах, это моментально меняет расклад, вы не находите, Юленька?

Подали шампанское. Крестинина отказалась. Голова продолжала ныть, ей захотелось покинуть праздник. Что же, вот она и познакомилась с местным бомондом. Князь произвел на нее положительное впечатление. Но в то же время....

В то же время Юлия никак не могла избавиться от ощущения, что его прадед лишил жизни ее прабабку. Но было ли так на самом деле? Она не знала.

Виктория Карловна, как констатировала Юлия, увлеклась беседой с супругой мэра, Крестинина не знала, что же ей делать. Она стала листать проспекты, раскиданные по всему парку. На развороте был изображен дворец, каким он станет через два года.

— Добрый день, — услышала она приятный баритон.

Подняв глаза, Юлия увидела перед собой молодого князя. Он держал в руке два бокала с шампанским.

— Вы не сочтете бестактностью, если я предложу вам выпить за успех сегодняшнего мероприятия? — сказал Александр Святогорский. — Прошу прощения, что с такой назойливостью атакую вас, однако я вас помню... Вы были около трибуны, и когда я заметил вас здесь, то понял, что не имею права упускать такую возможность. Разрешите представиться, Александр Святогорский.

— Юлия Крестинина, — только и оставалось произнести ей. Она взяла любезно протянутый молодым князем бокал.

— Вы удивительно похожи на одну даму, знать которую я, увы, не мог, но которая сыграла роковую роль в истории нашего рода, — продолжил князь. — Имя Анны Радзивилл вам ни о чем не говорит?

Надо же, он тоже заметил ее поразительное сходство с Анной, подумала Юлия. Вот почему он и решил с ней познакомиться. А она-то уже подумала бог знает что.

— Анна Радзивилл — моя прабабка, — сказала Юлия.

Темно-серые глаза князя сузились, лицо сковала странная гримаса. Одновременно с этим послышался звон бьющегося стекла. Юлия обернулась.

Всего в нескольких метрах, притаившись, как паук, замер Валерий Афанасьевич Почепцов. Судя по всему, он попросту подслушивал разговор Юлии и князя. Его бокал с шампанским лежал на траве.

— Прошу прощения, — пробормотал историк. — Я не хотел, прошу прощения...

— Ничего страшного, — князь снова стал самой любезностью. Гримаса, исказившая его лицо, исчезла. Он щелкнул пальцами, и перед Почепцовым возник вышколенный официант с серебряным подносом, на котором стояли бокалы с шампанским. Валерию Афанасьевичу не оставалось ничего другого, как взять бокал и ретироваться.

Трудно быть солнцем

— Значит, Анна Радзивилл ваша прабабка. Но вы не живете в Староникольске, иначе я бы давно познакомился с вами, — продолжил князь.

— Вы правы, ваша светлость, — с усмешкой произнесла Крестинина. — Я живу в Москве, там же и работаю.

— Прошу, не называйте меня так, — сказал князь. — Этот титул я употребляю крайне редко и исключительно в официальных случаях. Для вас, если вы позволите, я Александр.

Виктория Карловна возникла откуда-то сбоку:

— Ах, вы уже познакомились! А я как раз собиралась представить вас друг другу. Князь, праздник просто чудесен. Я надеюсь, что дворец вскоре возродится к жизни.

— Я тоже очень на это надеюсь, — сказал князь.

Директриса переняла инициативу и повела разговор сама. Юлия, пригубив шампанское, вновь ощутила головную боль. Она больше не может оставаться здесь. Вчера вечером она переехала в особнячок к Виктории Карловне. Олянич предоставила ей чудную комнату с видом на речку. Юлия осталась довольна. Виктория Карловна — особа, может быть, немного взбалмошная и назойливая, однако с добрым сердцем.

Рядом с собой Юлия заметила Виталия Лаврентьева. Ее бывший друг явно хотел с ней переговорить, но она не желала этого. Они уже сказали друг другу все, что должны были. Поэтому, превозмогая головную боль, Юлия кивала головой и поддакивала Виктории Карловне.

— Реставрировать семейное гнездо в Староникольске всегда было моей мечтой, с самого детства, — сказал князь Святогорский. — И я обещаю вам, Виктория Карловна, и вам, Юлия, что я во что бы то ни стало добьюсь намеченного.

— Я и не сомневаюсь, — ответила директриса. — Александр, вы просто чудо, наш город потерял бы очень многое, если бы...

Ее фразу прервал взволнованный голос, который раздался из котлована:

— Боже мой, этого не может быть!

Взоры всех собравшихся, элиты Староникольска, представители которой были допущены под тент, устремились на человека, который нарушил атмосферу приятного общения. Виталий ринулся к рабочему, выкарабкивающемуся из котлована. Мэр закрутил головой и также кинулся вслед за Лаврентьевым.

— Наверное, наткнулись на ржавую арматуру и канализационную трубу, — сказала Виктория Карловна. — Земля в Староникольске нашпигована всякой дрянью, прошу прощения за такое выражение.

— Юля, а что привело вас в Староникольск? — спросил князь.

Она взглянула в его пронзительно-серые глаза. Это явно не праздный вопрос. Князь ею заинтересовался. Крестинина не успела ответить, потому что к Святогорскому подбежал взволнованный Лаврентьев и, даже не извинившись, прошептал тому что-то на ухо.

Князь изменился в лице, помрачнел и сказал:

— Прошу прощения, непредвиденные осложнения.

Затем он поспешно отправился за Виталием. Виктория Карловна с недоумением уставилась им вслед.

— Что же такое произошло, князь явно взволнован, я никогда не видела его таким.

Всеобщее внимание было приковано к происходящему. Никто не понимал, в чем же дело. Несколько рабочих суетились на дне котлована, мэр вытирал красную шею клетчатым платком. Его супруга сжимала руку своего странного сына, который, безмятежно улыбаясь, ковырялся в носу. Почепцов на цыпочках приблизился к котловану и попытался заглянуть вниз.

— Сейчас нас попросят удалиться, — с сожалением сказала Виктория Карловна. — Как выяснится, перерезали телефонный кабель или задели канализационный сток.

Появился князь. Его элегантный серый костюм был испачкан глиной, волосы растрепались.

— Виктория Карловна, — произнес он. — Прошу вас, вы должны следовать за мной.

Трудно быть солнцем

Ничего не понимая, женщина направилась за Свято-горским. Юлия осталась в одиночестве. Что же происходит?

Виталий, также вылезший из котлована, обратился ко всем присутствующим:

— Дамы и господа, мы наткнулись на электрический кабель. В целях вашей же безопасности мы просим вас покинуть строительную площадку. На северной террасе будет сервировано шампанское и фрукты, специально для вас. Прошу всех направиться туда!

Юлия не знала, что же ей делать. Виктория Карловна исчезла в котловане. К Крестининой подошел Виталий и сказал:

— Юля, тебе тоже лучше удалиться, поверь мне, так надо.

— Что происходит? — спросила она, однако бывший друг ей ничего не ответил. Виталий выглядел озабоченным. Юлия уселась на стул с твердым намерением дождаться Викторию Карловну. Никто не заставит ее покинуть это место.

Гости разошлись, вдалеке играла музыка, слышались веселые крики, хохот, детский плач. Праздник продолжался. Юлия поставила бокал на соседний стул. Она заметила Почепцова, который затаился неподалеку. Историк явно не собирался выполнять требование Виталия. Валерий Афанасьевич судорожно крутил бокал в руке. Юлия подумала, что он сейчас разобьет еще один. Почему он так взволнован?

Виктория Карловна подошла к Юлии и, склонившись, произнесла тихим голосом, чтобы Почепцов ничего не мог слышать:

— Деточка, я прошу вас, требуется ваше присутствие.

— Что такое, Виктория Карловна? — спросила Юлия. — Я ничего не понимаю.

Олянич слабо улыбнулась:

— Они обнаружили... Страшная находка, Юленька. Вы должны крепиться. Это вовсе не кабель...

Ничего не понимая, Юлия подошла к краю котлована. Князь подал ей руку, она спрыгнула на глинистое дно. Рабочие столпились около ковша экскаватора, который наполовину ушел в землю.

— Подойдите ближе, Юля, — сказал князь.

Крестинина повиновалась. Толпа расступилась, пропуская ее вперед.

В земле она заметила скелет. Не может быть! Человеческие останки — истлевшая одежда, пожелтевшие кости.

— Вот что вытащил на свет божий ковш экскаватора, — сказал мэр. — Черт возьми, кто-нибудь может дать мне сотовый, я должен связаться с милицией.

Виктория Карловна, не боясь запачкать желтое платье, опустилась на колени перед страшной находкой.

— Юлия, — произнесла она мрачным тоном. — Я не могу ничего утверждать, но посмотрите...

Крестинина склонилась над скелетом. Он, как она теперь поняла, был облачен в белое когда-то платье. Череп был заполнен землей, однако не оставалось ни малейшего сомнения — это женский скелет. Волосы, длинные черные волосы, прекрасно сохранились.

На платье, в которое был облачен скелет, была приколота брошь. И еще что-то. Юлия присмотрелась. Ей внезапно стало дурно. Она почувствовала, что может потерять сознание. Брошь в виде дельфина с сапфировыми глазками. Боже, такую же брошь, только с глазами-рубинами, она получила в подарок от бабушки. Бабушка говорила, что парное украшение было у Анны Радзивилл в день, когда дива немого кино бесследно исчезла в Староникольске.

Платиновый дельфинчик с сапфировыми глазками. И эта брошь украшает платье мертвой женщины, обнаруженной в парке княжеского дворца. И та же брошь блестит на платье, в котором запечатлена Анна Радзивилл на своей последней фотографии до ее исчезновения.

— Посмотрите, — сдавленным голосом произнес Александр Святогорский. — Брошью к платью приколот цветок, ведь так?

— Роза, это наверняка роза, — выдохнула Виктория Карловна.

Юлия присмотрелась. Олянич права. Засохшая, грозящая рассыпаться в прах роза украшала грудь скелета. «Цветочный убийца»!

— Никто не должен прикасаться к скелету, я известил полковника Кичапова, он в парке, вместе с семьей, через пару минут будет здесь, — сказал мэр.

Никто и не думал прикасаться к скелету. Юлия, как завороженная, смотрела на пожелтевшие кости, облаченные в лохмотья, бывшие когда-то чудесным белым платьем. Она не сомневалась — перед ней находился скелет ее прабабки, Анны Радзивилл, пропавшей 24 сентября 1916 года в Староникольске. Автор анонимного послания был прав — Анна мертва.

— Взгляните, — один из рабочих указал на шею скелета. Его туго обвивал полуистлевший шарф грязно-синей расцветки, на котором можно было распознать вышивку с изображением пурпурной розы.

— Юленька, крепитесь, — Виктория Карловна посмотрела на Крестинину. — Мне хочется ошибиться, но я уверена — это ваша прабабка Анна.

— Значит, она тоже стала жертвой «цветочного убийцы», — сказал мэр. — Боже мой!

Яркое августовское солнце отражалось в крошечных сапфирах броши-дельфина. Крестинина ощутила страх. Она буквально чувствовала мысли, которые прыгали в голове у всех собравшихся — Анну Радзивилл убил князь Феликс Святогорский. Задушил шарфом, который до сих пор был обмотан вокруг шеи жертвы. И вот, спустя почти девяносто лет, она стоит около останков своей прабабки, а рядом с ней — внук ее возможного убийцы.

— Боже мой! — повторила вслед за мэром Виктория Карловна.

Юлия ощутила нарастающую слабость, свет померк перед ее глазами. Она потеряла сознание, и если бы не молодой князь Святогорский, который подхватил ее, то Юлия упала бы прямо на тленные останки своей прабабки, Анны Радзивилл.

Когда сознание вернулось к Юлии, то находилась она уже не в парке княжеского дворца, а в удобной кровати, на втором этаже особнячка Виктории Карловны. Заметив, что Крестинина очнулась, директриса положила ей на лоб прохладную руку:

— Юлечка, вы всех нас испугали! Однако как я вас понимаю, с моей стороны было ужасно глупо звать вас в котлован, чтобы... чтобы вы взглянули на скелет. Но как только князь показал мне его, меня как молнией пронзило — это ваша прабабка Анна.

Юлия попыталась привстать, однако Виктория Карловна заявила безапелляционным тоном:

— Вы должны оставаться в постели! И учтите, деточка, князь хотел везти вас в больницу, но я настояла на том, чтобы мы направились ко мне домой.

— Спасибо, — пробормотала Юлия.

— Вот, выпейте, это придаст силы, — Виктория Карловна поставила перед Юлией поднос, на котором дымилась чашка ароматного чая. — Я приготовила вам куриный бульон и рогалики. Вы же не завтракали, деточка, потом эта гнетущая жара, скелет... Как же я вас понимаю!

Юлия с жадностью набросилась на еду, она чувствовала зверский голод. День клонился к завершению. Было еще светло, солнце ярко било в окна особняка, однако длинные тени легли на все предметы.

— Виктория Карловна, — произнесла Юлия. — Вы считаете, что это останки моей прабабки?

Директриса, не задумываясь, ответила:

— Да, я в этом уверена! Вы же видели брошь в виде дельфина у нее на груди, на последней фотографии Анны Радзивилл ее платье украшает эта же брошь.

— Убийца приколол брошью розу, — слабым голосом произнесла Юлия. — Это так страшно!

— Вы правы, — ответила Виктория Карловна. — Практически сразу после того, как вы потеряли сознание, деточка, понаехала милиция. Прибыл полковник Кичапов, большой друг нашего разлюбезного Петра Георгиевича, приказал всем посторонним покинуть место преступления, как он выразился. Хотя если преступление и произошло на том же самом месте, где был найден скелет, то почти девяносто лет назад. Но полковник не отличается сообразительностью, так сказать, положение к этому обязывает...

— Что произошло с... с моей прабабкой? Я имею в виду ее скелет, — спросила Юлия. Перед ее глазами вновь появилась ужасная картина — желтые кости, истлевшее платье и сверкающая сапфирами брошка.

— Насколько я поняла, сначала будут тщательно исследовать котлован, а потом тело Анны заберут для проведения экспертизы. Никто еще не говорит, что это тело вашей прабабки, Юленька, но никто и не сомневается, что это так!

— Значит, автор анонимного письма был прав, мою прабабку убили. Задушили, — сказала Юлия. По ее телу пробежали мурашки страха. Итак, события начали развиваться намного стремительнее, чем она предполагала.

— Я вам говорила, деточка, — добавила Виктория Карловна, пододвигая к Юлии вторую чашку с горячим куриным бульоном. — Я и не сомневалась, что Анна стала жертвой «цветочного убийцы». Как вы знаете, тела трех жертв были найдены, еще два до последнего времени — нет. И вот сегодня был обнаружен скелет Анны.

Виктория Карловна в возбуждении шагала по спальне, размышляя вслух:

— Моя бабка, Елена Карловна, в своих дневниках подробно описывает каждую мелочь. Наверняка в последней части ее записей есть заметки, посвященные тому, как исчезла Анна Радзивилл. Вы же знаете, деточка, все началось с дочери промышленника Евгении Ируповой и закончилось исчезновением вашей прабабки Анны. Но где третья часть дневника? Я не имею ни малейшего представления об этом! Вторая, как я вам говорила, наверняка находится у Почепцова. И этот червяк ни за что не отдаст мне ее. Он вообразил, что сможет расследовать серию «цветочных убийств» и единолично снискать лавры Шерлока Холмса. Но мы же ему не позволим?

— Нет, не позволим, — согласно кивнула Юлия.

Виктория Карловна вышла из спальни и вернулась через несколько минут, держа в руках первую часть дневника Елены Карловны.

— Юлечка, настала пора, чтобы вы ознакомились с записями моей бабушки. Все равно сегодня вы не в состоянии куда-либо выходить, поэтому, прошу вас, почитайте.

Раздался телефонный звонок. Виктория Карловна вышла. Юлия взяла тетрадь, раскрыла ее. Что же, директриса права. Дневниковые записи Елены Карловны Олянич — единственная возможность ознакомиться с ходом расследования убийств, которые происходили в Староникольске в 1916 году. А если учитывать тот факт, что Елена Карловна и сама стала жертвой таинственного монстра, то все это принимает чрезвычайно интригующий поворот.

Юлия была уверена — чтобы поймать убийцу, на совести которого студентка Олеся, необходимо докопаться до подоплеки тех, старых убийств. Но реально ли найти убийцу спустя девяносто лет? Она не знала ответа.

Дневники Елены Карловны, в любом случае, полны интересного материала. Она вчиталась в первые строчки.

«Сего, 7 октября года 1916 Anno Domini, я приступаю к записям, которые, возможно, смогут пролить свет на череду странных и зловещих событий, вовлеченным в паутину которых оказался столь милый моему сердцу городок наш, Староникольск...»

Несколько витиеватый стиль, но что поделаешь! Зато почерк у Елены Карловны Олянич понятный, не потребуется напрягать зрение, чтобы разобрать записи.

— О, Юленька, я вижу, вы уже начали знакомиться с литературным наследием моей бабки Елены? — сказала, возвратившись в спальню, Виктория Карловна. — Звонил князь Святогорский. Справлялся о вашем самочувствии и выразил желание посетить вас, однако я взяла на себя смелость отказать ему. Или я была не права?

— Нет, совершенно правы, — ответила Крестинина. — Сегодня я никого не хочу видеть.

Трудно быть солнцем

Их беседу снова прервала трель звонка, на этот раз у входной двери. Доставили шикарную корзину белых роз.

— Я думаю, это мог послать только один человек, — сказала Виктория Карловна, подавая Юлии небольшой розовый конверт, перевязанный золотистой ленточкой. — Молодой князь. Я же заметила, какое впечатление вы произвели на него, деточка.

Юлия развернула конверт. Виктория Карловна оказалась совершенно права — цветы и записка от Александра Святогорского. Пожелания скорейшего выздоровления и надежда на то, что они смогут увидеться в ближайшее время.

— Князь очаровательный молодой человек, — мечтательным тоном проговорила Виктория Карловна. — Но, деточка, прошу вас, будьте с ним начеку. Вашей прабабке не повезло, вы сами знаете, чем закончился ее роман с Феликсом-младшим. Да и выбор цветов... Розы, князь мог бы остановить свой выбор и на чем-то другом.

— Да у меня и в мыслях нет ничего подобного! — воскликнула Юлия, густо покраснев. — Виктория Карловна, если вы не возражаете, я посвящу сегодняшний вечер и часть ночи чтению дневника вашей бабки.

— Ну да, это поможет вам окунуться в атмосферу Староникольска летом 1916 года. И, думаю, нам это необходимо. Я заварю вам еще чаю, Юленька?

Виктория Карловна вышла на кухню, Крестинина снова раскрыла тетрадь. Итак, обратного пути нет. Все началось с анонимного письма. А чем закончится? Она не имела ни малейшего представления.

Юлия начала читать дневниковые записи Елены Карловны Олянич. Это выведет их на след убийцы.

— Удивительная находка, — в который раз проговорил патологоанатом, осторожно поворачивая череп только что доставленного в морг скелета. — На вид останкам никак не меньше семидесяти — восьмидесяти лет.

— Вполне вероятно, что речь идет об Анне Радзивилл, — сказал полковник Кичапов.

Патологоанатом поцокал языком и ответил:

— Ну, это я сказать не могу, но если это так... Она исчезла в 1916 году, как раз в самый разгар этой эпопеи с убийствами? Значит, ее тело провело в земле восемьдесят семь лет.

— Что вы можете сказать? — спросил присутствовавший тут же мэр Староникольска Петр Георгиевич Белякин. — Можете ли сообщить нам причину смерти?

— Для этого потребуется по крайней мере один день, но на беглый взгляд... — Патологоанатом замолчал и снова углубился в изучение женских останков.

Прошло около десяти минут, и врач продолжил прерванную фразу:

— На первый взгляд, как мне кажется, эта дама, возраст которой от двадцати семи до тридцати пяти лет, стала жертвой удушения. И этот чудесный шарфик, который я удалил с ее шеи, мог вполне быть орудием убийства. Кто-то затянул его, скорее всего, сзади, что привело к практически моментальной потере сознания и быстрой смерти. И этот кто-то обладал достаточной силой, чтобы сломать шейные позвонки.

— Вот жуть-то, — сказал, содрогнувшись, полковник Кичапов.

За время своей карьеры в милиции он видел достаточное количество трупов, чтобы стать невосприимчивым к ликам смерти, однако скелет произвел на него гнетущее впечатление. Еще мальчишкой, в местном краеведческом музее, он видел фотографию прелестной молодой дивы, Анны Радзивилл, в белом платье, огромной шляпе и с зонтиком от солнца. И вот, вероятнее всего, теперь он видит останки Анны, найденные в парке княжеского дворца.

— Эта жуть способна вызвать переполох в городе, — сказал Петр Георгиевич. — Витя, — обратился он к полковнику, — как обстоит дело с расследованием убийства этой студенточки, Олеси Гриценко, или как там ее зовут? Есть прогресс?

Кичапов ответил:

— Пока нет, Петр Георгиевич, но мы прикладываем все усилия...

— Что-то я этого не заметил, — проворчал мэр. — Люди шушукаются, ведь на ее теле обнаружили лилию, на шее был затянут шарф и что, это идиотское возобновление тех самых «цветочных убийств»? Я, как мог, старался пресечь слухи, но ничего не получается. А теперь весь город только и будет говорить о том, что найден скелет Анны Радзивилл. И главаря этой секты ты вычислить не в состоянии! А ведь меньше чем через год выборы, Витя, и если я пролечу, то не поздоровится всем, и в первую очередь тебе. Ты потеряешь свое теплое место, учти это!

Патологоанатом, погруженный в изучение скелета, казалось, не замечал перепалки между мэром и начальником милиции Староникольска.

— Я не потерплю, чтобы произошло новое преступление, — сказал Белякин. — Брось все силы на то, чтобы изловить этого маньяка. А я займусь прессой.

Затем, повернувшись к врачу, мэр произнес:

— А вы будете молчать обо всем, что знаете. Никаких сведений, даже в семье не говорите про скелет Анны. И постарайтесь как можно быстрее прислать отчет лично мне. Всего хорошего!

Мэр вышел из прозекторской. Кичапов перевел дыхание и беззлобно произнес:

— Тоже мне, Петр Первый, раскомандовался!

Петр Первый — было прозвище мэра среди подчиненных. Белякин отличался вздорным и злопамятным характером и чрезвычайно быстро терял самоконтроль, когда события принимали невыгодный для него оборот.

— Думает, если отдаст приказ, то мы в пять минут найдем этого придурка, который придушил девчонку, — сказал начальник староникольской милиции. — Ну, что скажешь, Сергеич?

Патологоанатом, копаясь в костях, ответил:

— Витя, я не хотел говорить при Белякине, но едва я увидел это, — он потряс древним шарфом с изображением розы, — так сразу понял: вот оно, орудие убийства!

— Ты это о чем? — спросил полковник, непонимающе мигая глазами. — И кстати, у тебя есть что-нибудь выпить?

— В шкафчике бутыль со спиртом, — ответил врач. — Так вот, я думаю, нет, практически уверен, что Олеся Гриценко, тело которой я осматривал, была удушена подобным шарфом.

Полковник Кичапов, звякнув мензуркой, налил себе немного чистейшего спирта и не морщась, в один присест осушил ее.

— Еще раз, Сергеич, и поподробнее. Сегодня я не в состоянии что-либо воспринимать.

Патологоанатом, привыкший к тому, что Кичапову требуется разжевывать элементарные вещи, повторил:

— Студентка была задушена. Точнее, кто-то вначале впрыснул ей в плечо сильный наркотик, а когда она практически мгновенно потеряла сознание, удушил. Убийца воспользовался шарфом с изображением лилии. Как я вижу, он идентичен по составу нитям, из которых состоит найденный в котловане шарфик.

Полковник крякнул и произнес:

— Хорошо дерет, спирт-то! Значит, ты хочешь сказать, что девчонку и Анну, если эти останки принадлежат Анне Радзивилл, задушили одним и тем же шарфом?

— Ну, не одним и тем же, ведь этот до сегодняшнего дня покоился под землей, — возразил патологоанатом, — но Олеся была умерщвлена подобным же шарфом. И возникает вопрос — откуда он у убийцы?

— Э, Сергеич, это не так важно, — сказал полковник Кичапов, — куда важнее следующий вывод: если и Анну, и девчонку убили одинаковым способом с применением практически одинакового средства, то это значит, что наш убийца пытается копировать «цветочные убийства» 1916 года. А это, друг мой, очень и очень плохо. Однако пока не доводи свои мысли до сведения Белякина. Ну, я пошел, у меня в связи с этим скелетом сегодня полно дел. Отчет, как только будет готов, отправишь сначала мне, мэр перебьется. И постарайся сделать все как можно быстрее.

Трудно быть солнцем

Полковник вышел прочь. Патологоанатом остался один на один с найденным в парке скелетом. Он осторожно отцепил брошку в виде дельфина с сапфировыми глазками от платья, подхватил едва не рассыпавшуюся в прах сморщенную полусгнившую розу.

— Итак, Анна Ильинична Радзивилл, посмотрим, что я могу сказать про последние секунды вашей жизни, — проговорил он будничным тоном и принялся за свою работу.

«Сего, 7 октября года 1916 Anno Domini, я приступаю к записям, которые, возможно, смогут пролить свет на череду странных и зловещих событий, вовлеченным в паутину которых оказался столь милый моему сердцу городок наш, Староникольск.

Я, Елена Карловна Олянич, появилась на свет 27 февраля 1867 года. Родители мои, Карл Иванович Олянич и супруга его, Нина Игнатьевна, урожденная Серьянинова, воспитывали меня в строгости, что, несомненно, сформировало мой характер и воззрения.

Я с самого детства проявляла интерес к наукам, что отцом моим не поощрялось. Человек суровый и глубоко религиозный, он считал, что девушкам не пристало заниматься чем-либо еще, кроме как домашним хозяйством и воспитанием многочисленных отпрысков. На примере матери своей, которая произвела на свет кроме меня еще семерых детей, я видела, что ничего хорошего в подобном существовании нет. Она скончалась, не дожив до своей тридцать восьмой годовщины. И, как я уверена, не последнюю роль в ее трагической судьбе сыграл мой отец, ныне также покойный. Господь забрал его к себе после несчастного случая — он упал с лошади, которая испугалась змеи, и сломал шею. В момент его смерти мне было четырнадцать лет.

Заботы по воспитанию детей взяли на себя наши дальние родственники. Впрочем, я долго не задержалась в Староникольске. Унаследовав от матушки некоторую сумму денег и не спросив ничьего соизволения, я уехала за границу. Вольный воздух Германии позволил мне почувствовать себя в совершенно ином мире. Я стала студенткой прославленного Геттингенского университета, который и окончила, получив звание доктора философии. Однако меня не занимали гуманитарные науки, я отдавала предпочтение точным предметам. Математика, биология, химия — вот что определяло круг моих приоритетов.

По окончании alma mater у меня появилась возможность остаться работать при кафедре. Помимо этого, белобрысый и симпатичный Фридрих сделал мне предложение. Подумав над тем и над другим, я отказалась. Фридриха я не любила. Германия была для меня страной, предоставившей мне колоссальные возможности. Однако Староникольск, городок, в котором я появилась не свет, всегда был моей подлинной родиной. Поэтому-то, не долго думая, я и вернулась обратно. Я знала, что меня ожидает — прозябание в русской провинции, и я сознательно пошла на этот шаг. Мне было прекрасно известно, что в результате приобретенных знаний я смогу оказаться полезной своему городу. Думаю, так и произошло.

Я не могу хвалить собственную персону, однако, как мне кажется, мне удалось переломить общую тенденцию к косномыслию и лени, столь характерную для россиян в общем и жителей Староникольска в частности. Меня вначале воспринимали в городе как смешную ученую даму, никто не хотел прислушиваться к моим речам, здравым и правильным. Однако мне удалось найти поддержку среди некоторых представителей местной интеллигенции и капитала. Потребовались годы, чтобы в Староникольске, городе, обладающем древней историей, открылся музей краеведения. Я приняла более чем щедрое предложение городского совета стать во главе его.

Времена менялись, и Староникольск постепенно начал превращаться в культурный центр нашего уезда. Я до чрезвычайности рада этому факту, ибо что может быть отраднее, чем при жизни видеть результат собственных трудов.

Господь оказался более чем милостив ко мне, помимо

успехов на социальном и научном поприщах он послал мне счастье в семейной жизни. Я достаточно поздно вышла замуж за человека, которого полюбила нежной и искренней любовью, Степана Логвинова. Я была первой дамой в Старонорикольске, которая не изменила фамилию, выйдя замуж, что вызвало шквал пересудов и обсуждений. Увы, мой брак с этим замечательным человеком длился всего четыре месяца, Степан скончался от простуды, перешедшей в воспаление легких, не дожив до появления своего сына, которого я нарекла Карлом, в честь своего отца.

Можно задаться вопросом, почему своего единственного сына я назвала в честь отца, человека малоприятного и ограниченного, а не в честь горячо любимого мужа, которого смерть забрала от меня, едва мы сказали друг другу «да» перед лицом господа. Однако таково было желание моего умирающего супруга, и противиться ему я не могу. Кроме того, сын мой Карлуша, как я надеюсь, станет полной противоположностью деду своему.

Такова краткая история моего рода. Я привела ее для того, чтобы читатель, позднее перелистывающий страницы, заполненные моими записями, имел представление об авторе. Понимая, что я совершенно не приспособлена к литературному творчеству и не готова к той самоотдаче, которой требует написание романа, я все же решила оставить для потомства эти бумаги. В первую очередь решение мое обусловлено желанием запечатлеть документально результаты моих сумбурных изысканий. Я не хочу, как и уважаемый и любимый мной следователь из Петрограда, стать жертвой таинственного несчастного случая. Сейчас в моих руках находятся неопровержимые доказательства того, что он, как и пять жительниц Старонорикольска, стал жертвой жуткого, бесчеловечного существа, известного более в прессе как «цветочный убийца». Однако до сей поры я теряюсь в догадках и топчусь в темноте — мне неизвестно, кто же является этим монстром. И все же, в этом я совершенно уверена, я смогу раскрыть эту страшную и кровавую тайну.

Не желая предварять одно событие другим и путать

хронологию, я позволю себе время от времени предаваться личным замечаниям и комментариям. Думаю, что любой следователь, даже всемирно известный сыщик Шерлок Холмс, воссозданный живым воображением британца Дойля, имеет право на наличие симпатий и, соответственно, антипатий. Признаюсь честно, криминальные романы увлекают меня, и, пролистывая дешевое издание, которое я приобретаю тайком, дабы не портить собственную репутацию, весьма, надо сказать, высокую в нашем городке, я частенько представляла себя на месте сыщика, который ведет расследование. На последних страницах этих произведений я, увы, с ужасом открывала для себя, что не могу вычислить преступника. Но подлинная жизнь гораздо разнообразнее книжного вымысла, поэтому я льщу себя надеждой, что смогу применить весь свой талант и ум, дабы раскрыть череду преступлений.

Итак, вспоминая жаркое лето этого года, я могу сказать, что начало для меня «цветочным убийствам» было положено не в тот день, когда была обнаружена задушенная Евгения Ирупова с белой лилией на груди, а примерно за три недели до этого, 13 июля, когда я впервые почувствовала смутное беспокойство и ощутила атмосферу спрессованного ужаса. Городок наш, как можно понять, тишайшее и спокойнейшее место на земле. За последние двадцать лет самым громким преступлением была драка на улице. Но страсти, человеческие страсти кипят. Мы такие же, как и жители крупного города, например, столицы.

Прогресс обошел нас стороной, нас не затронули вихри революционного движения и нигилистических безумств. Война, длящаяся уже третий год, забирает свою дань, однако Староникольск остался практически таким же, каким он был и пятьдесят, и сто лет назад. С одной стороны, это отрадно, а с другой, внушает опасения.

Однако, не рискуя углубиться в пространные размышления спорного характера, что свойственно моей менторской натуре, воспитанной на свободомыслии германской классической философии, я перехожу к сути событий.

В мои обязанности как директора местного музея входит постоянное пополнение коллекций и забота о сохранности фонда. В моем распоряжении находятся добровольные помощники, однако большую часть работы приходится выполнять самой. Музей временно — и это временное состояние длится уже седьмой год — располагается в небольшом кирпичном здании с отвратительным сырым подвалом. Староникольские нувориши, обещая поддержку благородным начинаниям, не спешат, тем не менее, отворять для меня собственные кошельки.

13 июля выдалось чрезвычайно погожим днем. Я задолго наметила его для того, чтобы пополнить музейную коллекцию амфибий, членистоногих и насекомых, которая пропала из музея и, как я подозреваю, была за гроши продана одним из сторожей на рынке. Оставив своего обожаемого сына Карлушу на попечение няньки, особы, надо признать, безответственной, я отправилась на берег реки Тишанки. Всем известно, что около Староникольского монастыря, являющего собой шедевр архитектурного зодчества середины шестнадцатого столетия, в изобилии водятся различного рода представители фауны. Своими жертвами я выбрала бабочек и квакш. Увлеченная процессом охоты, я не сразу заметила, что на берегу реки, заросшем камышом, слышатся голоса. Когда же голоса стали приближаться, то, случайно уловив нить разговора, я поняла, что мое появление в грязном платье, с сачком в руке и кастрюлькой с квакшами не является своевременным.

Я бы никогда не унизилась до того, чтобы подслушивать чужой разговор или становиться хотя бы даже невольной свидетельницей интимного общения, однако этот раз стал исключением из правил. По голосам я поняла, что по берегу реки прогуливаются мужчина и женщина, причем их разговор носит весьма личный характер. Я затаилась, надеясь на то, что гуляющие, минуя меня, удалятся в противоположную сторону и избавят, таким образом, и себя и меня от конфузного положения и еще более стыдного разоблачения.

Однако они остановились как раз напротив того места, где я стояла по колено в теплой воде. Сквозь камыши до меня отчетливо долетал их разговор. Более того, я смогла даже кое-что видеть — в частности, лица мужчины и женщины. Впрочем, это мне не требовалось, чтобы распознать в гуляющих молодого князя Феликса Святогорского, или Феликса-младшего, и диву синематографа Анну Радзивилл.

Княжеский род Святогорских не нуждается в представлении, он ведет свое происхождение чуть ли не от самого Рюрика. Князья, чья резиденция находится в нашем городе, всегда благоволили к Староникольску, а старый князь, Феликс-старший, даже пожертвовал мне на музейные нужды как-то сто рублей золотом.

Молодая красавица Анна Радзивилл прибыла в наш городок два месяца назад для участия в работе над картиной. Эта картина и стала камнем преткновения между ней, режиссером и местными властями, в особенности духовной властью. Учитывая низменные потребности публики, режиссер остановил свой выбор на страшной и, на мой взгляд, ненужной тематике — кровожадных кровососах-вампирах. Причем в качестве антуража для подобного рода событий он выбрал наш город и, в частности, Староникольский монастырь. Разумеется, владыка Иннокентий восстал против этого, кинематографический процесс затянулся, съемки прервались на неопределенное время, и Анна Радзивилл получила возможность воссиять, подобно Полярной звезде на вечернем небосклоне, среди дам нашего скромного общества.

Анна, тщательно скрывающая свой возраст, который, как я думаю, скорее тридцать, чем двадцать пять, откровенно развлекается и напропалую флиртует со всеми мужчинами. Это ее забавляет, а наши матроны, не понимая этого, воспринимают все всерьез и намереваются объявить Анне войну.

Услышав, тем не менее, фразы, которыми обменивались молодой князь и Анна, а в особенности тон, в каком протекало их общение, я поняла, что в этом случае дело серьезное. Князь несколько лет назад взял в жены тихую и набожную Аделаиду Шереметеву, которая находится сейчас на сносях.

Трудно быть солнцем

— Аня, — слышала я голос князя, доносившийся до меня через камыши, — я тебя люблю, прошу тебя, ответь мне согласием!

Если верить модным журналам, которые только тем и занимаются, что печатают великосветские сплетни и пространные рассказы о последних новинках синематографа, Анна Радзивилл была три или четыре раза замужем, в том числе и на самом деле за представителем древнего литовского княжеского рода Радзивиллов, и имеет маленькую дочь. Впрочем, ее последним супругом был ее восторженный почитатель — железнодорожный инженер, с которым она прожила всего полгода. Теперь же, как я понимаю, очаровав молодого князя, она снова нацелилась на крупную добычу. Святогорские, помимо того, что являются подлинными аристократами, обладают огромным состоянием и по праву считаются самым богатым семейством в нашей губернии.

Слова, которые произнес князь, не стали для меня шокирующим открытием. Уже давно каждый из жителей славного нашего городка знал, что Святогорские вовсе не отличаются примерным поведением и не являются образцом нравственных норм. Старый князь, Феликс-старший, в молодости был настоящим повесой, именно его многочисленные измены и вогнали раньше времени в гроб его очаровательную жену. От отца своего Феликс-младший и унаследовал весьма скверную привычку не быть верным законной супруге. Он женился всего несколько лет назад, и его молодая жена, урожденная княгиня Аделаида Шереметьева, прелестное юное дитя, пленяла всех своей непосредственностью и красотой. Однако, как мы уже давно знали, Феликс-младший не удовольствовался этим и принялся искать подруг буквально через месяц после венчания.

Поэтому, услышав слова, которые молодой отпрыск княжеского рода обращает к Анне Радзивилл, я не удивилась, а скорее огорчилась. Я достаточно хорошо знала молодую княгиню, поэтому мне не хотелось, чтобы ее муж причинял ей боль своими многочисленными похождениями. Анна Радзивилл, безусловно, была дамой, которая заслуживала внимания со стороны мужского пола — красивая, надменная, недоступная, богатая, овеянная легендами синематографа. Святогорский, проводивший много времени в Староникольске, конечно же, сразу увлекся ею.

— Нет, князь, вы мне не нравитесь, — услышала я ответ дивы. Мне удалось подсмотреть, как капризным жестом она вырвала у него свою ручку, затянутую в белую перчатку.

Князь не выглядел смущенным. Скорее всего, отрицательный ответ только раззадорил его.

— Анна, не будь такой недоступной, я же тебя люблю по-настоящему. Я готов весь мир бросить к твоим ногам. Подумай, я разведусь с Аделаидой, и ты станешь моей новой женой!

Я даже представить себе не могла, что князь намерен осуществить то, о чем ведет речь. Конечно же, он говорит это только для того, чтобы уговорить Анну Радзивилл совершить грехопадение. Я же знала, что Феликс находится в полной зависимости от отца своего, старого князя. Именно тот является владельцем огромного состояния, и юный Святогорский, если он возжелает пойти против воли родителя, окажется без средств к существованию. Старый князь не станет одобрять его похождения и не раздумывая лишит сына прав на наследство.

Так что я испытывала некоторое сочувствие по отношению к Анне Радзивилл. Однако, как я понимала, Анна давно не являлась наивной простушкой, роли которых ей приходилось играть. Она была цепкой и расчетливой особой, не лишенной, впрочем, шарма и обаяния. Не мне осуждать ее, однако подобные женщины, чересчур красивые и удачливые, чем-то не нравятся мне. Они готовы добиваться успеха любой ценой, иногда забывая о морали. Но не мне судить Анну.

— Князь, оставьте это, — продолжала Анна, и я даже восхитилась ею. Мне было известно, что другие дамы нашего городка не с таким упорством говорили «нет» молодому князю, предпочитая маленькую интрижку и богатый подарок от него ссоре с Феликсом-младшим.

Трудно быть солнцем

— Аня, прошу тебя, — заговорил резким тоном князь. В нем, насколько я поняла, проснулась фамильная гордость и упрямство Святогорских. Князья не привыкли к тому, чтобы кто-то противился их воле. — Вчера ты была такой милой, что произошло сегодня? Я не понимаю!

Зашелестели шелка платья Анны Радзивилл, она ответила:

— Вчера было вчера, дорогой князь. Не забывайте, у вас есть супруга, которая вот-вот разродится наследником.

— Ну и что! — с жаром возразил Святогорский. — Аделаида глупая гусыня, я ее не люблю. Свадьба состоялась по настоянию моего отца. Ему, видите ли, претит, чтобы моей женой была женщина без титула. А мне нужна та, которую я люблю. Анна, я тебя люблю!

Я так и не расслышала, что ответила ему Анна, потому что в самый неподходящий момент небольшая рыбина проплыла в теплой воде, где я стояла, и задела мои ноги плавниками. Поддавшись рефлексу, я тихо вскрикнула. Этот крик все-таки был достаточно силен, чтобы его услышали Святогорский и Анна. Он подозрительно оглянулся, затем всмотрелся в камыши, которые загораживали ему доступ к воде. Я побледнела от ужаса, а затем покраснела от стыда, только представив, что они разоблачат мое нежелательное для них присутствие.

— Вы слышали, князь? — произнесла Анна, щелкнув большим зонтиком, который, как белый гриб, распахнулся над ее головой. — Здесь кто-то есть. Пойдемте, я не хочу больше оставаться тут.

— Да, вы правы, сударыня, — намеренно громким тоном, вежливо-безупречным, со светским безразличием, ответствовал ей молодой Святогорский. Наверное, ему не доставляло никакого удовольствия думать, что кто-то являлся свидетелем его откровенных признаний петербургской диве. Святогорские, всегда склонные к распутству, на людях производили впечатление личностей замкнутых и едва ли не следующих всем заветам Библии.

— Сегодня такая прелестная погода, милостивая государыня, — послышалось мне. Голоса Анны и князя удалялись. Я, выждав для верности еще минут десять, осторожно вышла на берег. Вместо того чтобы заняться нужным для музея делом и пополнить коллекцию амфибий и насекомых, я уделила внимание личным взаимоотношениям князя и Анны. Зато мне повезло, я оказалась свидетельницей их небольшого разговора и стала обладательницей их крошечной тайны. Я не собиралась никоим образом раскрывать их секрет, но все же испытала гордость за себя — оказывается, в этой жизни требуется всего лишь в нужное время оказаться в нужном месте, чтобы получить доступ к информации.

Я вернулась домой, занялась тем, что пополнила-таки коллекцию некоторыми редкостными, пойманными мной экземплярами квакш, обитающих в реке Тишанке. Затем настало время заняться моим драгоценным отпрыском Карлушей. Мой дивный сынок удивляет меня, он растет не по дням, а по часам. Какая жалость, что его драгоценный отец, мой возлюбленный супруг, не смог стать свидетелем взросления собственного отпрыска. Но что поделаешь, судьба часто оказывается крайне несправедливой к людям.

Закончив занятия с сыном во второй половине дня, я уселась за свою монографию, посвященную Смутному времени. Незаметно настал вечер, теплый и полный комаров. Тем вечером я была приглашена в поместье к Святогорским. Мне удалось — и я считаю, по праву — сделать себе имя в нашем городке, я стала одним из столпов научного общества. Поэтому любое мало-мальски важное собрание не могло пройти без моего участия. Я не стремилась к этому, однако приятно было осознавать, что заслуги мои находят должное признание среди сограждан.

Старый князь уже много раз жертвовал крупные суммы на нужды моего музея и науки вообще, поэтому я с охотой приняла его приглашение. Меня все же охватил некоторый страх, так как я знала, что мне предстоит столкнуться лицом к лицу с молодым Святогорским и Анной Радзивилл, которая сделалась частым гостем в княжеском дворце. Однако, как я надеялась, они не разглядели меня в камышах и мое появление не подольет масла в огонь.

Дворец Святогорских представляет собой шедевр архитектурного зодчества. Один из предков старого князя истратил баснословные деньги, чтобы возвести это величественное и грандиозное здание. Строительство дворца имело место при Екатерине, Святогорские тогда были в фаворе. На внутреннюю отделку было истрачено целое состояние. Сколько раз, любуясь шедеврами старых фламандцев или итальянскими фресками, которые украшали потолки в зале для приемов, я думала, что князья могут послужить обществу и передать в дар музею Староникольска один или даже несколько шедевров. Увы, старый князь, жертвующий денежные суммы, придерживался иного мнения. Он считал, что несколько сот рублей вполне достаточный с его стороны взнос на процветание науки в нашем городке.

Подлинным шедевром был княжеский парк, оранжерея и фонтаны. Я всегда считала, что каскад фонтанов во многом напоминает версальский. Жаль, что такое великолепие находится в частной собственности и скрыто от глаз жителей Староникольска. Я вовсе не проповедую насильное отторжение прав собственности у князей Святогорских, мне просто жаль, что обычные люди не имеют доступа к этому великолепию.

Пожилой дворецкий провел меня в залу для посетителей, я опустилась в кресло. Мне было известно, что нужно немного подождать — и это несмотря на то, что я пришла минута в минуту, в шесть часов пополудни, ровно в назначенный мне срок. Я понимаю, что не представляю для князей никакого интереса, поэтому таким людям, как я, всегда приходится ждать.

Я увлеченно рассматривала мраморные бюсты князей Святогорских великолепной работы неизвестных мастеров из крепостных, когда услышала приглушенные рыдания. Я обернулась. Мне показалось или на самом деле кто-то тихо плакал?

Массивная дубовая дверь, которая вела в подсобные

помещения, была приоткрыта. Я, всегда отличавшаяся неумеренным любопытством и, возможно, часто совавшая нос не в свои дела, сразу же решила выяснить, в чем же дело. Мне почему-то привиделась ужасная картина — молодой князь, не считаясь с чувствами своей находящейся в положении юной супруги, объявил ей о намерении немедленно расторгнуть брак и жениться на Анне Радзивилл.

Я приоткрыла дверь и проскользнула на территорию дворцовых комнат, где доселе не бывала ни разу. Плач становился все громче и громче. Пройдя метров десять, я увидела вход в небольшую каморку, комнатушку, обставленную столь же скудно, сколь и безвкусно. На кровати, застеленной темным покрывалом, лежала ничком молодая девушка и отчаянно рыдала, закрыв лицо руками. Я сразу ее узнала. Настенька, дочка того самого пожилого дворецкого, Никифора, работавшего у князей с незапамятных времен.

— Что произошло, моя хорошая? — ласковым голосом произнесла я, опускаясь рядом с рыдающей девушкой. Та встрепенулась и подняла на меня опухшие, покрасневшие глаза. Настеньке едва ли было восемнадцать лет, она была поздним ребенком Никифора, его возлюбленным чадом и солнечным лучиком в княжеском дворце. Я достаточно хорошо знала покойную матушку Настеньки.

— Елена Карловна, — прошептала она и снова зарыдала, обхватив меня горячими руками. — Помогите мне, прошу вас!

— Но что такое случилось, дитя мое? — спросила я. — Кто довел тебя до слез, дорогая моя девочка? Расскажи мне, прошу тебя!

Мне было безумно жаль глупышку. Кто и как обидел ее? Разумеется, я помогу ей во что бы то ни стало. К моему сожалению, я не смогла стать ей крестной матерью, однако после трагической скоропостижной смерти ее родительницы я чувствовала себя ответственной за судьбу девочки. Отец ее, Никифор, был предан князьям больше жизни. Чопорный и глуповатый, он считал, что Святогорские — самые важные в мире люди, а счастье для него и

Трудно быть солнцем

его дочери, работавшей во дворце горничной, заключается в том, чтобы прислуживать им. Много раз я слышала от него страшные слова о том, что хорошо бы вновь возродить крепостное право. Как мне кажется, сам Никифор был бы в диком восторге, если бы вновь, как и многие поколения его предков, стал фактически рабом князей Святогорских.

— В чем дело, моя милая крошка? — сказала я, гладя девушку по льняным волосам. — Расскажи мне, кто причинил тебе боль?

— Это все он, — ответила, захлебываясь горькими слезами, Настенька. — Это все он! Я не знаю, что мне теперь делать, Елена Карловна. Вся жизнь моя разрушена! Я опозорена!

— Деточка, — начала я, однако в этот момент услышала грозный окрик Никифора, который вошел в каморку дочери. Дворецкий, облаченный в смешную старинную ливрею эпохи царицы Елизаветы Петровны, в напудренном парике, злобно уставился на меня.

Никифор и так никогда не отличался красотой, а в этой карнавальной одежде вызвал у меня подлинный смех. Он же, гордящийся своим высоким, как он полагал, местом, не видел абсолютно ничего смешного.

Всегда полный достоинства и пытающийся копировать манеры своих хозяев, на этот раз он поразил меня своим безобразным поведением. Дворецкий буквально подскочил ко мне, схватил за руку и вытащил из комнаты.

— Сударыня, вам здесь делать нечего, это комната моей дочери, а вас ждет его сиятельство князь, — прошипел он, выпучив на меня свои крошечные глазки. — Попрошу вас удалиться как можно быстрее!

— Уважаемый Никифор, вашей дочери требуется мой совет и моя помощь, — ответила я. — В чем причина ее слез? Вы же ее отец, вы должны знать!

— Не ваше дело, — грубо отрезал дворецкий, снова оттолкнул меня и захлопнул у меня перед самым лицом дверь комнатушки. Я, нимало не растерявшись, попыталась приложить глаз к замочной скважине, но потерпела неудачу — ключ с обратной стороны мешал мне увидеть то, что происходило между отцом и дочерью. До меня долетели отдельные слова:

— Дура, я же говорил тебе... Ты не хочешь, чтобы об этом все узнали... Это честь для тебя... Молчи... Я не желаю ничего слышать...

Дверь внезапно распахнулась, на пороге возник Никифор. Парик съехал набок, лицо раскраснелось. Его руки, сжатые в кулаки, заметались перед моим лицом.

— Елена Карловна, — отчеканил он. — Его сиятельство затребовал вас к себе, не заставляйте князя ждать. Анастасия — моя дочь, я несу за нее ответственность, вы не имеете ни малейшего права вмешиваться в наши дела. Или я выражаюсь непонятно, сударыня?

Я видела, как Настенька, полусидевшая на кровати, подняла на меня взор, полный страдания и призыва о помощи. Ну что же, в этот раз я ничего не могу поделать, но этого я так не оставлю. Я выясню, что же является причиной слез милой девушки и неуправляемого гнева ее отца.

Я прошествовала в залу для гостей, там же через минуту возник и Никифор. Он совершенно успокоился, привел в порядок одежду, однако его лицо все еще дышало злобой и ненавистью.

— Прошу вас следовать за мной, — произнес он.

Я, знакомая с церемониалом во дворце Святогорских, отправилась вслед за ним. Мы миновали множество роскошно обставленных комнат. Я лишний раз имела возможность убедиться в том, что Святогорские по праву считались одним из самых обеспеченных аристократических семейств в империи. Всюду богатство, сияние позолоты, малахита и мрамора.

Никифор проводил меня в южное крыло дворца, мы спустились по лестнице вниз и оказались перед входом в княжеские оранжереи. Зимой здесь благоухают орхидеи и растет клубника, летом старый князь, Феликс-старший, собственноручно возится с растениями. На старости лет князь, когда-то бывший повесой, мотом и донжуаном, промотавшим многие миллионы семейного состояния, стал примерным семьянином и садоводом-любителем.

— Елена Карловна, как же я рад вас видеть, — произнес князь. Я, изобразив на лице подобающую случаю улыбку, вошла под стеклянный купол оранжереи.

Старый Феликс, которому теперь было под семьдесят, сидел в инвалидном кресле, изготовленном для него специально в Америке. Он был красивым еще мужчиной, высоким, с шапкой густых седых волос, орлиным носом, узкими губами и пронзительными голубыми глазами, которые буравили собеседника. Он был облачен в английский костюм, как всегда, безупречно элегантный и ужасно дорогой.

— Взаимно, ваше сиятельство, — ответила я. Сухие губы старого Святогорского коснулись моего запястья.

— Вот видите, занимаюсь земледелием, — с некоторым смешком сказал он. В руке у него я заметила длинные садовые ножницы. Он занимался тем, что срезал еще не распустившиеся бутоны роз. Оранжерея была наполнена восхитительными ароматами. У меня от такого разнообразия запахов слегка закружилась голова.

— Я хочу сделать небольшое пожертвование в пользу вашего музея, — сказал старый Феликс. — Вас устроит тысяча рублей?

— Ваше сиятельство, вы более чем щедры, — произнесла я. Тысяча рублей, с учетом набирающей темпы инфляции, уже не бог весть какая сумма, однако я рада любому источнику финансирования возглавляемого мной учреждения.

— Я это знаю, — гаркнул князь и хлопнул в ладоши. — Ада, где ты? — капризным тоном прокричал он.

Из глубины оранжереи показалась молодая невестка князя, супруга его сына, Аделаида Святогорская, урожденная княжна Шереметева. Аделаида, или Ада, как называли ее в семье, была двадцати трех или двадцати четырех лет от роду, невысокая, удивительно красивая, с одухотворенным лицом, похожим на творения Рафаэля. Облаченная в просторное платье нежно-кремового оттенка, она подошла к свекру.

Святогорский уже много лет в результате несчастного случая на охоте не мог самостоятельно передвигаться. Однако у меня создавалось впечатление, что старый князь часто намеренно афиширует свою немощь и намеренно заставляет сына и других родственников относиться к нему с особым вниманием. Несколько раз я заставала князя в оранжерее за тем, что он сам тянулся к цветку или, наклоняясь, брал с пола ножницы или горшок. Значит, его недуг не такой уж серьезный, он преувеличивает собственные страдания.

— Ада, я хочу обратно во дворец, — сказал он.

Его слова обозначали одно — молодая княгиня, несмотря на то, что была беременной, должна катить кресло со стариком внутрь дворца. Я вызвалась помочь ей. Аделаида тихо поблагодарила меня. Бедная девочка, она чемто неуловимо похожа на Настеньку, дочку дворецкого Никифора. Несмотря на то что между двумя молодыми женщинами лежит социальная пропасть, они обе несчастны. Я же вижу, что княгиня тяготится жизнью в роскошном дворце. Я знала, что ее отец, разорившийся и имеющий миллионные долги, фактически продал дочь Святогорским в обмен на то, что Феликс-старший оплатит часть его векселей. Старик не упускал возможности каждую секунду напомнить юной княгине о том, что именно он хозяин в доме.

— Ада, следуй за мной. И почему ты не надела брошь с бриллиантами, которую мой сын подарил тебе накануне? Она принадлежала моей жене.

Я, заметив мраморную бледность Аделаиды Святогорской, произнесла:

— Князь, не кажется ли вам, что Аделаиде Николаевне лучше прилечь. Она же находится в положении... — продолжила я.

— Нет, не кажется, — отрезал князь. Он, как и все представители княжеского рода Святогорских, отличался упрямством и скрытым садизмом. — Ада, я жду моего

внука с великим нетерпением. Надеюсь, это будет мальчик. Нет, я знаю, что это будет мальчик! Другого и быть не
может! Это твои родители понарожали пятерых дочерей и
теперь ломают голову над тем, как их всех пристроить.
Мне требуется наследник. Наследник, который станет
умнее и талантливее, чем мой взбалмошный и инфантиль-
ный сын.

Я усмехнулась про себя. Надо же, князь не замечает
одного: его сын, Феликс-младший, пошел по его же сто-
пам. Но чего еще ждать от представителей пускай и древнего, но угасающего рода. Слишком много намешалось в
их крови жестокости, распутства и вседозволенности. Мне
откровенно было жалко Аделаиду Святогорскую.

— Деточка, идите прилягте, — шепнула я ей, но Аделаида ответила мне так же тихо:

— Благодарю вас, Елена Карловна. Вы единственный
человек, который проявляет заботу обо мне. Мой супруг...

— Ада! — прогремел голос старика. Он, часто изобра-
жавший из себя глухого инвалида, на самом деле обладал
удивительно тонким слухом. — На что это ты жалуешься
Елене Карловне? Думаешь, госпоже директрисе музея интересны наши фамильные тайны? А то она церемониться
не будет, опишет все в своих монографиях. Ведь так, Елена Карловна?

Он повернулся и, прищурившись, уставился на меня.
Я промолчала. Мы вступили в библиотеку — огромное помещение, выстроенное ротондой. Книжные полки, на которых находились откровенные раритеты, уходили ввысь.
Я давно упрашивала князя преподнести в дар музею несколько бесценных экземпляров, однако он каждый раз с
отвратительным смешком заявлял мне — а что он получит
взамен? Причем он так смотрел на меня, что я не знала,
что и думать — о чем же он ведет речь?

В библиотеке находились молодой князь и Анна Радзивилл. Облаченная в удивительное платье нежно-сирене-
вой расцветки, с жемчугами на шее, она была великолепна, похожа на древнегреческую богиню. Старик кашлянул
и заявил:

— Ну что, мадам, мой сын показывает вам наши владения?

— Да, князь, — мелодичным голосом ответила актриса. — Его сиятельство чрезвычайно любезен ко мне.

— То-то я смотрю, что ты, Феликс, ни на шаг не отходишь от мадам Радзивилл, — сказал князь. — А твоя законная супруга, носящая под сердцем моего внука, проводит время в одиночестве. Ада, присядь рядом с мужем!

Старый Феликс не просил, он отдавал приказания. Аделаида, похожая на тень, молча и покорно опустилась в старинное кресло по правую руку от Феликса-младшего. По левую руку находилась Анна Радзивилл. Чрезвычайно довольный своей бессовестной выходкой, старик заявил:

— Сын мой, и какая из них тебе больше по вкусу?

Я замерла. Лицо молодого князя окаменело, Анна Радзивилл тонко улыбнулась. Княгиня отвернулась, якобы не вынося яркого вечернего солнца, лучи которого лились через стеклянный купол ротонды.

Тягостную паузу прервало появление Никифора, который торжественно объявил:

— Господин Адриан Ирупов.

— Ага, наш Рокфеллер уже здесь, — потер руки князь. — Проводи его в библиотеку, Никифорушка. А потом принеси нам чай.

— Да, ваша светлость, — подобострастно произнес дворецкий, глядя по-собачьи преданными глазами на старика.

— Ирупов наверняка будет просить меня предоставить в его распоряжение мой парк. Вы же знаете, для чего именно, дорогая Елена Карловна, — Феликс-старший захихикал. — Его ненаглядная доченька, единственная наследница всего его состояния, сделанного на соленых огурцах и пеньке, выходит замуж. А вы были когда-то неравнодушны к ее жениху, не так ли?

Я закусила губу, мысленно приказывая себе не поддаваться на провокации старика. Князь, как физический, так и духовный калека, находил удовольствие в том, чтобы провоцировать других, причиняя им боль и выводя из равновесия. Но пусть не надеется, со мной у него этот номер не пройдет.

— Так, так, дети мои, — прошамкал Святогорский-старший, так и не дождавшись от меня реплики. — Сегодня такой хороший день, просто великолепный. Феликс! — крикнул он сыну. — Принеси мне из секретера мою чековую книжку. И немедленно!

Молодой князь беспрекословно повиновался. Старик умел, как диктатор, всегда настоять на своем.

— Мадам, вы долго намерены оставаться в нашем городишке? — спросил он Анну Радзивилл. — Мой сын от вас без ума, последние две недели он все время проводит в вашем обществе. Не так ли, Ада?

Старику нравилось терроризировать беременную невестку, что я находила отвратительным.

— Ваша светлость, как ваша подагра? — спросила я, нанося удар по больному — в прямом и переносном смысле — месту старого князя. Пивший в юности и в зрелые годы, он к концу жизни получил в качестве расплаты подагру. Именно поэтому несчастный случай на охоте и приковал его к инвалидному креслу.

Упоминание о его болезни князю явно не понравилось.

— Благодарю за ваш интерес, Елена Карловна, — произнес он. — Но вернемся к замужеству мадмуазель Ируповой. Ее супругом станет человек, к которому вы когда-то были неравнодушны. Или, может быть, вы и сейчас неровно дышите к Федору Шаховскому?

Я с негодованием хотела было возразить, но на пороге библиотеки появился Адриан Николаевич Ирупов. Когда князь саркастически именовал его «наш Рокфеллер», то вряд ли он был далек от истины. Адриан Николаевич Ирупов, лысый и усатый господин лет сорока пяти, уроженец Староникольска, сделал состояние на торговле бакалейными товарами, или, как презрительно говорил Святогорский, «на соленых огурцах и пеньке». Впрочем, князь явно завидовал удачливому коммерсанту.

Единственной дочерью и, соответственно, наследницей миллионного состояния Ирупова была Евгения — девушка приятная, хотя и не блистающая особой красотой. Однако, что вполне понятно, отбоя в претендентах на ее руку и сердце не было — по причине богатства ее родителя.

Чтобы как-то облагородить собственное мещанское происхождение, господин Ирупов решил выдать дочь замуж за представителя родовитового семейства. Он бы с удовольствием оплатил свадьбу между Евгенией и Феликсом-младшим, но Святогорские в деньгах Ируповых не нуждались. После недолгих поисков Адриан Николаевич остановил свой выбор на князе Федоре Шаховском, человеке, которого я когда-то возжелала видеть своим супругом.

Федор Шаховской, наследник умирающего рода, был гордостью нашего Староникольска. Ученый, литератор и поэт, он снискал заслуженную славу в Петербурге и Москве. Увы, подобная деятельность не принесла ему больших доходов. Да и страсть Федора к рулетке общеизвестна...

Обремененный старой матерью, двумя незамужними сестрами и массой долгов, Федор в итоге принял предложение Ирупова стать его зятем. Евгения получает звонкий титул княгини Шаховской, а Федор, в качестве компенсации за этот мезальянс, — финансовую свободу. Ирупов, недолго думая, поступил с Федором Шаховским так же, как и старый Святогорский с Аделаидой Шереметевой.

Мне не было бы дела до всего происходящего, если бы с юности моей я не испытывала нежных чувств к Федору Шаховскому. Он находил прелесть в нашем общении, когда мы вместе предавались изучению загадок природы и мироздания. У каждого своя судьба — я не могла и помышлять о браке с Федором, нашла тихое счастье рядом со своим супругом, ныне покойным, а Федор подался в столицу в надежде заработать при помощи своего несомненного таланта.

— Дорогой князь, — любезнейшим тоном произнес Ирупов, — как ваше драгоценное здоровье?

— Дорогой Адриан, — ответил подобным же тоном Святогорский, — а как ваша подготовка к свадебному торжеству?

Трудно быть солнцем

Появился и Феликс-младший, который принес отцу чековую книжку.

— Елена Карловна, прошу! — Князь что-то нацарапал на чеке и протянул его мне. — Думаю, пяти тысяч вам хватит!

Пять тысяч рублей! Князь расщедрился. Он подарил мне такую большую сумму, явно чтобы утереть нос Ирупову и выставить себя в его глазах благородным филантропом.

— Елена Карловна, как же хорошо, что князь заботится о процветании наук и искусств в Староникольске, — заметил Ирупов шутливым тоном, в котором я, однако, уловила желчные нотки. — Прошу и от меня принять скромный дар на нужды вашего музея. Мой будущий зять, как известно, также увлекается наукой. Прошу вас!

Достав чековую книжку из кармана пиджака, Ирупов выписал мне чек.

— Десять тысяч, Адриан Николаевич! — с восторгом, не заботясь о приличиях, вскричала я. — Премного вам благодарна!

— Адриан, вы более чем щедры, — заметил князь-старик злобным и раздраженным тоном. — Ада, позвони в колокольчик, где этот несносный дворецкий с чаем? Я хочу пить!

Аделаида, повинуясь приказанию старика, позвонила в колокольчик. Через минуту, сбиваясь с ног, появился Никифор, притащивший поднос с чайником и чашками.

— Ну что ты так долго копаешься, — капризно заявил Феликс-старший. — Вечность пройдет, пока тебя дождешься.

— Ваше сиятельство, прошу прощения, — произнес дворецкий.

— Ну ладно, — уже миролюбиво сказал Святогорский, потеряв всякий интерес к дворецкому. Как я заметила, его мыслями вновь завладел Ирупов и предстоящая свадьба его дочери. — Итак, Адриан, с чем пожаловал?

Промышленник, отпив немного ароматного чаю, ответил:

— Князь, я хочу обратиться к вам с просьбой... Надеюсь, вы пойдете мне навстречу. Дочь моя, как вы совершенно правильно заметили, скоро выходит замуж, и я хочу сделать праздник для нее незабываемым. Князь, будьте так любезны, разрешите провести торжество в вашем парке.

— Ага, вот зачем вам понадобился старый инвалид, — удовлетворенно заметил Святогорский-старший. — Никифор, — произнес он, — почему чай такой холодный?

— Ваше сиятельство, сию секунду исправлю, — дворецкий побежал прочь.

— Как он мне предан, — пробормотал старик. — Верный, тупой Никифор. На таких и нужно полагаться в этой жизни, он не предаст!

На губах старика заиграла улыбка, он походил на кота, который налакался хозяйских сливок. Как он и ожидал, Ирупов обратился к нему с просьбой, и именно от него зависело, состояться торжеству в его парке или нет.

— Мне надо подумать, — протянул старик. — Феликс! — крикнул он сыну. — Ну, чего ты пялишься на мадам Радзивилл, ты же слышишь, о чем я беседую с господином промышленником. И когда вы хотите устраивать это празднество?

— Через месяц, — ответил промышленник. — Или даже раньше. Я весь в нетерпении, князь!

— О, в еще большем нетерпении ваш будущий зять, князек Шаховской, — смачно и бестактно заметил князь. — И куда направятся молодые после заключения брака? Ну-ка, расскажите, Адриан, я все хочу знать!

Понимая, что он целиком и полностью находится во власти своевольного и капризного князя, Ирупов с милейшей улыбкой продолжил:

— Я подумал, что Венеция — это то самое, что подойдет моей дорогой Евгении и моему зятю. В парке я хочу устроить праздник для всех гостей, большой, настоящий праздник, который бы запомнился на всю жизнь. Все-таки свадьба — редкое явление...

— Ну почему же, — сказал Святогорский. — Кто знает, князь, времена меняются, возможно, вашей дочери, как и мадам Радзивилл, придется испытать счастье замужества

Трудно быть солнцем

несколько раз. Скажи, дорогая моя, — обратился он к Аде, — ты ведь не имеешь ничего против того, чтобы мой сын развелся с тобой и женился бы на Анне?

Ужасаясь и удивляясь полнейшей бестактности князя, я не выдержала и выступила в защиту бедной Аделаиды, которая и так была бледнее некуда.

— Князь, как вам не стыдно! Аделаида Николаевна, пойдите прилягте, — требовательным тоном произнесла я.

Старик злобно взглянул на меня.

— Елена Карловна, я смотрю, вы чувствуете себя у меня во дворце, как у себя дома. Или, Феликс, ты желаешь взять в жены Елену Карловну? У нее уже есть наследник, у меня будет внук. Ну, что скажешь?

Аделаида, поставив с грохотом чашку, пробормотала стандартные извинения и, даже не дожидаясь благословения старого князя, выскользнула из библиотеки.

— Бедная девочка, — с притворной жалостью произнес князь. — Феликс, ну чего ты сидишь. Ступай за женой, посмотри, чтобы все было в порядке. Не надо мне преждевременных родов. Я хочу, чтобы мой внук появился на свет здоровым и крепким.

Он снова отхлебнул чая уже из нового чайника, который в спешном порядке принес Никифор. Дворецкий, вытянувшись по струнке, наблюдал за своим повелителем.

— Сразу видно, что теперь ты готовил на кипятке, Никифор, — сказал князь. — Ступай и скажи своей несносной дочери, чтобы она не рыдала, а то ее вопли разносятся по всему дворцу. Слезами горю не поможешь.

— Удивительная черствость, — пробормотала я вполголоса, однако достаточно громко, чтобы князь заметил, обращаясь ко мне:

— Дорогая моя Елена Карловна, как вы думаете, стоит мне пойти навстречу Адриану Николаевичу?

— Конечно же, да, — с жаром ответила я. — Господин Ирупов, безусловно, достойнейший член нашей небольшой общины, князь, и праздник, который он намеревается устроить для Евгении и князя Шаховского, станет знаменательным событием.

— Я тоже так думаю, — сказал старик. — Ну что же, если и Елена Карловна не имеет ничего против, то я согласен. Но с единственным условием. Пусть Елена Карловна и станет распорядителем этого торжества. И пожертвуйте ей еще на нужды музея небольшую сумму, Ирупов!

Промышленник, не заставляя себя долго упрашивать, выписал мне еще один чек, на такую же сумму, что и до этого. Я вздохнула с чувством неземной радости. Всего за три четверти часа я получила средства в размере двадцати пяти тысяч рублей. Надо же, теперь я смогу приобрести новые микроскопы!

— Нужно узнать, согласна ли сама Елена Карловна, — ответил Адриан Николаевич. — Я был бы счастлив, уважаемая Елена Карловна, видеть вас распорядителем на моем празднике, однако понимаю, что это будет отрывать вас от научной деятельности, так что приму ваше «нет»....

— Никакого «нет» я не приму! — закричал с радостью Святогорский. — Елена Карловна, свадьба дочурки Адриана Николаевича и вашего бывшего возлюбленного в ваших нежных руках. Или вы становитесь распорядителем, или...

— Я согласна, — прервала я князя, даже не позволив ему завершить фразу. Надо же, Святогорский думал, что подобная миссия будет для меня тяжелой, однако ничего подобного! Федор расстался со мной, я никогда не тешила себя иллюзиями на его счет. Для меня уже давно главным стала наука и мой музей.

— Я согласна, — повторила я. — Адриан Николаевич, вы можете рассчитывать на мою помощь.

Промышленник поцеловал мне руку и произнес добродушно:

— Я знал, уважаемая Елена Карловна, что могу рассчитывать на вас. Спасибо вам огромное! Ну что, князь, вы же не нарушите своего слова, которое дали при свидетелях только что?

Отношения, как можно было заметить, между Ируповым и Святогорским были напряженные, если не сказать — обостренные. Еще бы, между ними шла война за

Антон ЛЕОНТЬЕВ

право считаться самым богатым, самым значимым и самым уважаемым семейством в нашем городке. Святогорские уже на протяжении нескольких столетий играли превосходно эту роль, однако Адриан Ирупов со свойственной всем нуворишам бесцеремонностью пытался вытеснить князя и занять его, как считал Святогорский, законное место.

— Разумеется, нет, — проговорил раздраженно князь. — Феликс, хватит чесать язык с мадам Радзивилл. Вези меня в спальню, я утомился. Итак, Адриан, делайте все, что хотите, только не спалите мне дворец, когда будете устраивать фейерверк. Я согласен, согласен, согласен!

Как только князь удалился, промышленник бросился ко мне с выражениями самой искренней благодарности.

— Елена Карловна, спасибо, — произнес он. — Я никогда не забуду вашего благородного поступка.

— Бросьте вы, — ответила я, наблюдая за Анной Радзивилл, которая, оставшись в одиночестве, уставилась на прелестные фонтаны, разноцветные брызги которых били в княжеском парке. Я представила себе, какой величественной и незабываемой станет свадьба Федора и Евгении, и не удержалась от тяжелого вздоха. Но я не завидую Ируповой, будь что будет.

— Если позволите, мы обсудим с вами все детали на грядущей неделе, — сказал Ирупов. — Я приглашаю вас к себе домой. Моя дочь просто без ума от вас, она все уши мне прожужжала, что желает видеть вас на свадьбе, но я и просить вас не мог...

— Милая девочка, — произнесла я. — Я так рада за Евгению Адриановну, скажу вам откровенно. Она заслуживает счастья рядом с князем Шаховским. Я его знаю, он станет отличным мужем. Хотя вам, Адриан Николаевич, и придется контролировать его траты, в особенности его страсть к азартным играм.

— О! — воскликнул промышленник. — У меня все под контролем, князь знает, что его карточные долги — это не моя головная боль, и если он наделает их опять, то я не собираюсь оплачивать их из собственного кармана. Будем надеяться на его благоразумие.

Я и не сомневалась, что Ирупов, как это и свойственно капитанам предпринимательства, держал все под контролем. Иначе вряд ли бы ему удалось достичь тех высот, которые он покорил. На этом мой визит к Святогорским закончился. Я, сопровождаемая Адрианом Ируповым, покинула библиотеку. Анна Радзивилл так и осталась сидеть у окна в лучах заходящего солнца, которые падали на нее сквозь стеклянную крышу ротонды и придавали ей странный и зловещий вид.

В ближайший месяц я не раз пожалела, что мне пришлось опрометчиво дать согласие и сделаться распорядителем на свадьбе Евгении Ируповой и Федора Шаховского. Однако я занимала этот пост номинально, Ирупов пригласил из Петрограда и Москвы юрких людей, которые, получив колоссальный гонорар, обещали устроить все самым наилучшим образом. На мою долю выпали приглашения и написание речи для отца невесты. И это отнимало много времени, раньше, предоставленная самой себе, своему сыночку и музею, я обладала большим количеством времени, теперь оно сократилось до минимума. Евгения Ирупова, которая не могла и часа провести без чьего-либо совета, постоянно посылала за мной, и в те дни я фактически стала жительницей чудесного особняка Ируповых.

Евгения, которую я знала поверхностно, мне нравилась. Высокая, несколько нескладная, она не отличалась красотой, но и некрасивой ее нельзя было назвать. Ей исполнилось двадцать четыре, в принципе, возраст критический, еще пара лет — и она могла бы остаться в старых девах. Поэтому понятно нетерпеливое желание отца устроить для дочери выгодную партию.

Мне, совершенно не разбирающейся в нарядах, драгоценностях и последних веяниях парижской моды, пришлось с головой погрузиться в предсвадебные приготовления. Евгения платила мне своим искренним расположением и дружбой. Я видела, что бедная девочка, в сущности, совершенно одинока. Отец, который только тем и занимался, что умножал и без того огромный капитал, постоянно пропадал в губернском центре или в Петрограде, а то и за границей.

Матушка Евгении, женщина своевольная и изнеженная, большей частью лежала в своем будуаре, обставленном в ужасных темно-изумрудных тонах, жаловалась на мигрень и давала дочери ненужные советы.

Федор, которого я снова увидела после двухлетней разлуки, также не принимал особого участия во всей суете. Ирупов вначале тешил себя надеждой, что сможет привлечь Шаховского к своим делам и передать ему со временем бразды правления многочисленными акционерными обществами, где сам был полновластным хозяином, но эти стремления потерпели крах.

Федор, не в обиду ему будет сказано, был совершенно иным, нежели Адриан Ирупов, типом. Высокий, с гривой темных волос и сверкающими глазами, он умел пленять женские сердца. Он походил на своего предка, Ипполита Шаховского, который одно время был любовником Екатерины. Правда, молодой князь закончил не очень хорошо — его отравили. Говорят, по причине того, что стареющая императрица до безумия влюбилась в него, и это не понравилось кому-то из ее могущественных фаворитов.

Евгения, как я видела, была на седьмом небе от счастья. Крутясь около огромного зеркала, примеряя очередное платье или шикарную драгоценность, недостатка в которых не было — благо, в ее распоряжении находился кошелек родителя, — она предавалась мечтаниям. Она хотела завести пятерых детей, прожить с Федором, которого обожала, как минимум пятьдесят лет и скончаться в один день и час на супружеском ложе, держась за руки. Девочка, к которой я поначалу испытывала некоторую антипатию и даже ревность, наивными речами растопила мое сердце. Я полюбила ее всем сердцем и с утроенными силами принялась за обустройство праздника.

Праздника, который обернулся ужасающей, страшной

и незабываемой катастрофой, но кто бы знал, кто бы тогда знал...

Торжество было намечено на начало августа. С каждым днем, приближавшим день венчания, Евгения становилась все нервознее. Федор, которого я видела изредка, казалось, тоже любил молодую невесту. Я совершенно успокоилась. Мне было важно знать, что он не поступился принципами и не решил взять Евгению в супруги только из-за огромного приданого, которое давал за ней Адриан Николаевич. Матушка и две незамужние сестры Федора уже вертелись около невесты. Они, как стервятники, чуяли запах денег, водопад которых вот-вот грозил обрушиться на Федора.

Они давали бесполезные советы, восторгались драгоценностями и вытребовали себе подарки. Евгения не скупилась на подношения вдовой княгине Шаховской. Старуха, раздражавшая меня своей говорливостью и глупостью, за счет Ирупова накупила новый парижский гардероб и засияла новыми драгоценностями. Две сестры Федора, старые девы возрастом давно за сорок, неожиданно нашли себе ухажеров — двух офицеров из благородных семейств. Видимо, деньги Ируповых притягивали всех, как свет фонаря притягивает бабочек.

Месяц пролетел совершенно незаметно, тем более что помимо обустройства свадебных торжеств я занималась, как и прежде, музейными делами, усиленно работала над монографией и уделяла внимание своему растущему ангелочку, Карлуше. Как-то вечером, когда мой мальчик заснул у меня на руках, а я сидела в кабинете своем перед письменным столом в полутьме, я вдруг поняла, что счастлива. Я знаю, люди мне сочувствовали, считали меня «синим чулком» и думали, что я посвятила жизнь науке только по причине всякого отсутствия жизни приватной, но я-то знала, что это на самом деле не так. Я была подлинно счастлива, меня устраивало такое существование.

Теперь, вспоминая эти предгрозовые дни, я с ужасом замечаю, какой же наивной я была. Смерть стояла на пороге, и ужасные, роковые события стучались в двери, а я, переполненная эйфорией, не слышала их призывного стука. Однако обо всем по порядку.

Я перехожу к самому страшному дню, который стал началом ужаса, поселившегося в нашем городке. Однако, как я понимаю только сейчас, ужас давно поселился в Староникольске, зло давно лелеяло кровавые планы, сбыться которым суждено было в день, когда Евгения Ирупова стала супругой князя Федора Шаховского.

Произошло это в августе, а если быть точной — 5 августа. День начался в большой суматохе. Я провела предыдущую ночь отвратительно. У меня было такое чувство, что замуж выхожу я. Может быть, во мне говорили потаенные чувства, которые я все же питала к князю Шаховскому. Ночь, душная, утомительная, наконец-то закончилась. Я, невыспавшаяся, с головной болью, отправилась на первый этаж особняка, где проживала с моим возлюбленным сыночком, чтобы сварить кофе. Пяти лет обучения в немецком университете мне хватило, чтобы стать рабыней кофе по утрам.

Была суббота, день обещал сделаться погожим. Я, наскоро позавтракав, еле дождалась как всегда опаздывающую экономку, которая должна была следить за Карлушей, и, одевшись в красивое платье, сшитое на заказ за счет Ируповых, отправилась к ним на виллу.

— Елена Карловна, я так волнуюсь, — призналась мне Евгения. Она облачалась в роскошное, неподъемное подвенечное платье, сшитое в Петербурге у легендарной мадам Бриссак, которая, как известно, обшивала весь царский двор, сановный Петербург и императрицу Александру Феодоровну в частности.

Появился улыбающийся Ирупов, который преподнес дочери сафьяновый футляр. Евгения, раскрыв его, захлопала в ладоши. Я, привычная к роскоши и эксцентричному вкусу Адриана Николаевича, не могла удержаться от возгласа удивления.

В футляре покоилось самое роскошное ожерелье, какое мне доводилось когда-либо видеть. Матовые жемчужины, размером никак не меньше кедрового ореха, двенадцатью рядами лежали на черном сафьяне. В самом центре колье сиял овальный розовый бриллиант, по красоте, чистоте, размеру и редчайшему оттенку равных которому в мире было всего несколько экземпляров.

— Это ожерелье я купил специально для тебя, доченька, — произнес, целуя Евгению в лоб, Ирупов. Он сам достал это украшение из футляра и застегнул его на нежной шейке дочери. — Оно раньше принадлежало герцогине Кентской. Правда, великолепно, Елена Карловна?

Я читала петроградскую прессу, газеты не так давно сообщили, что неизвестный покупатель приобрел за колоссальную сумму, причем наличными, бесценное колье с бриллиантом «Утренняя заря», который выставлялся на аукционе в Лондоне. Значит, этим неизвестным был Ирупов.

Мой взор, прикованный к непомерному, чуть отливающему розовым бриллианту, отказывался верить — такое колье стоило целое состояние. Наверняка Ирупов специально выбирал его, и вовсе не по красоте, а по цене и размерам камня. Ну что же поделаешь, я давно убедилась, что Адриану Николаевичу, сыну сельского священника, свойствен un gout de parvenu, вкус выскочки. Он и был парвеню — со своими миллионами и замашками купца.

— Оно бесценно, и как сияет, — заслоняя глаза рукой, произнесла я.

Ирупов снова поцеловал дочь. Я не сказала ни слова неправды — однако ожерелье мне не понравилось. Внезапно мне вспомнилась история, связанная с той самой герцогиней Кентской, внучатой племянницей королевы Виктории, которая была до недавнего времени владелицей этого колье. Герцогиня была найдена убитой — задушенной — в собственном шотландском замке. Никто не знал подробностей, но, как упорно судачили, убийцей был ее собственный супруг, немецкий принц, страдающий тяжелой наследственной формой безумия. Скандал замяли, принц уединился в замке, точнее, попал под неусыпный контроль врачей, а многие драгоценности пустили с молотка.

Трудно быть солнцем

— Вот увидишь, Женечка, оно принесет тебе удачу, — Ирупов снова поцеловал дочь.

Я улыбнулась. Ну конечно, стоит ли вспоминать нехорошие истории. Я же никогда не была суеверной. Да и теперь, оглядываясь назад, не могу сказать, что ощущала тревогу, так и разлитую в горячем летнем воздухе.

— Ваши приглашения просто чудесны, — похвалил Ирупов.

Мне стало приятно, я сама трудилась над изящными открытками и конвертами, разработала их затейливый, выполненный в стиле модерн эскиз. Такие приглашения, общим количеством триста пятьдесят девять, были разосланы самым влиятельным лицам в нашей губернии и в Петербурге. Адриан Николаевич явно желал, чтобы венчание его дочери стало незабываемым праздником.

— Пока покрутись у зеркала, — сказал он дочери.

Она, восхищенная его подарком, в окружении десятка камеристок и портных завершала облачение в подвенечный наряд. Ирупов, улыбающийся, отозвал меня в соседнюю комнату. Его улыбка исчезла с лица, он сразу стал выглядеть на десять лет старше.

— Елена Карловна, — произнес он, проверив, что дверь тщательно заперта. — Я должен с вами посоветоваться. Я рассчитываю только на вашу мудрость и прозорливость. Жена, увы, мне не помощница. Посмотрите, что я получил вчера вечером. Это письмо было адресовано Евгении, и только чудом оно не попало ей в руки.

Он протянул мне послание, написанное твердыми, корявыми буквами на дешевой бумаге. Оно гласило:

Ты лилия, символ чистоты, Евгения.
Ты лилия, что цветет в пруду, который раскинулся в саду.
Ты лилия белая, которая умрет так скоро —
И окажется в аду.
Ты, Евгения, должна готовиться.
Садовник уже наточил нож.
Завтра ты умрешь.

Я перечитала это бессмысленное, так и дышавшее злобой послание несколько раз, затем, подняв глаза на Ирупова, который с тревогой ждал моего вердикта, произнесла:

— Полнейшая чушь, Адриан Николаевич. Кто-то решил досадить вам и вашей дочери. Вы же знаете, что у вас много недоброжелателей.

— О, это мне великолепно известно, — кивнул головой промышленник. — Значит, вы считаете, что бояться нечего?

Если бы я знала тогда, что нам стоило принять самые серьезные меры предосторожности, возможно, даже отменить венчание, но кто бы пошел на это? Кто же знал, что все обернется такой страшной и жуткой драмой...

— Я думаю, вам нечего бояться, — медленно проговорила я. — У вас сохранился конверт?

Адриан Николаевич протянул мне конверт. Такой же, как и бумага, на котором написано послание, дешевый, ничем не примечательный.

— Сохраните на всякий случай, — велела я. — Кто-то явно не хочет, чтобы ваше торжество прошло без сучка и задоринки.

— Я тоже такого мнения, — перевел дух Ирупов. — Спасибо, что успокоили меня, Елена Карловна. И прошу, никому не говорите об этом письме.

— Папа, где ты? — раздался призывный голос Евгении. Ирупов выскользнул из комнаты и направился к дочери, все еще стоявшей около зеркала.

Около полудня, когда в чистом августовском небе сияло солнце, торжественная процессия направилась к собору Вознесения, главному златоглавому храму нашего Староникольска, дабы там состоялся обряд венчания. Народу на улицах было великое множество. Для простых горожан Ирупов устраивал гуляния и бесплатную раздачу подарков.

Евгения вместе с отцом и матерью ехала в открытой золоченой карете, запряженной восемнадцатью белыми лошадьми. Невеста, в то утро удивительно привлекательная, лучилась счастьем, а бесценное колье герцогини

Антон ЛЕОНТЬЕВ

Кентской привлекало всеобщее внимание своим огромным розовым бриллиантом.

Жених вместе с родней ждал ее у церкви. Они по красному ковру прошествовали в храм. Мне удалось занять место в соборе и наблюдать за всей процедурой венчания. Около половины второго Евгения Ирупова стала княгиней Евгенией Шаховской. Я даже немного всплакнула.

Под переливы колоколов молодожены появились из церкви. Народ ликовал, раздавалась торжественная музыка. Под руку Федор и Евгения уселись в карету и направились к княжескому дворцу, где и должно было пройти основное торжество и прием по случаю венчания.

Я забежала к себе домой, чтобы убедиться — с Карлушей все в порядке. Мой малыш спал здоровым послеобеденным сном, экономка, как обычно, вязала чулок для своих внуков. Мне не очень хотелось идти во дворец к Староникольским на праздник, но игнорировать это событие я не имела права. Поэтому, немного отдохнув и переодевшись, я ближе к вечеру направилась на торжество.

У меня было приглашение, над которым я сама и трудилась, через ворота пропускали далеко не всех. Меня встретила госпожа Ирупова, облаченная в платье голубого атласа и безвкусно-аляповатый сапфировый гарнитур. Над ее головой, увенчанной сложной витиеватой прической, более напоминавшей Пизанскую башню, гордо реяло пять или шесть страусиных перьев.

Она, прижимая к абсолютно сухим глазам платочек, гундосо проговорила:

— Ох, Елена Карловна, какой же для меня это шок! Моя единственная дочь, моя единственная и горячо любимая Женечка!

— Не плачьте, Ольга Тихоновна, — прервала я ее. Я же знала, что госпожа Ирупова заботится только об одной особе — о себе самой, и чувства других ее совершенно не волнуют. Свадьба дочери была для нее не более чем возможностью продемонстрировать новый немыслимый наряд.

Прием был в самом разгаре. Стол был отменным. Я, испытывая зверский голод, накинулась на яства. Однако! Откуда в военное время Ирупов достал такие деликатесы? Здесь же, в чайниках, замаскированный под кофе или чай, находился алкоголь. В стране царил сухой закон, но Ирупов не знал никаких законов.

Сад был декорирован цветами, фонтаны, взмывая вверх, придавали всему происходящему особый византийский шик.

— Пир во время чумы, — услышала я чью-то реплику.

Обернувшись, я заметила странного молодого человека, который, в отличие от других гостей, стоял как столб, ничего не поглощая. Его глаза горели ненавистью. Интересно, подумала я, каким образом ему удалось попасть сюда? Он не похож ни на одного из приглашенных — он не был крупным банкиром, представителем аристократического рода или звездой синематографа.

— Все это скоро закончится, — произнес он, обращаясь ко мне. — Вы это поняли?

Я не смогла ничего ответить, так как жевала, и кусок вкуснейшего сливового пирожного, отломившись, шмякнулся мне под ноги. Молодой человек с презрением оглядел меня, хмыкнул и смешался с разноцветной толпой.

Немного подкрепившись, я отправилась поздравлять новобрачных, которые находились под белоснежным тентом. Евгения, уже сменившая наряд, по-прежнему удивляла гостей своим бесценным ожерельем. Федор, новоиспеченный супруг, выглядел смущенным и утомленным.

Программа была запланирована насыщенная. Банкет, затем танцы, наконец, вечером фейерверк. Темное небо Староникольска осветили радужные всполохи. Я мечтательно подумала, что и сама бы не отказалась от подобной свадьбы.

Ирупов, с которым я беседовала, облегченно вздохнул:

— Надо же, уважаемая Елена Карловна, все позади. Этот день закончился...

— Еще нет, — проскрипел старый князь Святогорский, сидевший в кресле, которое толкал его сын. Феликс-старший выглядел на редкость здоровым и полнокровным.

Трудно быть солнцем

Облаченный во фрак, он то и дело словесно щипал сына, намекая на его связь с Анной Радзивилл. Актриса, одетая в фисташковое платье и украшенная бриллиантами, была где-то неподалеку. О романе Феликса-младшего и дивы синематографа судачил весь Староникольск.

— До окончания этого дня еще пара часов, — продолжил князь. — И всякое может случиться, не так ли?

— Ничего не случится, — сказал совершенно спокойным тоном Ирупов. — Князь, я премного благодарен вам за то, что вы предоставили в мое распоряжение ваши чудесные сады.

— Сады Семирамиды, — произнес Святогорский. — Правда, говорят, вавилонская царица была больше вавилонской блудницей... Ваша дочурка просто великолепна, Адриан. А колье, это что-то уникальное. Скажите, за сколько вы его приобрели в Лондоне? Говорят, не меньше чем за миллион английских фунтов? Неужели не пожалели для вашей Евгении? Ну да, она же теперь княгиня Шаховская...

Внезапно к Ирупову бегом приблизился один из слуг и, даже не извинившись, буквально оттащил его в сторону и что-то зашептал на ухо. Адриан Николаевич смертельно побледнел.

— Прошу прощения, — сдавленно произнес он и исчез вслед за слугой.

Наше небольшое общество, состоявшее из двух Святогорских, Анны Радзивилл, нескольких почетных граждан Староникольска и меня, было удивлено. Что могло произойти?

— Надо же, все-таки что-то случилось, — с довольным видом заметил старый князь. — Что, украли ожерелье?

Я в страхе оглянулась. По неизвестной причине мне стало очень страшно. Что-то произошло. Вдруг мне пришло в голову, что я давно не видела новоиспеченных супругов — князя и княгиню Шаховских. Куда они делись, что с ними произошло?

— Так, так, — продолжал старый князь. — Что же все-таки случилось? Я не понимаю!

Никто не понимал. Я видела вдалеке Ирупова, который теперь более походил на свою тень, чем на самого себя. Извинившись, я бросила прекрасное общество и направилась к Адриану Николаевичу. Он, казалось, даже не заметил меня.

— Могу ли я чем-то помочь? — произнесла я участливо.

Ирупов взглянул на меня, и я поразилась — такой отсутствующий был его взгляд. И помимо этого... Взгляд был полон боли и ужаса. Я никогда не видела промышленника таким растерянным.

— Адриан Николаевич, — я взяла его за руку, — прошу вас, не молчите, что случилось?

Он ничего не отвечал, на глазах у него я заметила слезы. Небывалое дело, Ирупов, которого все считали бездушным, как портмоне, набитое кредитками, плакал! Значит, произошло нечто подлинно ужасное!

— Все кончено, все кончено, — зашептал он быстро-быстро. — Елена Карловна, все конечно!

— Да что такое? — воскликнула я громко.

Мой возглас привлек внимание нескольких гостей, которые продолжали веселиться — пили, ели, разговаривали. Ирупов выделялся на их фоне. Нет, выделялся — это не то слово. Я даже не могу описать выражение, которое мне удалось разглядеть на его лице.

— Все кончено, — в который раз повторил он и бросился прочь, куда-то по направлению к оранжереям. Я незамедлительно отправилась вслед за ним.

По пути мне попалась мадам Ирупова, матушка Евгении, которая, схватив меня за запястье, пронзительным шепотом произнесла:

— Дорогая Елена Карловна, в чем дело? Куда вы спешите? Я ничего не понимаю, — в ее тоне было недовольство. — Почему мой супруг бросил гостей, я что, одна должна появляться перед всеми сразу?

— Прошу вас, не сейчас, — мне с трудом удалось высвободиться из ее цепких объятий. Я поняла, что случилось нечто непоправимое, но что именно? Ирупов бы никогда не позволил вести себя подобным образом. Более

Трудно быть солнцем

выдержанного человека, чем Адриан Николаевич, я не знала.

Я проследовала вслед за ним к оранжереям. Уже сгустилась тьма, которая обволакивала все вокруг. Я подошла к небольшой группке людей. Ирупов, опустившись на колени, что-то говорил ласковым тоном.

Мое появление не привлекло ничьего внимания. Странно, мелькнула у меня мысль, почему Евгения Ирупова, точнее, теперь княгиня Шаховская лежит на траве. Ей стало плохо! Ну конечно же, этим и объясняется странное поведение ее отца.

— Женечка, моя крошка, поднимайся, — говорил Ирупов, прижав к себе голову дочери. Евгения не шевелилась.

— Адриан Николаевич, — сказал один из собравшихся, — это не поможет, оставьте ее, нам ничего нельзя трогать.

Ирупов обернулся, и я поразилась — его лицо было искажено гримасой. Он прокричал:

— Что вы понимаете, моей девочке стало плохо, я не могу ее оставить!

И вслед за этим он разразился рыданиями. Я окаменела. Если Евгении стало плохо, что неудивительно, день был ужасно напряженным, то почему такая гипертрофированная реакция со стороны ее отца?

— Что такое? — прошептала я, оглядываясь. К нам спешила мадам Ирупова. Белые страусиные перья колыхались над ее прической.

— Уведите мою жену! — завопил Адриан Николаевич. — Она не должна этого видеть, никто не должен этого видеть!

Кто-то из гостей бросился навстречу Ируповой, однако та, похожая на броненосец, рассекающий волны океана, приблизилась к нам, не поддавшись на уговоры и не позволив увести себя обратно к гостям.

— Адриан, — заявила она капризно и одновременно требовательно. — Уже началось шушуканье. Где ты пропадаешь! Да и жених, я хотела сказать, супруг нашей Женечки мается в полном одиночестве. Где она?

Затем, поднеся к близоруким глазам лорнет в черепаховой оправе, усыпанный мелкими бриллиантами, она сказала:

— Ага, вот в чем дело, Евгении стало плохо?

— Не подходи! — закричал Адриан Ирупов. — Ольга, прошу тебя!

Его ладони, сжимавшие доселе голову дочери, лежавшую на траве, раскрылись. По небольшому обществу прокатился сдавленный стон, я невольно вскрикнула. Евгения Ирупова, княгиня Шаховская, уставилась приоткрытыми глазами в звездное небо. На ее нежной шее был затянут странный черный шарф. И никакого сомнения — она была мертва... Мертва!

— Скажи ей, что нечего валяться в обмороке, пора к гостям, — продолжала, ничего не заметив, мадам Ирупова. — Евгения, — она коснулась безвольно распластавшейся руки дочери. — Я...

Она не договорила, потому что наконец-то поняла: случилось нечто ужасное и непоправимое. Ирупова в тревоге всмотрелась в лицо дочери, затем перевела лорнет на мужа, похожего на медитирующего Будду.

— Адриан, — подозрительно спокойным голосом спросила она. — Евгения умерла, ведь так?

Появился молодой князь Шаховской. Федор, который был немного навеселе, спросил:

— Где моя жена, почему вы увели от меня мою жену!

— Прочь! — закричал Ирупов. — Я не хочу никого видеть, никто не имеет права видеть мою дочь!

— Я имею! — сказал Федор и грубо оттолкнул промышленника. Голова Евгении упала на мокрую от вечерней росы траву. Князь всмотрелся в ее посиневшее лицо, затем взглянул на Ирупова.

— Что вы с ней сделали? — прошептал он, беря Евгению за руку. — Отвечайте, черт побери, Адриан Николаевич, что вы с ней сделали!

В этот момент раздался тихий стон, и мадам Ирупова

упала в обморок. Я бросилась к ней, ее пришлось на руках внести в апартаменты дворца. Через пять минут удивительный слух облетел уже всех гостей. Евгения Ирупова найдена около оранжерей мертвой! Старшая Ирупова, которая, как мне показалось, больше притворялась, чем на самом деле нуждалась в помощи, лежала на обтянутой желтым бархатом кушетке, когда я услышала позади себя скрип.

Князь Феликс Святогорский в инвалидном кресле, за которым стоял его ужасно бледный и растерянный сын, произнес удовлетворенным тоном:

— Меня не пускают к собственным оранжереям, ну где это видано, Елена Карловна? Так что, это не ложь, на самом деле Евгения Ирупова умерла? Она убита, скажите мне?

Его тон, полный дешевого интереса и злорадства, раздражал меня. Я непочтительно ответила:

— Князь, не кажется ли вам, что это не ваше дело!

— Хе-хе, — буквально простонал от радости Святогорский-старший. — Значит, это на самом деле так. Вы только подумайте — не прошло и дня, как молодая княгиня умерла. Я же всегда знал, что род Шаховских проклят.

Оставив его одного, я снова вышла в сад. Теперь там царила паника. Гости говорили об одном, собравшись в небольшие группки, никто больше ничего не ел и не пил. Я решительно направилась к оранжереям. Меня пропустили, несмотря на то, что других зевак из числа приглашенных отсеивало несколько мужчин, облаченных во фраки.

На этот раз мне удалось охватить взором целостную картину. Евгения Ирупова лежала на траве в странной позе, как будто она заснула. Однако она не спала, она была мертва. Приоткрытые глаза, губы, словно замершие в крике. Ее шея была туго обмотана шарфом, на который я уже обратила внимание. И ожерелье, вот чего не хватало! Я вгляделась под ноги, едва не поскользнувшись. По траве были рассыпаны матовые круглые жемчужины.

Ирупов уже овладел собой, однако это спокойствие было гораздо ужаснее, чем истерика. Он подошел ко мне и произнес:

— Елена Карловна, прошу вас, выгоните всех прочь. В саду никого не должно оставаться!

Я скрепя сердце принялась за выполнение этой неприятной миссии. Я громко объявила всем, что в связи с непредвиденными обстоятельствами всех просят удалиться прочь. Кое-кто из гостей, до которых еще не дошел слух о страшной судьбе Евгении Ируповой, выглядели сбитыми с толку.

Понадобилось около часа, чтобы все исчезли из сада. К тому времени прибыла полиция, возглавляемая городничим. Я вновь оказалась около оранжерей. Местные чины рассматривали тело девушки.

— Удушена, — констатировал невысокий седовласый врач, заканчивая осмотр тела. — Скорее всего, именно этим шарфом. Единственное, что я могу сказать, на нее напали сзади. Кто-то затянул на шее жертвы шарф, от титанических усилий порвалось ожерелье. Борьба длилась совсем недолго. Убийца был значительно сильнее, чем княгиня.

Ирупов, постаревший, но собранный и вновь обретший присутствие духа, внимательно слушал. Он сказал:

— Жемчужины из ожерелья рассыпаны по траве, господа, но я никак не могу найти «Утреннюю зарю», бриллиант, который является центральным в ожерелье. Он исчез.

Его заявление произвело эффект разорвавшейся бомбы. Полицейские зашевелились, городничий с почтением спросил:

— Адриан Николаевич, вы уверены, что бриллиант исчез?

— Да, — ответил Ирупов и ударил рукой об руку. — Только не говорите мне, что Евгения стала жертвой этого дьявольского камня! Неужели мою девочку убили только ради... Ради этой стекляшки!

— Ничего себе, стекляшка стоимостью в миллион, — прошептал стоявший рядом со мной городничий. — Итак, господин доктор, что-нибудь еще?

— Пожалуй, я пока что не могу сказать ничего опреде-

Трудно быть солнцем

ленного, — ответил врач и развел руками. Потом он произнес: — А это что такое?

Он поднял с травы цветок — белую лилию. Ирупов сдавленным голосом ответил:

— Этот цветок лежал... Лежал на груди Евгении, когда я пришел сюда. Евгению обнаружил один из слуг.

— Цветок на груди, — произнес городничий. — Мы желаем побеседовать с тем, кто нашел тело вашей дочери, господин Ирупов. И немедленно!

Я вновь вернулась в залу, где лежала на кушетке мадам Ирупова. Она уже очнулась, кто-то приложил к ее голове холодный компресс. Она глядела в изукрашенный изящной лепниной потолок и причитала:

— Боже мой, боже мой, мы столько истратили на этот праздник, двести тысяч, а все закончилось так ужасно. Боже мой!

— Замолчите! — воскликнула я, потрясенная словами Ируповой. Как она может вести речь о деньгах, когда ее дочь лежит мертвая в саду.

— Да, праздник явно не удался, — сказал, кашляя, старый князь Святогорский. — И что это значит, полиция будет топтаться по моему парку? Феликс, увези меня в мою спальню, мне все это надоело!

Бездушный человек, подумала я. День подходил к завершению. Мне казалось, что события развиваются нереально, фантасмагорично... Это — роман какого-нибудь безумного бульварного автора, произошедшее не может быть правдой!

— Леночка, — услышала я чей-то слабый голос. Я обернулась и увидела Федора Шаховского, сидевшего в кресле. — Леночка, не бросай меня!

Я села рядом с ним. В глазах у Федора, о котором решительно все забыли, стояли слезы. Я ужаснулась — он только что потерял жену. Любил ли он Евгению Ирупову или согласился на брак исключительно по расчету? Впрочем, это не имело никакого значения.

Не обращая ни на кого внимания, я прижала к себе

плачущего Федора, который искал у меня утешения в своем безмерном отчаянии.

Следующие дни пролетели в дикой, незабываемой суматохе. Газеты только и писали о таинственном преступлении, произошедшем в парке дворца князей Святогорских. Евгения Ирупова была задушена черным шарфом с изображением лилии, такой же цветок был обнаружен и рядом с ее телом. По заявлению свидетелей, до того, как Адриан Николаевич попытался прижать к себе дочь, чтобы скрыть ее от посторонних глаз, цветок покоился на ее груди. Но что это могло значить?

Я старалась не думать об анонимном письме, которое получил Ирупов за день до венчания. Ведь кто-то сообщал Евгении — «Завтра ты умрешь». И то, что и ее отцом, и мной было воспринято как дурная, лишенная всяческого вкуса и разумного объяснения шутка, сбылось на самом деле. Не прошло и суток, как Евгения была мертва.

В наш крошечный городок понаехали толпы журналистов, которые старались уцепиться за сенсацию. Никто не хотел писать о военных действиях или кознях могущественного Распутина, все жаждали чего-то нового.

Суматоха улеглась неделю спустя. Ирупов приложил колоссальные усилия, смог замять скандал. С момента злосчастной свадьбы я его не видела. Общественности не донесли о письме и цветке, все обставили как ограбление. Но ведь это и могло быть ограблением — овальный бриллиант «Утренняя заря», названный так потому, что внутри камня заметен нежный розовый оттенок, похожий на первые лучи зари, бесследно исчез. Вероятно, тот, кто затянул шарф на тонкой шее Евгении, порвал ожерелье, а потом...

Что было потом, никто точно не знал. Были допрошены все слуги и гости, но никто не мог дать полезной для расследования информации. Последний раз Евгению, вполне счастливую и смеющуюся, видели с собственным супругом. Затем, сказав, что она сейчас вернется, Ирупова исчезла. А потом слуга обнаружил ее тело около оранжереи, куда доступ гостям был закрыт.

Слугу тщательным образом допросили, однако его непричастность к убийству и исчезновению бриллианта была очевидна. Затем в прицел следствия попал молодой человек по фамилии Аркадьев, который, как я потом узнала, был тем самым странным типом, сравнившим торжество по случаю бракосочетания Евгении и Федора с пиром во время чумы. Он, сын одного из приглашенных гостей, важного редактора петроградской газеты, симпатизировал социалистическим идеям и откровенно конфликтовал со своим отцом.

Аркадьева даже арестовали, и некоторые из газет, составлявших конкуренцию листку, издаваемому его отцом, подали это как разоблачение — жутким монстром, убившим молодую княгиню всего через несколько часов после заключения церковного брака, был социалист и нигилист Аркадьев.

Однако, оказавшись вдали от богатого папы, привычного комфорта и внимательно слушающей сочувствующей публики, юноша сломался. Он превратился в плачущего мальчишку, каким и был на самом деле. Когда он понял, что его — ни много ни мало — хотят обвинить в убийстве Евгении Ируповой, он впал в истерику. Он отрицал свою причастность к убийству и краже бриллианта.

Властям, что вполне понятно, было бы только на руку, если бы жутким и бесчеловечным убийцей оказался именно юный Аркадьев, это позволило бы начать кампанию против социалистов и их приверженцев, однако и этот след оказался неверным. Единственное, в чем могли обвинить молодого человека, так это в отсутствии должного воспитания, но это упрек, обращенный больше к его могущественному петроградскому папе, чем к нему самому.

Затем жертвой слухов стал Федор Шаховской. Князя обвиняли в том, что он согласился на мезальянс, каким был брак с Евгенией Ируповой, для собственной выгоды. Еще бы, он получил от Ирупова огромное приданое, а его молодая жена — не прошло и дня после заключения брака — была убита. Я сочувствовала Федору и старалась поддерживать его, как только могла. Я навестила его в небольшом особняке, где он проживал с матерью и сестрами. Княгиня Шаховская, его матушка, встретила меня радушно и сразу же принялась жаловаться:

— Елена Карловна, дорогая моя, я же знала, что этот брак не доведет моего сына до добра! Я всегда, слышите меня, всегда была против этого мезальянса! И вот, вы убедились, что я права!

Я не могла возразить, хотя прекрасно знала, что старая княгиня изо всех сил старалась приблизить час венчания, дабы ее сын, бедный и с кучей картежных долгов, мог бы стать мужем ужасно богатой Ируповой.

— А как вы думаете, может ли теперь Федор претендовать на часть наследства своей покойной жены? — задалась вопросом старая княгиня.

Шаховской, который присутствовал при разговоре, воскликнул:

— Боже мой, мама, неужели и ты не понимаешь — я женился на Евгении по любви, а не из-за меркантильных расчетов! Мне так тяжело!

Я могла представить себе, как же тяжело бедному Федору. Мое сердце обливалось кровью, когда я видела его, осунувшегося, похудевшего, со слезами на глазах.

Событием следующей недели стали помпезные похороны Евгении. Ирупов истратил на эту церемонию колоссальные средства. Сорок лошадей, украшенных черными помпонами и черными же страусиными перьями, везли карету, в которой покоился гроб бедной девочки. Адриан Николаевич поклялся, что поставит своей дочери памятник и возведет для нее великолепный мавзолей. Его супруга с нервным срывом лежала где-то в покоях их особняка, сам Ирупов, одетый во все черное, превратившийся в свою тень, в гордом и страшном одиночестве шествовал за каретой с телом Евгении.

Ее погребли на местном кладбище.

— Елена Карловна, спасибо вам за все, — сказал мне на прощание Ирупов. Он решил как можно быстрее уехать в Петроград. Он, насколько я знала, не верил ни на йоту в виновность анархиста Аркадьева, поэтому и не хотел становиться участником фарса.

Трудно быть солнцем

Антон ЛЕОНТЬЕВ

Я проводила его с женой до ближайшей железнодорожной станции, откуда они отправились в столицу. Смерть Евгении Ируповой, неразгаданная и такая страшная, так бы и осталась легендой нашего городка, если бы не следующее событие, которое произошло через семнадцать дней, двадцать второго августа...

Тот день выдался на редкость дождливым. Все говорило о том, что в Староникольск пришла осень. Холодные струи хлестали по стеклам, пронзительно выл ветер. Несмотря на эту погоду, я, как обычно, отправилась на изыскания — поиски окаменелостей в близлежащем меловом карьере. Я давно наметила себе этот день, и не в моих правилах отказываться от задуманного из-за плохой погоды.

Я вернулась к себе около полудня. Дождь почти прекратился, с неба сыпалась водяная пыль, однако выглянуло и солнце. Я снимала в прихожей свой дождевик, когда услышала трель телефонного звонка. Трубку сняла экономка, которая доложила, что со мной желает разговаривать городничий. Удивившись этому и одновременно полагая, что его звонок объясняется новым поворотом в деле Евгении Ируповой, я взяла трубку.

— Елена Карловна, — услышала я голос городничего, своего старого знакомого. — О том, что сегодня случилось, прошу никому не рассказывать. Мы обнаружили еще одну удушенную жертву.

— Что вы говорите! — воскликнула я.

Экономка, сразу же навострившая уши, сделала вид, что стирает пыль с картин в гостиной. На самом деле эта любопытная особа подслушивала мой разговор. Я давно привыкла к этому, однако не хотела, чтобы она уловила суть. Эта длинноносая особа была болтлива, как сорока.

— Самое ужасное, что убийца снова применил шарф с изображением цветка, на этот раз эдельвейса. Точно такой цветок — эдельвейс — был найден и на теле жертвы.

Лишена жизни на этот раз была Екатерина Ставровна Ульрих, молодая и богатая вдова, проживавшая в полном одиночестве в шикарном особняке в самом центре города.

— Мы были бы вам чрезвычайно благодарны, Елена

Карловна, если бы вы навестили нас, — сказал городничий. В его голосе я уловила панические интонации. Я, снова натянув дождевик, отправилась к особняку Ульрихов.

Пока я шлепала по лужам, в голову мне лезли разнообразные мысли. Итак, второе убийство. Что это значит? Я читала труды психиатров и господина Фрейда. Также увлекалась криминологией на дилетантском уровне. Неужели в нашем городе завелся отвратительный монстр, который убивает женщин? Мне сразу же вспомнился Джек Потрошитель, так и не изобличенный убийца, лишивший страшным образом жизни пять дам легкого поведения в Лондоне в 1888 году. Тогда упорно говорили, что этим зверем был внук королевы Виктории Эдвард, будущий наследник британского престола. Впрочем, после его смерти несколько лет спустя от воспаления легких эти разговоры несколько стихли.

Но Лондон — гигантский мегаполис, гнездилище порока, страстей низменной чувственности. А Старони-кольск — уютный маленький городишко...

Я подошла к витым воротам особняка Ульрихов, молодой полицейский почтительно пропустил меня внутрь. Городничий встретил меня в холле, обставленном богато и с большим вкусом.

— Елена Карловна, спасибо, что согласились прийти. Нам требуется ваша помощь. Ведь вы были на месте первого преступления, может быть, вам что-то бросится в глаза. Пойдемте, тело находится в будуаре Екатерины Ставровны.

Мы поднялись по лестнице на второй этаж. Екатерина Ставровна Ульрих была известной в нашем городке личностью. Молодая — едва ли ей было больше двадцати семи — она несколько лет назад удачно вышла замуж за обеспеченного фабриканта Рихарда Ульриха. До этого она была обыкновенной учительницей, преподавшей в женской гимназии. Ульрих, потомок немецких переселенцев, был выгодной партией. Он был в два с половиной раза старше жены. Из бедной учительницы она сразу же превратилась в одну из важных дам в Староникольске.

Трудно быть солнцем

А когда ее супруг скончался и оставил ей весомое наследство, она стала очаровательной молодой вдовой. Рихард Ульрих умер как-то подозрительно и скоропостижно, за завтраком. Ходили слухи, что, отхлебнув кофе, заботливо приготовленный женой, он пожаловался на першение в горле, и меньше чем через полчаса он был мертв. Официальная причина смерти — удар. Однако кое-кто намекал, что Екатерина Ставровна избавилась от надоевшего супруга, который к тому же составил в ее пользу завещание, при помощи яда. Говорили, что она замыслила смерть Ульриха вместе со своим любовником, но следствия так и не было.

И вот — жертвой преступления стала она сама. Я знала госпожу Ульрих поверхностно, всего несколько раз встречалась с ней на светских раутах. Она упорно отказывалась жертвовать на музей, а один раз, когда я с подписным листом в пользу обустройства в Староникольске детской больницы показалась на пороге ее особняка, просто велела выставить меня вон. Екатерина Ставровна предавалась веселой жизни, отдыхала на юге Франции, тратила деньги покойного супруга и — опять же по неподтвержденным слухам — заводила одного любовника за другим.

Итак, я поднялась на второй этаж. Около будуара, сидя в кресле, рыдала служанка, которая, видимо, и обнаружила тело хозяйки. Екатерина Ставровна имела приходящую прислугу, оставалась на ночь в особняке одна. Она говорила, что ничего не боится, однако это добровольное затворничество, как опять же шептались, на самом деле было нужно ей для оргий, которые она устраивала ночью.

Будуар госпожи Ульрих был обставлен в нежно-персиковых тонах. Ее тело, облаченное в лавандовый пеньюар, лежало на пушистом персидском ковре, застилавшем пол, рядом с большим трюмо, на котором стояли бесчисленные тюбики и баночки со средствами для придания и поддержания красоты.

На груди жертвы, немного увядший, со сверкающими капельками воды, лежал эдельвейс. Шею жертвы обвивал черный шарф, чрезвычайно похожий на тот, каким была задушена Евгения, с одной только разницей — этот шарф украшало изображение эдельвейса.

— Ну и что вы думаете об этом? — с вызовом произнес городничий. — Это же безумие! Если смерть Евгении Шаховской можно было объяснить как ограбление, все-таки исчез чрезвычайно дорогой бриллиант, то в особняке Екатерины Ставровны ничего не пропало.

— Действует безумец, — сказал худой чиновник.

— И это хуже всего, — городничий потер седую голову. — Что же нам делать, Елена Карловна?

Вопрос был явно риторическим, так как каждый занимался тем, что ему предписывал закон. Я поинтересовалась:

— Было ли найдено письмо?

— Какое письмо? — спросил городничий. — А, вы имеете в виду послание, подобное тому, что получила Евгения Ирупова за день до смерти? Мы еще не проверили бумаги покойной.

Письмо было обнаружено через несколько минут в ящике туалетного столика Екатерины Ставровны. Написанное, как и предыдущее, на дешевой бумаге странным почерком, оно гласило:

> Ты — эдельвейс, цветок невинный, Екатерина!
> Ты эдельвейс, что утром цвел. Завял и сник, когда
> Садовник на него набрел и
> Срезал стебель без труда...
> Садовник выбрал и тебя.
> Завтра ты умрешь.

— Что за бред! Поганенькие примитивные стишки неудачливого писаки! — воскликнул чиновник. — Убийца действует по странной схеме — накануне своего бесчеловечного акта он посылает будущей жертве послание.

— Госпожа Ульрих явно не приняла его всерьез, — сказал городничий. — Ну-ка, послушаем, что скажет нам горничная.

Вызвали горничную, которая немного успокоилась. Девушка, всхлипывая, рассказала нам, что сегодня утром, как обычно, она пришла в особняк. Ничего подозрительного не заметила, дверь была заперта.

— Екатерина Ставровна обычно спит до полудня, и

ровно в двенадцать дня я подаю ей кофе и булочки, — говорила, чуть запинаясь, горничная. — Так было и в этот раз. Я прошла в будуар, открыла дверь... И увидела бедную хозяйку бездыханной на ковре.

— Благодарю, милочка, — сказал городничий, а чиновник спросил:

— Знаете ли вы что-нибудь о письме с угрозами, которое ваша хозяйка получила вчера?

— О да, — закивала головой служанка. — Вчера с вечерней почтой Екатерина Ставровна получила письмо, в котором кто-то сообщал ей, что завтра она умрет. Она не придала этому значения, посмеялась и сказала, что не намеревается в ближайшие пятьдесят лет отправляться в царство теней вслед за Рихардом Генриховичем, ее супругом...

— Так-так, — произнес чиновник. — Можете быть свободны, дорогая. — Затем, обернувшись ко мне, сказал: — Мы имеем дело с чрезвычайно изворотливым и хитрым противником. Он ведет опасную игру, которая, несомненно, доставляет ему удовольствие. Он предупреждает жертвы — и наносит удар. Что за дьявол!

Обыск особняка установил, как же убийца проник в дом. Он, скорее всего, сделал ключи от ворот, а в особняк прошел через стеклянную дверь террасы.

Я в задумчивости вернулась обратно к Карлуше. Вторая жертва мертва, а сколько еще наметил себе этот монстр? Мне почему-то казалось, что Екатерина Ставровна Ульрих не будет последней...

Убийца именовал себя Садовником — видимо, отсюда и эта цветочная символика. Но кто скрывается за этой личиной? Я не знала, что всего через несколько дней я лицом к лицу столкнусь с этим исчадием ада и едва не стану его новой жертвой. Но я не хочу забегать вперед, поэтому обо всем по порядку...»

13 августа

Юлия в задумчивости закрыла последнюю страницу дневника Елены Карловны и откинулась на подушки. Она провела за чтением почти всю ночь. Уже светало, наступало утро следующего дня. Она так увлеклась чтением, что не заметила, как бежит время. Елена Карловна писала чрезвычайно живо и образно, события давно минувшей эпохи захватили Юлию. Она не могла поверить, что Елене Карловне довелось лично быть знакомой с ее прабабкой, Анной Радзивилл. А ведь так на самом деле и было.

Юлия взглянула на часы. Уже почти половина шестого. Она была благодарна Виктории Карловне, что та позволила ей ознакомиться с записями Елены Карловны. Но как же развивались события дальше? Записи захватили Юлию, как закрученный детективный роман. Итак, Елена Карловна принялась за расследование...

На Юлию вдруг навалилась усталость, глаза стали слипаться, она зевнула и, повернувшись на бок, моментально заснула. Себе она пообещала, что поспит всего немного — полчаса, не больше.

Когда она открыла глаза, пели птицы и ярко светило солнце. Часы показывали три четверти второго. Юлия подскочила. Неужели она проспала почти до двух часов дня? Но этого не может быть! С ней такого никогда не бывало!

Виктория Карловна, улыбаясь, заглянула в спальню. Заметив, что ее постоялица проснулась, директриса произнесла, подходя к кровати:

— Доброе утро, соня! Я вижу, что вы провели за чтением дневника большую часть ночи, не так ли? Я и сама проглотила его за один раз, не отрываясь...

— Вы правы, Виктория Карловна, — ответила Юлия, потягиваясь. Она ощущала, что сон придал ей силы. В животе заурчало. Крестинина почувствовала сильный голод.

— Вы хорошо себя чувствуете, деточка? — заботливо спросила Виктория Карловна. — Завтрак, который, впрочем, можно назвать обедом, давно ждет вас. Я не решилась вас будить. Поднимайтесь — или вы еще хотите отдохнуть?

— О нет! — воскликнула Юлия.

Она ощущала себя выспавшейся. Она прошла вслед за Викторией Карловной в небольшую гостиную, обставленную чрезвычайно уютно. Олянич приготовила ароматный чай и вкусный вишневый пирог. Юлия набросилась на него.

— Вижу, вы и в самом деле проголодались, — сказала, вздохнув, Виктория Карловна. — Ну, что можете сказать по поводу записей моей бабки?

— Очень и очень интересно, — ответила Крестинина. — У вашей бабки был несомненный литературный талант.

Олянич уселась в глубокое вольтеровское кресло и ответила:

— Да, вы правы. Елена Карловна была многосторонней личностью, однако никогда не увлекалась гуманитарными науками, ее больше прельщала математика, биология и химия. Эти записи, так сказать, проба пера, не более того....

— Они меня захватили, — призналась Юлия. — Но где же продолжение, мне так хочется узнать, что было дальше...

— Представляете, и мне тоже! — простонала Виктория Карловна. — Я последние двадцать лет, с тех пор как обнаружила этот дневник в архивах музея, только об этом и мечтаю. Теперь вы понимаете мое нетерпение, Юленька? Где-то находится вторая часть, в которой моя дорогая бабушка продолжает расследование, где она описывает свою встречу с убийцей, именующим себя Садовником...

— Если дневник находится у Почепцова, то он не имеет права скрывать его от вас, — заметила Юлия. — Какой удивительно вкусный пирог, Виктория Карловна. Вы настоящая кулинарка, вы так прекрасно готовите!

Польщенная искренним комплиментом, директриса расплылась в доброй улыбке.

— Это наследственное. Моя бабка, Елена Карловна, тоже на досуге увлекалась приготовлением вкусных яств, и мой отец, Карл Степанович, проводил большую часть свободного времени у плиты. Вы не поверите, но в нашей семье именно он, а не моя матушка, готовил соленья на зиму.

— Виктория Карловна, вы как-то упоминали, что ваша

бабка стала жертвой несчастного случая, — сказала Крестинина, беря уже третий кусок пирога. — Но...

Энергично закивав головой, Олянич прервала ее:

— Я понимаю, к чему вы ведете, деточка. Да, я говорила, что не верю в этот несчастный случай. Это было несомненное убийство, поверьте мне, хладнокровное убийство! Мою бабку с зияющей раной в черепе обнаружили за городом. Это произошло 9 октября 1916 года. К тому времени она была мертва несколько часов. Погода была ужасающей, разыгралась страшная буря. Когда непогода улеглась, была найдена лошадь моей бабки, которая паслась неподалеку, а также искореженная повозка. Дело о ее смерти кто-то решил замять. Городские власти, напуганные «цветочными убийствами», отказались признать, что Елена Карловна стала очередной жертвой. Садовник устранил ее, потому что она вплотную приблизилась к разгадке или даже разгадала эту мрачную тайну... Они заявили, что в результате бури повозка, которой управляла моя бабка, налетела на камень, или ветку, или что-то подобное, произошел несчастный случай, в результате которого Елена Карловна и умерла. Но скажите, деточка, разве вы верите в это?

— Нет, — сразу же ответила Юлия. Виктория Карловна была права. Ни о каком случайном стечении обстоятельств и речи быть не могло. Это было убийство. Елена Карловна стала жертвой убийцы.

— И представляете, следующим утром, 10 октября, было обнаружено тело молодого князя Феликса Святогорского. Он покончил жизнь самоубийством, пустив себе пулю в лоб. Револьвер лежал рядом. Он застрелился во дворце, в княжеских оранжереях. Это о многом говорит... Так как старый князь бежал под Новый год, прихватив невестку и внука, а также почти все бумаги, чемоданы с драгоценностями и прочим ценным скарбом, а убийства более не возобновились, то все решили — виновник происходящего именно Феликс-младший...

— Мне почему-то в это не верится, — сказала Юлия. — Ваша бабка пишет о Феликсе Святогорском с симпатией.

Трудно быть солнцем

Он произвел на меня впечатление человека безвольного и склонного к сладострастию...

— Таким он и был, — ответила Виктория Карловна. — Деточка, хотите еще пирога? Нет, вы точно уверены? Беспокоитесь за свою фигуру? Ну, я рада, что вы не голодны. Вы должны хорошо питаться, чтобы набраться сил.

— А где похоронили Елену Карловну? — спросила Крестинина.

Олянич сказала:

— На местном кладбище. Хотите навестить могилу?

— Почему бы и нет, — ответила Крестинина.

Она испытывала симпатию к Елене Карловне, впрочем, как и к ее внучке. Несколько раз Елена Карловна отпускала весьма едкие замечания по адресу Анны Радзивилл, однако это нисколько не задевало Юлию. Она знала, что Анна была ветреной особой, часто заводила интрижки с женатыми мужчинами.

— А потом я хотела бы узнать, как обстоят дела с проведением расследования... Я имею в виду, на самом ли деле найденные останки принадлежат моей прабабке...

— Конечно же, деточка, — сказала Виктория Карловна. — Я заодно покажу вам наш городок. Вы наверняка его осмотрели, но у вас не было возможности ознакомиться с ним поближе. Я знаю множество историй про Старо-никольск...

Они отправились в путь. Виктория Карловна выказала неисчерпаемые знания по истории городка. Они специально прошли мимо величественного, выстроенного в стиле модерн здания — бывшего особняка семейства Ируповых. Теперь там располагался кожно-венерический диспансер.

— Адриан Николаевич перевернулся бы в гробу, узнай он о том, кто теперь обитает в его чудесном особняке. Впрочем, диспансер давно собираются выселить, я требую этого уже почти тридцать лет. Здание было построено известным петербургским архитектором, это — жемчужина начала века, особняк должен быть отреставрирован. Вообще-то было бы хорошо получить здание под музей, но вы сами понимаете, городские власти никогда на это не пойдут. Я сталкиваюсь ежедневно с теми же проблемами, что и моя бабка. Власти, богатые горожане и просто жители Староникольска в массе своей не понимают необходимости заботиться об истории. Меня все знают — и испытывают ко мне уважение, поверьте мне, деточка! Но мало кто помогает! Вот что плохо!

Юлия всмотрелась в закрытые белыми полотняными занавесками окна бывшего особняка Ируповых. Когда-то здесь жила Евгения, ставшая первой жертвой таинственного убийцы.

— Бриллиант так и не нашли? — задала она вопрос.

Виктория Карловна отрицательно покачала головой:

— Нет, «Утренняя заря», редкостный розовый бриллиант весом восемнадцать с четвертью каратов, исчез в тот самый вечер, когда была задушена Евгения Ирупова, ставшая супругой князя Федора Шаховского. Я считаю, и этой же точки зрения придерживаются все, кто мало-мальски знаком с историей Староникольска, что камень взял убийца. Если бы бриллиант был украден слугами или одним из гостей, то он обязательно бы всплыл. А так — прошло чуть ли не сто лет, а о нем никто до сих пор не слышал.

— А что произошло с Адрианом Николаевичем и его супругой? И какова судьба князя Шаховского? Как я поняла, ваша бабка была неравнодушна к нему...

— О да, — заметила Виктория Карловна. — Однако моя бабка любила прежде всего науку, а затем своего сына Карлушу. Федор был ее платонической страстью... Он бежал за границу, где и скончался, кажется, в одном из швейцарских санаториев в середине двадцатых, от чахотки, в жуткой бедности — он промотал все, чем обладал, окончательно. Его мать и сестры влачили жалкое существование сначала в Швейцарии, а затем в Берлине до начала Второй мировой войны. Затем их след теряется. Но, думаю, они просто умерли. Так и закончился род Шаховских. Федор был единственным сыном, наследников у него не имелось, у его сестер, которые так и не вышли замуж, детей, соответственно, тоже не было.

— АИруповы? Я могу только представить себе, какие чувства испытывал Адриан Ирупов, когда обнаружил тело дочери. Он ведь безумно ее любил, — сказала Юлия. — Елена Карловна так живо описала эту сцену, что он стоит у меня перед глазами, как будто я сама была свидетельницей происходящего.

— О, об Ируповых известно гораздо больше. Адриан Николаевич так и не оправился от смерти единственной дочери. В день похорон, как и писала в дневнике моя бабка, он покинул Староникольск и более сюда не возвращался. Зато в городе осталась его сестра... Он принял деятельное участие в событиях Февральской революции, был одним из членов нового кабинета министров. Когда к власти пришли большевики, он покинул Россию, переселился в Соединенные Штаты. Там ему повезло, он, как и старый князь Святогорский, сохранил большую часть состояния, поэтому мог заняться бизнесом. Его жена умерла всего несколько лет спустя. Он женился вторично, на представительнице американской финансовой аристократии. Впрочем, детей этот брак не дал. Ирупов скончался в 1928 году в своем поместье на Лонг-Айленде. Был уважаемым гражданином, но остаток жизни, насколько я могла судить, горевал по Евгении. Он жаждал найти убийцу. В январе 1924 года он столкнулся в фойе парижской гостиницы с князем Святогорским-старшим и его невесткой, Аделаидой Шереметевой. Разыгралась невероятная сцена, которая едва не закончилась дракой. Ирупов обвинил сына князя в том, что он убил его дочь и остальных женщин. Разумеется, Святогорский, который, как вы поняли из записей, никогда не отличался христианским смирением, взвился и дал пощечину Адриану Николаевичу. Между ними всегда была затаенная вражда. Святогорский считал Ирупова выскочкой и нуворишем, а Ирупов за глаза именовал князя «седовласым распутником» и «племянником Мессалины». В общем, давнишние разногласия дали о себе знать. Именно Ирупов прикладывал все усилия, чтобы газеты заинтересовались «русским Дракулой», Святогорским-младшим.

Они прошли мимо особняка Екатерины Ставровны Ульрих. В нем располагалось финансовое управление мэрии, а на первом этаже находился обувной магазин.

— Особняк Ульрихов десять раз перепланировывали, — сказала с легким недовольством Виктория Карловна. — Он был построен в конце девятнадцатого века Рихардом Ульрихом, супругом Екатерины, второй жертвы. В отличие от виллы Ируповых, он не представляет особого архитектурного интереса. Хотите, мы зайдем внутрь? Типичная купеческая вилла, стандартная безвкусица в стиле псевдоготики.

Они прошли в магазин. С Викторией Карловной здоровались многие, она на самом деле была известной в Староникольске личностью.

— Вот здесь, — Олянич указала на стенды с обувью, — и был когда-то холл, лестницу на второй этаж давно убрали. В бывшем будуаре, где на полу и было найдено тело Екатерины Ставровны, располагаются помещения, занимаемые теперь мэрией. У нашего градоначальника, Петра Георгиевича Белякина, абсолютно отсутствует чувство истории. Он занят поисками сиюминутной выгоды. Я на минувших выборах голосовала против него.

Видимо, как поняла Юлия, Виктория Карловна конфликтовала с власть имущими. Ну что же, ее бабка тоже не была любима властями Староникольска.

— А права ли была Елена Карловна, когда писала о подозрениях по поводу Екатерины Ставровны? — спросила Крестинина, когда они покинули обувной магазин и пошли дальше по городу. Солнце ярко светило, однако чувствовалось дыхание осени. Легкий холодный ветерок перебирал волосы Юлии.

— Вы ведете речь о том, на самом ли деле Екатерина отправила на тот свет своего богатого и пожилого супруга? Никто не скажет вам это точно, но с большой вероятностью именно так все и было. Екатерину Ставровну в городе не любили, но были вынуждены терпеть, так как ей принадлежала фабрика, лесопилка и большие угодья. Ну вот, деточка, мы и подошли к кладбищу. Конечно же, не самое приятное место для прогулок, но мне нравится бродить в тиши склепов и могил, размышляя о бренности бытия.

Они прошли сквозь чугунные ворота на территорию кладбища. Несмотря на то что светило солнце и было около четырех часов дня, Юлии стало немного не по себе. Кладбище Староникольска было именно таким, каким она представляла себе место упокоения в старинном русском городке. Массивные мраморные кресты, красивые надгробия, темные склепы.

— Здесь покоится почти весь дореволюционный Староникольск. Кладбище давно не используется, но даже в советские времена не рискнули сровнять его с землей, хотя были и такие предложения. Это своеобразный музей под открытым небом.

Виктория Карловна провела ее на самую старую часть кладбища, показала фамильную усыпальницу князей Святогорских. Выстроенная из зеленоватого гранита, поросшего мхом, она производила должное впечатление. Несколько мраморных фигур, изображавших скорбящих нимф, придерживающих ниспадающие одеяния, украшали вход. Вход в усыпальницу был закрыт массивной деревянной дверью и стальной решеткой.

— Здесь и покоится прах самоубийцы Феликса, — сказала Виктория Карловна. — Святогорский-старший сумел-таки настоять, чтобы его сына отпевали в соборе. Я все время думаю: если юный Феликс не был причастен к смертям женщин, то почему решился на этот роковой выстрел? Вряд ли, деточка, из-за того, что пропала ваша прабабка Анна. Увы, молодой князь, как и его отец, был повесой, в городе у него было несколько любовниц, а когда он выбирался в Петербург или за границу... Об этом лучше вообще не говорить!

Они подошли к склепу, на стене которого были выбиты многочисленные имена — тех, кто нашел тут место последнего упокоения.

— Здесь лежат практически все представители этого

древнего рода, и молодой князь Александр, тот самый, деточка, который прислал вам розы, не раз заявлял, что почтет за честь после смерти оказаться именно в этом склепе. Он уже который год собирается перевезти сюда останки старого князя, покоящиеся на русском кладбище в Нью-Йорке, но власти пока что медлят с разрешением на этот счет. Хотя я верю, Александр добьется своего. У него есть деньги, самый весомый аргумент для нашего достопочтенного мэра...

Судя по откровенному яду в речах Виктории Карловны, противоречия между нею и Петром Георгиевичем Белякиным, главой администрации Староникольска, зашли очень далеко. Они шли по тропинкам кладбища, директриса предавалась рассказам, Юлия слушала ее вполуха.

— Взгляните, деточка, — они остановились около роскошного, выполненного из черного мрамора ангела с крестом, который замер в скорбящей позе над могилой. Юлия вчиталась в полустершиеся золотые буквы.

— Евгения Адриановна Ирупова, родилась 18 декабря 1891 года, скончалась 5 августа 1916, — пробормотала она. — Это и есть могила дочери Ирупова?

— Она самая, — ответила Виктория Карловна. — Отец наверняка сдержал бы свое обещание и выстроил бы ей второй Тадж-Махал, но грянула революция, его планы радикально изменились, ему пришлось навсегда покинуть Россию. А так, не сомневаюсь, он бы отгрохал ей памятник на половину кладбища.

Затем они подошли к могиле Екатерины Ставровны Ульрих, которая покоилась вместе со своим мужем, якобы ею же и отравленным.

— Злая ирония судьбы, — сказала Виктория Олянич. — Екатерина Ставровна явно не помышляла о такой быстрой кончине и зарезервировала себе место в Риме, вечном городе, однако ей пришлось удовольствоваться Староникольском. Надо же, как верно говорят — пути господни неисповедимы!

— Добрый день, дочери мои, — раздался тихий голос. Юлия испуганно обернулась.

Трудно быть солнцем

Перед ней стоял невысокий священник с окладистой черной бородой и пронзительными зелеными глазами.

— Ах, отец Василий, добрый день, голубчик, — обратилась к нему, как к старому знакомому, Виктория Карловна.

— Значит, это и есть ваша молодая постоялица, — сказал священник, поглаживая бороду. — Добрые день, Юленька, вы ведь позволите мне так именовать вас? Я уже наслышан, наслышан обо всем. И о той страшной находке, которую сделали во время закладки нового котлована в бывшем княжеском парке. Не к добру все это, ох, не к добру...

Священник говорил тихим, но чрезвычайно приятным голосом. Юлия сразу же ощутила магнетизм, который исходил от него. Он был облачен в обыкновенную рясу, поверх который был надет золотой крест.

— Разрешите представить, отец Василий Таранцев, — сказала с некоторой иронией Виктория Карловна, — а это...

— Юлия Крестинина, правнучка великой Анны Радзивилл, — ответил священник, переняв у нее инициативу. — Рад приветствовать вас в нашем городке, Юлия.

Он пожал ей руку, и Крестинина ощутила приятное тепло его ладони.

— Я, знаете ли, показываю Юленьке могилы знаменитых горожан, — сказала директриса.

Священник покачал головой:

— Виктория Карловна, дорогая моя, неужели в этот солнечный день вы не могли найти более подходящего занятия для такой красивой девушки, как Юлия, чем посещение кладбища? Кладбище — это место скорби и раздумий, и я не понимаю тех людей, которые видят в этом некое развлечение.

— Мы с отцом Василием давнишние оппоненты, с тех самых пор, как его перевели в наш городок, — сказала Виктория Карловна.

— Это правда, — подтвердил священник. — До этого я

преподавал в духовной семинарии и имел небольшой опыт работы с паствой. Но что поделаешь...

— Отца Василия командировали к нам, чтобы он искоренил ересь, — громким шепотом заметила Виктория Карловна. — Вы же в курсе, Юленька, что в Староникольске действует секта. Как она называется, отец Василий?

При упоминании о секте отец Василий помрачнел и тихо ответил:

— Виктория Карловна, это не шутки, вы же прекрасно знаете! Эта секта вероотступников, которая именует себя Сектой Тринадцати, давно облюбовала ваш городок. Такой милый, провинциально-наивный и тихий... Кто бы мог подумать, что здесь кипят такие страсти. А в Москве обеспокоены тем, что все больше и больше подростков в Староникольске увлекается этой лжерелигией. Сам святейший патриарх разговаривал со мной по этому поводу. Да, я не скрываю, я прибыл сюда, чтобы изгнать из душ людей зло. То самое зло, которое распространяется этой сектой.

— И пока что вы не преуспели, — сказала Виктория Карловна. — Секта Тринадцати давно обитает в Староникольске, моя бабка в своем дневнике пишет о ней.

— Вы абсолютно правы, — подтвердил священник. Его рука легла на крест. — Эта секта не выдумка последних безумных и безбожных лет, она существует с начала прошлого века. Ее основатель — Дмитрий Ильичев, бывший семинарист, который увлекался социалистическим движением, а потом впал в крайний мистицизм. Затем, сойдя с ума, он и решил, что является новым пророком. Ему удалось найти нескольких почитателей, он переехал в провинцию, секта стала удивительно быстро расти. Я не сторонник того, чтобы преуменьшать опасность. Эта секта, подобно спруту, пустила свои щупальца по всей стране. Я прибыл сюда, чтобы изловить главного виновника — того, кто возглавляет местное отделение секты. Я уже четыре года в Староникольске, но пока что, увы, мне не удалось это сделать. Секта хорошо законспирирована, они соблюдают осторожность, однако мне удалось выйти на их след. Молодые души нуждаются в истинной религии, а не в этом псевдоучении диавола!

— На отца Василия не так давно напал один фанатик с ножом, но все обошлось, — сказала Виктория Карловна. — Он несет свой крест и делает это с большим достоинством и рвением. Не сомневаюсь, вам удастся вывести сектантов на чистую воду.

— Староникольск — святое место, — уверенно заявил отец Василий. — Здесь стоит Староникольский монастырь, в городе столько церквей. Я не допущу, чтобы сатанинская секта завоевывала новых и новых почитателей. Однако, милая Виктория Карловна, как обстоит дело с вашим расследованием? Недаром же вы остановились около могилы Екатерины Ульрих, которая стала второй жертвой так называемого «цветочного убийцы».

— Ничего-то от вас не утаишь, — заметила Виктория Карловна. — Вы правы, отец Василий. У каждого своя мания. Вы ловите сектантов, а я рыщу в поисках таинственного убийцы.

— Мои соболезнования, — произнес священник, обращаясь к Юлии. — Я слышал, что найдены предположительно останки вашей прабабки, Анны Радзивилл. Если это так, то, возможно, это приблизит разгадку тайны. Ведь многие уверены — тогда, в 1916 году, убийства совершали сектанты, да и я такого же мнения...

— Нет! — с жаром возразила Виктория Карловна. — Оставьте ваших сектантов в покое, отец Василий. Говорю вам, они к этим убийствам непричастны, это действует Садовник...

— Сомневаюсь, — покачал головой священник. — Вероотступники готовы на все, в том числе, и на человеческие жертвы. Да и новое убийство, о нем же говорит весь город. Бедная девочка, Олеся, я хорошо знаю ее матушку, чрезвычайно набожная женщина... Как вы считаете, что бы это значило?

— Садовник вернулся, — произнесла Виктория Карловна. — Кто-то решил возобновить серию убийств, отец

Василий. И клянусь вам, это никоим образом не связано с Сектой Тринадцати...

— Мне бы вашу уверенность, — сказал отец Василий. — Однако, дочери мои, желаю вам удачного дня!

Священник удалился, оставив женщин около могилы Екатерины Ставровны Ульрих.

— Занятный человечишка, — произнесла Виктория Карловна. — Мы с ним уже много раз спорили по некоторым теологическим и социальным вопросам. Отец Василий подлинный христианин, я желаю ему удачи в поисках главаря этой несносной секты, но сколько раз я ему говорила — он роет не в том месте. Эти сектанты, безумцы с горящими глазами, никоим образом не связаны с убийствами. Наш Садовник — кто-то другой!

— Но кто? — спросила Юля.

Словно в ответ на ее вопрос из-за могильной ограды появился Валерий Афанасьевич Почепцов. В руках он держал тетрадь, как две капли воды похожую на ту, в которой Елена Карловна записывала свои мысли. Он не сразу заметил директрису и Крестинину, а когда его маленькие злобные глазки, скрытые очками, все же нащупали их, он смешно развернулся и трусцой побежал в обратном направлении.

Виктория Карловна захохотала, Юлия тоже не смогла удержаться от улыбки — так смешно и нелепо выглядело это позорное и внезапное бегство. Хохолок седых волос, тщательно уложенных гелем, вздрагивал на голове ретирующегося Почепцова.

— Вы видите, что у него в руках, у моего несостоявшегося муженька? — сказала Виктория Карловна. — Вторая часть дневника моей бабки! Я же говорила, что этот доморощенный Тацит скрывает у себя принадлежащую мне собственность. Однако даже если мы кинемся за ним и попробуем отнять у него дневник, он скорее сожрет его, чем отдаст мне.

— Виктория Карловна, я ощущаю себя в роли того самого султана, которому Шахерезада рассказывала сказки и прерывала их каждое утро на самом волнующем месте, — произнесла Юлия. — История меня ужасно заинтриговала, скажу честно. И у меня такое чувство, что ваша бабка была крайне успешна в расследовании. Поэтому нам во что бы то ни стало необходима вторая часть ее записей. И если она у Валерия Афанасьевича, то ее требуется... Требуется изъять, даже если это будет выглядеть и как кража со взломом.

Директриса, вытирая слезы, которые выступили на ее глазах от смеха, ответила:

— Юленька, вы прямо читаете мои мысли. Я давно помышляю о том, чтобы влезть ночью в домик Почепцова и отыскать дневник.

— Мы сделаем это, — сказала Юлия. — Обещаю вам, мы сделаем это, Виктория Карловна!

— Пойдемте, — внезапно проговорила директриса, беря Юлию за локоть. — Вы этими словами полностью заслужили мое доверие. Я покажу вам кое-что...

Они прошли мимо нескольких рядов могил и надгробий, пока не оказались около старинной позеленевшей ограды. Виктория Карловна распахнула дверцу, пропустила Юлию и вошла сама. Крестинина вгляделась — перед ней была простая могильная плита из гранита, треснувшая посередине. На могиле, за которой кто-то тщательно ухаживал, стояла ваза с несколькими гладиолусами.

— Гладиолусы были ее любимые цветы, — произнесла тихим голосом Виктория Карловна. — Здесь покоится Елена Карловна...

Так и было. Буквы, которые еще можно было с трудом разобрать, складывались в слова: «Упокойся с миром, да пройдут все ненастья, да будет тебе вечное спокойствие. Здесь нашла свое последнее упокоение Елена Карловна Олянич, первый директор краеведческого музея города Староникольска, пришедшая в этот мир от Рождества Христова дня 27 февраля 1867 года и покинувшая его в результате несчастного случая 9 октября года 1916».

— Она была убита, я в этом уверена теперь больше, чем когда бы то ни было, — произнесла Виктория Карловна, поправив цветы в вазе. — И мы с вами это докажем, деточка. Даже если придется поставить весь мир на голову!

Юлия, вслушиваясь в слова Виктории Карловны, вдруг ощутила страх. Отчего? Убийца где-то рядом, она чувствовала это. Ей показалось — или на самом деле за одной из могил метнулась черная тень? Они не одни, за ними кто-то наблюдает?

— Мы достанем вторую часть дневника Елены Карловны, — сказала Крестинина. — Я вам обещаю. И, кажется, у меня даже созрел план...

20 августа

— Итак, Николай Леонидович, что конкретно вы можете сказать по поводу ваших отношений с Олесей Гриценко?

Николай Леонидович Машнэ, декан факультета лингвистики и межкультурной коммуникации Староникольского филиала Открытого гуманитарного Московского университета, поправил очки в тяжелой роговой оправе и с достоинством произнес:

— Я не совсем понимаю, о чем вы ведете речь. Гриценко была студенткой на моем факультете, не более того!

— Разве так? — спросил следователь. — Разве она была только студенткой? Например, мне известно, что она писала у вас курсовую работу...

Машнэ снова поправил очки, почесал куполообразную, практически лысую голову и взглянул на следователя исподлобья большими водянистыми глазами, которые выражали полное непонимание того, о чем шла речь. Он выглядел, как совершенно невинный человек.

— Повторяю вам, Гриценко была одной из многих студенток. Я даже не помню ее в лицо...

Врать Николай Леонидович мог, не краснея, сказывалась многолетняя практика. Когда он получил приглашение в прокуратуру дать свидетельские показания по поводу смерти Олеси Гриценко, то сразу понял — они что-то знают о скандале. Но он не собирается выносить на суд свидетелей свои, так сказать, личные проблемы. Олеся Гриценко была именно этим — его личной проблемой и его большой ошибкой.

Седьмого августа утром, сидя за завтраком со своей супругой, Мариной Васильевной Миловидовой, сыном Николашей-младшим и тещей Лидией Ивановной, Николай Леонидович, как это обычно бывало, просматривал местную прессу. Его вторая супруга, женщина полная, с длинной седой косой, намазывала Николаше, гордости отца и матери, толстый слой фруктового мармелада на тост. Мальчик, вертя такой же, как и у отца, куполообразной головой, ныл:

— Мама, не хочу, сама ешь эту каку, я хочу шоколадку!

Марина Васильевна вздохнула, откусила тост (хотя знала, ей надо сократить количество поедаемых ею тостов, иначе она снова поправится на несколько килограммов и не сможет влезть ни в одно из своих платьев, а новый учебный год не за горами), тряхнула длинной косой, которую носила с самого детства, и произнесла:

— Коля, как обстоят дела с этой мерзавкой Гриценко?

Николай Леонидович, прихлебывая обжигающий черный кофе, который пил без сахара по семь-восемь чашек в день, ответил, углубившись в чтение статьи про Староникольский университет, в котором работал:

— Я отчислю эту сучку, Марина, не беспокойся.

— И правильно, — встряла в разговор теща, Лидия Ивановна, полная особа с рыжим перманентом и подведенными синей тушью глазами. Глядя иногда на мать, Марина Васильевна вздыхала — ей грозило стать такой же через двадцать лет. Однако у нее была коса, ее гордость!

— Мама, где шоколадка? — продолжал верещать Николаша-маленький, теребя мать за жирную коленку. — Дай шоколадку, мама! Ты слышишь, корова, дай шоколадку!

Никто бы и никогда не посмел называть так Марину Васильевну Миловидову, доцента кафедры истории русского языка и стилистики того же Староникольского филиала Открытого гуманитарного Московского университета и заведующую секцией русского языка как иностранного. Женщина приятная во всех отношениях, что соответствовало ее фамилии — Миловидова, — она превращалась в настоящую фурию, если кто-то смел затрагивать ее честь и достоинство. Однако ее единственный сынок, поздний ребеночек Николаша, был для нее, как, впрочем, для отца и бабки, буквально всем.

Николаша укусил мать за коленку и забарабанил по ней увесистыми кулачками:

— Дай, мама, дай! Ты корова, толстая корова! И дура набитая! И какашка!

Умилительно улыбаясь, Марина Васильевна поцеловала сынка в куполообразную голову, потрепав его светлые волосенки, и сказала с улыбкой Моны Лизы:

— Коля, посмотри на наше сокровище, оно делает такие поразительные успехи!

— Я же говорила вам, что он не должен играть с соседскими детьми в песочнице, он юный гений, а возится со всяким отребьем, — теща Лидия Ивановна поставила перед зятем, который был младше ее всего на пять лет, очередную чашку с дымящимся кофе.

Марина Васильевна, с грацией беременной гиппопотамши поднявшись с табурета, открыла кухонный шкафчик, который был забит шоколадками, коробками конфет и пакетами с карамелью. Это были подношения нерадивых и желающих подлизаться студентов, которые, зная, что сдать зачет или экзамен по стилистике или риторике Марине Васильевне с первого раза практически невозможно, сбрасывались на подарки строгой доцентше. Однако, разумеется, студенты не отделывались такими пустяками, как конфеты, пускай и самыми дорогими. Этого хватало, чтобы получить госоценку — заветную тройку. Те же, кто желал видеть в зачетке и ведомости что-то повыше, должен был раскошеливаться, например, на тостер, телевизор или музыкальный центр — вещи, которые потом перекочевывали в квартиру супругов Машнэ-Миловидовых.

— Боже мой, вот это да! — закричал вдруг Николай Леонидович, двинул длинным локтем, и чашка с кофе полетела на пол. Она разлетелась вдребезги, горячая жидкость окатила Николашу, который поедал шоколадку. Ребенок заверещал, как будто его резали. Засуетились мать и бабушка, они стали дуть на обожженное место и упрашивать Николашу прекратить дикий вопль. Получив в подарок коробку конфет с начинкой и две шоколадки, мальчик успокоился.

— Коля, в чем дело? — спросила злым тоном Марина Васильевна. — Что ты там такое раскопал? Наш малыш плачет, а ты и не реагируешь! Еще отец называется!

Декан Машнэ, облаченный в майку и шорты, которые обнажали его удивительно белые безволосые ноги и тощую грудь с увесистым пивным животом, в самом деле не замечал возни на кухне, где вся семья в полном составе завтракала. Обхватив костистую голову цепкими руками, он вчитывался в газету. Его глаза, похожие на перезревшие ягоды крыжовника, за толстыми стеклами очков буквально прыгали.

— Вы не поверите! — произнес он, едва ли не хохоча. — Боже мой, вот она, божья кара. Гриценко нашли удушенной в парке!

Смысл сказанного доходил до Марины Васильевны и Лидии Ивановны несколько секунд, затем и супруга декана расхохоталась звонким, неприятным смехом:

— Боже мой, Коленька, дай почитать! Неужели эта гадюка на самом деле сдохла? Такого не бывает!

Николай Леонидович, отстранив руки жены от газеты, сам прочел с издевательскими интонациями небольшую заметку, которая так взбудоражила его самого и членов его крошечного семейства: «В городском парке было обнаружено тело 19-летней студентки Староникольского филиала Открытого гуманитарного Московского университета Олеси Гриценко. Она стала жертвой неизвестного убийцы, который задушил девушку при помощи шарфа. Следствие рассматривает версию разбойного нападения и преступления на сексуальной почве...»

— Не может быть! — захлопала в ладоши Марина Васильевна. — Гриценко мертва, ты уверен, Коля? Это она или ее однофамилица?

— Она, она, — с уверенностью пробасил декан. — Только она и может быть. Господи, как же я рад, что эта дрянь сдохла! Я сам мечтал, Марина, что задушу ее собственными руками, и вот кто-то сделал это...

Марина Васильевна, отправив перемазанного Николашу в детскую доедать конфеты, вернулась на кухню и, внимательно взглянув на мужа, произнесла:

— Коля, скажи мне честно, ты ведь не причастен к этому преступлению? Гриценко убил не ты и не по твоему приказанию? Потому что если это так, Коля, то мы все окажемся в опасности...

— Марина, о чем это ты? — Муж уставился на нее своим знаменитым, пробирающим до мозга костей рентгеновским взглядом сквозь очки. — Я к этому не причастен, клянусь тебе! Это совпадение, не более того....

Однако на Марину Васильевну взгляд мужа не действовал. Покачав головой и тряхнув седой косой, она сказала:

— Смотри у меня, Коля, если я узнаю, что это ты затеял смерть Олеси, то тебе несдобровать. Это уже убийство, серьезное преступление, ты рискуешь не только местом декана, но и свободой, а также будущим Николаши.

— Да не убивал я эту Гриценко, гори она в аду синим пламенем! — пробурчал Николай Леонидович и слишком поспешно уткнулся снова в газету. Жена задумалась. Но если не ее муж, то кто?

— То кто, Николай Леонидович? — повторил свой вопрос молодой следователь, глядя на задумавшегося декана.

Николай Леонидович, облаченный в хороший костюм с красивым галстуком — он всегда тщательно выбирал галстук, что позволяло ему считаться самым стильным мужчиной в университете, после ректора, конечно, — пронзил следователя взглядом.

— Я не имею ни малейшего представления, кто бы мог убить Гриценко, — сказал он. — Да, вы правы, я теперь действительно припоминаю... Была такая на факультете,

Трудно быть солнцем

троечница, одна из самых отстающих... Но вы сами должны понимать, я не могу упомнить всех студентов...

— Не думаю, Николай Леонидович, что Олеся Гриценко была для вас одной из общей массы, — возразил молодой следователь. — У меня есть сведения, что вы прилюдно грозились убить Олесю. Какова причина подобных угроз, Николай Леонидович?

Декан скрипнул зубами, в десятый раз проклиная собственный болтливый язык. Ну конечно, кто-то из деканата донес о его фразах, которыми они обменивались с Мариной по поводу этой засранки Гриценко. Возможно, он на самом деле несколько раз в сердцах желал ей гибели. Надо же, эта юная гадина не хочет оставлять его в покое и после смерти.

— Я не понимаю, о чем вы говорите, — сказал декан. — У вас ложные сведения, молодой человек. Позвольте вам заметить, что у меня мало времени для того, чтобы отвечать на ваши сомнительные вопросы. Я — декан факультета, доктор наук, профессор, у меня сегодня заседание совета факультета, встреча с ректором и так далее, а вы задерживаете меня из-за смерти студентки моего факультета. Да, трагично, что девушку кто-то удушил, но уже ничего не изменишь. Это ведь дело милиции заботиться о безопасности граждан!

Голос декана стегал следователя, подобно ударам хлыста. Николай Леонидович привык, что подчиненные дрожали, стоило ему повысить голос и пронзить их взглядом. Однако молодой следователь только устало улыбнулся и ответил:

— Господин Машнэ, прошу вас не выходить из себя и придерживаться общепринятых норм поведения. Это прокуратура, и вы можете быть привлечены к ответственности за препятствие правосудию. У меня есть сведения, что вы открыто конфликтовали с Олесей Гриценко, жертвой убийства, поэтому мои вопросы вполне обоснованны и логичны.

— Конечно, — миролюбивым тоном произнес Машнэ. Он, как и все горлопаны, мгновенно пасовал, если человек, на которого он орал, не поддавался на его провокацию и выдерживал бурю и натиск. — Прошу прощения, наступает новый учебный год, я весь в стрессе... Конечно же, вы правы. Олеся Гриценко, дайте подумать... Такая была на моем факультете, я читал на ее курсе лекции по теории перевода, она мне сдавала экзамен. Сдала его на «пять».

— Ну вот, а вы называете ее троечницей, профессор, — сказал следователь. — Насколько мне известно, Олеся училась на одни пятерки и была реальной кандидатурой в ваши аспирантки.

— Ах, ну да, вы правы, — Николай Леонидович закусил губу и снял очки, без которых он выглядел беспомощным и старым. Ему на самом деле было чуть за пятьдесят. — Олеся Гриценко... Милая девушка, ну да, конечно...

Следователь смотрел на сидящего перед ним декана и поражался тому, как тот выворачивается из любой сложной ситуации. Он же нагло врет, следователь был в этом больше чем уверен. Машнэ собирался отчислить Олесю Гриценко, но из-за чего? Почему декан факультета так ополчился на студентку?

— Значит, Николай Леонидович, вы припоминаете. Уже лучше, я рад, что амнезия постепенно проходит. Итак, как вы прокомментируете слухи о том, что вы и покойная конфликтовали?

Машнэ напрягся. Шила в мешке не утаишь. Его супруга, Марина Васильевна, провожая мужа для дачи свидетельских показаний в прокуратуру, напутствовала — говорить правду, и ничего кроме правды, но не всю правду. Так его никто не сможет поймать на лжи, и его слова не обернутся против него. Николай Леонидович хотел было наврать с три короба, однако понял — супруга права. Смрадный скандал все равно вылезет наружу, так что лучше представить все в выгодном для себя свете.

— Это правда, — вздохнул он. — Я уже и забыл об этом деле, скажу вам честно...

— Николай Леонидович! — изумился следователь. —

Трудно быть солнцем

Если не ошибаюсь, этому делу не больше месяца, а вы уже успели о нем забыть? Разве такое бывает?

— У меня много дел, — повторил Машнэ.

— Ну хорошо, допустим, что это так, — сказал следователь. — Не могли бы вы вкратце, уважаемый профессор, изложить мне суть конфликта между вами и студенткой.

— Конечно, могу.

Николай Леонидович расслабился. Они с женой давно отредактировали версию случившегося. Он уже испробовал ее на ректоре, с которым у Николая Леонидовича был серьезный разговор, и на работниках деканата. Увы, ректор ему не поверил и даже поймал пару раз Николая Леонидовича на несоответствиях, однако скандал потихоньку улегся. Эта сучка Гриценко, пусть черти в аду засунут ее в самый большой котел со смолой, настучала ректору и даже побывала у него на приеме. Николай Леонидович не ожидал, что какая-то паршивая студентка опередит его...

— Этим летом я уехал на турбазу, вместе с женой, ребенком и тещей. Я попросил Олесю Гриценко... попросил ее остаться у меня дома на несколько дней — у меня в квартире стоит компьютер, имеется множество редких книг, а район, в котором я обитаю, криминогенный. Я живу на Максимке.

— Ах, ну да, — сказал следователь.

Район Максимки был фактически поселком, который примыкал к Староникольску — там обитали алкаши, наркоманы и цыгане. Впрочем, как выяснилось, и декан факультета. Интересно, подумал следователь, почему Николаю Леонидовичу не удалось выбить квартиру? Этот молодой князь Святогорский, американский наследник, щедро поддерживал местный филиал университета.

— Я доверял этой девушке, она зарекомендовала себя как прилежная и старательная студентка, она писала у меня курсовую работу, ездила в Кельн, в Германию благодаря мне, поэтому я верил ей. Ее приятель Владик Вевеютин, мой аспирант, жил у меня в прошлом году, когда я отдыхал с семьей на турбазе. Я подумал, что и на Олесю могу положиться, но жестоко ошибся...

Декан смолк. Ему требовалась краткая пауза, чтобы посмотреть, как следователь реагирует на его рассказ. Тот никоим образом не показывал свое отношение к этой истории. Николай Леонидович чертыхнулся про себя и продолжил:

— Когда я вернулся домой, то обнаружил в квартире полный кавардак. Гриценко, которой я доверял, как своей дочери, которой я сделал столько добра, повела себя, как дешевая вокзальная проститутка... Она таскала в квартиру своих приятелей, спала на моей кровати, использовала мои кастрюли! Мало того, она облазила все мои шкафы, взломала мой письменный стол и украла оттуда восемьсот рублей и ценный блокнот в кожаном переплете, а также набор ручек фирмы «Сименс», сделанных из платины. Олеся помимо этого намеренно сломала мой компьютер и телефон. Что я мог делать в подобной ситуации?

— Например, обратиться к нам, — сказал следователь. — Если девушка украла у вас восемьсот рублей и ценные вещи, которые явно стоят еще больше, то вам следовало бы обратиться в милицию. Это уголовное преступление...

Николай Леонидович добродушно рассмеялся. Ему иногда удавалось представить себя как доброго профессора, озабоченного судьбами своих чад-студентов. Однако следователь успел поговорить кое с кем из университета, а также с собственной сестрой, которая училась на юридическом факультете в том же вузе. Скандал разгорелся на самом деле нешуточный, и причина его была вовсе не та, о которой пел ему сладким голосом Николай Леонидович.

— Какое отношение ко всему этому имеет родной брат вашей супруги, Виктор Васильевич Миловидов, больше известный в криминальных кругах как Витек?

Черт, он и это знает, едва не поперхнулся Машнэ. Если он знает о причастности к этому делу Вити, то пиши пропало.

— Никакого отношения брат моей жены к делу не имеет, — ответил Николай Леонидович.

Он знал: если дело пахнет керосином, то нужно молчать. Если он упрется и будет все отрицать, никто не докажет обратное. И этот молодой следователь не сможет ничего ему навесить. В конце концов, Николай Леонидович был не последним человеком в городе. Он лично знал князя Александра Святогорского, приятельствовал с заместителем мэра и был шапочно знаком с полковником Кичаповым.

— А вот у меня сведения иного плана, Николай Леонидович, — сказал следователь. — Брат вашей жены, тип, хорошо известный прокуратуре как член бандитской группировки Михаила Серопегина, криминального авторитета по кличке Михаил Архангел, приезжал на квартиру к Олесе Гриценко и угрожал ей. Это подтверждают родители Олеси, а также соседи.

— Я об этом ничего не знаю, спросите у моего шурина сами, если это вам так нужно, — сказал Николай Леонидович.

— Обязательно спрошу, — пообещал следователь. — Ну что же, Николай Леонидович, последний вопрос, после которого вы можете быть свободны. Где вы были в ночь с пятого на шестое августа этого года?

Машнэ сглотнул слюну, воззрился на следователя и воскликнул:

— Это что, обвинение в убийстве? Вы подозреваете меня в причастности к смерти этой дурочки Гриценко? Я буду на вас жаловаться, молодой человек! Да как вы смеете! Я — профессор, доктор наук, декан!

— Николай Леонидович, держите себя в руках, — следователь пресек его демагогию резкой репликой. — Никто ни в чем вас не обвиняет, и мне непонятна ваша реакция на невинный вопрос. Я хочу только знать, где вы были в ночь с пятого на шестое августа этого года, в промежуток с двадцати трех часов пятого числа до трех утра шестого.

Николай Леонидович на секунду задумался. Сказать следователю правду или нет? Он не имеет права ставить себя под удар. В ту ночь его не было дома, и Марина это прекрасно знает. Однако она сама велела ему сказать, что он, как это и надлежит отцу семейства, провел ночь с пятого на шестое на супружеском ложе. Никто не должен знать про его тайну! Никто!

— Я был дома, а где еще? — сказал он. — У меня любимая жена, маленький сын, я не шляюсь, как эта Гриценко, по ночам. Сама виновата, нечего было ходить по темному парку.

— Кто-нибудь может, кроме вашей жены, тещи и сына, подтвердить ваши слова? — спросил следователь.

Николай Леонидович отрицательно качнул головой и ответил:

— Нет, но разве это так необходимо? Я был дома, повторяю вам!

— Хорошо, я вас понял. Прошу вас, прочитайте внимательно ваши показания, внесите исправления, если это необходимо, и подпишите.

Пять минут спустя Николай Леонидович усаживался в салон своей белой «девятки», припаркованной к зданию прокуратуры. Он достал сотовый и позвонил на кафедру жене.

— Мариша, это я, Коля. Все в порядке. Они мучили меня почти час, но я дал показания. Следователь сказал, что если я понадоблюсь, меня вызовут.

Марина Васильевна, которая провела все утро, мучась страшными видениями — ее мужа арестовывают, обвиняют в убийстве Гриценко, отправляют в камеру к рецидивистам, — с облегчением воскликнула:

— Коля, надеюсь, ты не сболтнул лишнего? Представил все в нужном для нас свете?

— Ну конечно, дорогая, — сказал Николай Леонидович, рывком трогаясь с места. — Я еду в университет, буду там через десять минут, все подробно и расскажу. Приходи ко мне в деканат.

— Подожди! — требовательным тоном произнесла Марина Васильевна. — А как обстоит дело... Ну с этим, ты сам понимаешь... Он спрашивал что-нибудь про Витю?

— Да, ему, кажется, уже напели в уши про твоего братца, — сказал Николай Леонидович, выворачивая со стоянки. — Но ничего конкретного следователю не известно.

Трудно быть солнцем

Я поговорю с кем-нибудь из администрации, пусть окажут давление, я не хочу, чтобы меня из-за этой шлюшки Гриценко таскали в прокуратуру на допросы. И все из-за твоего братца...

— Я знаю, Коля, — сказала Марина Васильевна. — Все из-за Витьки. Но что поделаешь, он всегда был непутевым... Надеюсь, когда следователь спросил тебя, где ты был в ночь убийства, ты сказал, что был со мной? Если что, я подтвержу.

Николай Леонидович дал газу и подрезал какого-то дедка на «копейке». Ему доставляло удовольствие представлять себя Михаэлем Шумахером и обгонять неумех-водителей на трассе.

— Все, как мы и договаривались, — сказал он. — Целую тебя, Мариша. Иди в деканат и завари кофе, я уже на пути в университет. И скажи Владику, чтобы он тоже меня ждал, мне надо с ним побеседовать по поводу диссертации и заодно дать наставления о том, что он может говорить и что нет. Он же бывший друг этой дряни Олеси.

Николай Леонидович имел все основания опасаться визита к следователю, ибо подоплека скандала с Олесей Гриценко была на самом деле совершенно иной, нежели он пытался представить.

Машнэ вырос в небольшой казахской деревушке, точнее, даже ауле, где обитали немцы, сосланные сразу после начала войны из регионов Поволжья. Его отец, Леонид Машнэ, заявлял, что он не немец, а швейцарец, и фамилия у них не немецкая, а французская, а их предок Иоганн Машнэ в конце восемнадцатого века приехал в Россию из Лозанны. Никто не мог за давностью лет установить, правда это или нет, но от депортации это семейство Машнэ не спасло.

Когда миновали времена сталинских зверств и наступила относительная оттепель, дети Леонида, в том числе и Николай, потянулись обратно на свою землю. На этот раз происхождение, которое всегда было клеймом Коли Машнэ, сослужило ему добрую службу. Пользуясь квотами, которые имелись во многих вузах для представителей национальных меньшинств, он без труда поступил в педагогический институт в Саратове, окончил его — не без труда, — получив диплом учителя немецкого и английского языков, отслужил в армии, играл на баяне в детском саду, затем поработал год в школе, потом удачно женился на дочери главного бухгалтера саратовского порта и решил делать карьеру. Могущественный тесть помог Николаю попасть в аспирантуру, и через пять лет, с большим трудом, он таки защитил диссертацию и стал кандидатом филологических наук.

Обретя заветное звание, Николай Леонидович расправил плечи. Теперь он, в отличие от своих пяти братьев и сестры, которые еле окончили ПТУ и не помышляли о высшей школе, был важной птицей. Он остался на кафедре в Саратове, где подрастал его сын Паша, стал доцентом — и вел развеселую жизнь. Благо жена, молчаливая и забитая, не препятствовала его похождениям.

Всему было суждено кончиться в тот день, когда его тестя арестовали за крупные финансовые махинации и хищения социалистической собственности. Старику дали двенадцать лет с конфискацией имущества, и это напрямую ударило по Николаю Леонидовичу, к тому времени доценту и заведующему кафедрой. Он не ожидал, что его блестящая карьера рухнет, как карточный домик.

Ему пришлось покинуть пост заведующего кафедрой по собственному желанию. За ним самим водились грешки в виде небольших взяток, и ему не хотелось разделить судьбу тестя. Несколько лет Николай Леонидович перебивался переводами, благо немецкий язык, как поволжский немец, он знал неплохо, затем наступили новые времена.

Во-первых, он развелся с женой, которая внезапно превратилась в обузу. Он и так изводил ее, частенько крича, что именно ее папаша, вор и придурок, разрушил ему карьеру. Во-вторых, он использовал подвернувшийся шанс — он наткнулся на объявление, в котором только что открывшийся филиал некоего московского университета приглашал людей с научными званиями и опытом работы в высшей школе в городок с романтическим названием Староникольск. Николай Леонидович никогда не слышал о таком и разыскал его на карте где-то в глухой провинции, на просторах Ярославской области. Ему не хотелось покидать Саратов — город большой, все же столица областного центра — и перебираться к черту на кулички, но он мгновенно решился, когда узнал больше об этом предложении.

Затею с учреждением в Староникольске собственного университета пробил князь Александр Святогорский, чрезвычайно богатый американец с русскими корнями. Он решил поддерживать малую родину и подарить жителям городка возможность, не уезжая далеко, учиться в собственном вузе. Финансовые средства в эпоху тотальной экономии и перманентного финансового кризиса лились рекой. Николай Леонидович, послав к чертям жену с сыном-подростком, уехал из Саратова в Староникольск. Здесь, приложив все усилия, он прошел по конкурсу — и стал сотрудником только что открывшегося университета. Машнэ буквально фонтанировал идеями, что нравилось князю и назначенному Святогорским ректору, поэтому через год он стал деканом факультета лингвистики и межкультурной коммуникации, на котором обучали английскому, немецкому, шведскому, французскому и испанскому языкам. Николай Леонидович остепенился, засел за написание докторской диссертации, которую с блеском защитил через два с половиной года — в рекордно короткие сроки.

Все поражались его трудолюбию и уму, не подозревая, что на самом деле за успехами нового декана стоит его новая любовь, Марина Васильевна Миловидова. Она, всю жизнь прожившая в Староникольске, к тридцати двум годам уже не чаяла выйти замуж, смирившись с ожидавшей ее судьбой старой девы.

Марина Васильевна рядилась в просторные одежды темных тонов, длинные юбки, которые скрывали ее плотную, расплывающуюся фигуру, и носила косу.

О, длинная коса русской красавицы была ее гордостью! Она растила ее с семи лет, не подозревая, что ученики в школе, где она преподавала русский язык и литературу, смеются над ней, называя ее «старой русалкой».

— Смотри, вон поплыла наша старая русалка, — говорили ей вслед, когда по коридору проходила, качая кустодиевскими бедрами, Марина Васильевна, считая, что она самая неотразимая, интеллигентная и со вкусом одетая дама в школе. На самом деле ее претензии давно превратились в смешные попытки удержать катастрофически быстро увядающую молодость, а также разрастающуюся талию.

Марина Васильевна только вздыхала, с завистью наблюдая за тем, как ее подружки выходят замуж и нянчат детей. Ей такое, увы, не суждено. И почему никто из мужчин не обращает на нее внимания, разве она не умница, не красавица и вообще не женщина-мечта? Но почему-то эти глупцы предпочитают совсем других!

Поэтому, не найдя счастья в личной жизни, Миловидова углубилась в работу. Она окончила филологический факультет Ярославского госуниверситета, защитила в Москве диссертацию, сумела занять в школе пост завуча. Она знала, пройдет еще лет десять, и она сможет стать директором.

Ее судьба круто изменилась в тот день и час, когда Марина Васильевна узнала об организации в их провинциальном Староникольске университета. Ну и пускай это будет только филиал Открытого гуманитарного Московского университета, но все равно, какие перспективы!

Она обитала вместе с матерью, Лидией Ивановной, бывшей уборщицей в детском садике, в поселке Максимка, который прилегал к Староникольску. У Марины Васильевны имелся старший брат Витек, живший в Москве.

Виктор Васильевич был темным пятном на фамильном гербе Миловидовых — с юности он рос бандитом и хулиганом, уже в пятнадцать лет вошел в конфликт с милицией, затем даже отсидел два с половиной года за соучастие в изнасиловании. Виктор перебрался в столицу, однако частенько навещал мать и сестру в Старониколь-

Антон ЛЕОНТЬЕВ

ске, здесь же он ходил в «шестерках» у Миши Архангела, староникольского крестного отца.

Марина Васильевна подала свою заявку — и ее приняли доцентом на кафедру русского языка и стилистики. Ей не повезло стать заведующей кафедрой, ее опередила московская выскочка, доктор наук и профессор, по учебникам которой Миловидова училась в свое время в вузе, но Марина Васильевна была довольна и местом заведующей отделением русского языка как иностранного и ставкой доцента. Вот только мужа-то не было!

Николая Леонидовича Машнэ, импозантного мужчину в заграничном пиджаке и с ярким галстуком, она встретила именно в университете, на банкете, посвященном открытию в Староникольске первого высшего учебного заведения. Марина Васильевна в тот день немного перебрала с коньяком и помнила, как Николай Леонидович зажигательно танцевал с ней, прижимая к себе.

Затем последовали церемонные приглашения в ресторан, Николай Леонидович вывозил Марину Васильевну и ее матушку на пикник в лесок, они купались в речке Тишанке. Миловидова сразу положила глаз на Машнэ. Еще бы, он совсем не старый, даже и пятидесяти нет, разведен, где-то в Саратове имеется экс-супруга и сын-подросток. Ну и что, это семейному счастью не помеха.

И самое главное — он стал деканом! Эта должность ко многому обязывала и открывала замечательные перспективы. В два счета — точнее в два слова: «Я согласна!» — она могла из простой доцентши превратиться в мадам деканшу, а это уже староникольский истеблишмент. Кто знает, Коля еще молодой и полный сил, он может занять со временем пост и повыше...

Именно этим, а также непонятным, щемящим душу чувством, которое именовалось любовью, Марина Васильевна и руководствовалась, когда ответила согласием на предложение Николая Леонидовича стать его супругой. Машнэ познакомился с ее братом, и мужчины сразу нашли общий язык. Николай Леонидович по сути своей был таким же, как и Виктор Миловидов, разбойником и бугаем, только с налетом образованности и учености. Виктор Миловидов заявил, что Коля — классный мужик и он очень рад выбору сестры.

Свадьбу сыграли тихо, по-семейному. Марина Васильевна была счастлива облачиться в белоснежный наряд и украсить седеющую косу флердоранжем. Затем возникли некоторые проблемы...

Николай Леонидович страстно желал еще одного ребенка, однако у них ничего не получалось. Марина Васильевна старалась, как могла. Она несколько раз была у врача, тот, обследовав ее, сказал, что проблем он никаких не видит и, возможно, дело вовсе не в ней, а в ее супруге... Но как сказать об этом грозному Николаю Леонидовичу, Марина Васильевна не знала.

Судьба смилостивилась над молодоженами, и после двух с половиной лет упорных стараний Марина Васильевна забеременела и разродилась здоровым и горлопанистым мальчиком, которого в честь отца нарекли Колей, или, как его прозвали в семье, Николашей-младшим.

Декан, ставший почти в пятьдесят лет отцом, не мог нарадоваться на свое чадо. Он проводил с ребенком все свободное время, брал его в гараж, носил на плечах, баловал, позволял плевать себе в лицо и колошматить маленькими, но увесистыми кулачками.

Затем настало время написания докторской диссертации. Николай Леонидович загорелся идеей стать доктором наук. В этом ему и помогла жена, умница, тихоня и вечная отличница. Именно она написала большую часть монографии, которую Николай Леонидович опубликовал под своим именем. При этом Николай Леонидович беззастенчиво крал идеи и целые куски текста из работ немецких авторов, благо что их мало кто знал в России и можно было с легкостью выдать их за собственные новации.

Он стал доктором наук, однако не получил заветное звание профессора. Доктор наук — и доцент! Это же курам на смех! Поэтому он велел именовать себя профессором, хотя не имел на это права, все документы подписывал именно так — доктор филологических наук, профессор Н. Л. Машнэ.

Едва ему было присвоено звание доктора наук, его самолюбие, и так немаленькое, раздулось до невероятных размеров. Он не переставал напоминать, что он единственный в Староникольске доктор наук, защитившийся по германистике. Это было правдой. Теперь-то он смог отомстить врагам, которых Николай Леонидович заводил играючи. Он был чрезвычайно злопамятным человеком, не прощал ни единой обиды — реальной или им же самим выдуманной. Студент, который не нравился ему, отчислялся с факультета под благовидным предлогом. Зато и друзей он выбирал старательно. Николай Леонидович искал пути к князю Святогорскому, бывал на вечерах у жены мэра и начальника милиции, тыкал главному режиссеру единственного в Староникольске Нового экспериментального театра.

И другие также старались сдружиться с деканом. Николай Леонидович установил контакты с Кельнским университетом. Немцы, плененные внешним обаянием Машнэ, с радостью приняли предложение о студенческом обмене. Два раза в год — весной и осенью — города обменивались студентами, которые по паре месяцев за счет принимающей стороны проходили практику за рубежом. Подобная программа оказалась настоящим золотым дном. Николай Леонидович безраздельно царил на факультете, подавляя любое неповиновение, он же прибрал к рукам и распределение заграничных стажировок. В Кельн направлялись дети высокопоставленных чиновников городской администрации, родственники работников университета или личных друзей самого Машнэ. Для отвода глаз, чтобы успокоить немецкую сторону, Николай Леонидович организовал конкурс, победителями которого и, соответственно, кандидатами в стипендиаты оказывались именно те, кого выбирал он сам.

Вообще-то Николай Леонидович, немец по этническому происхождению, мог бы уехать в Германию на ПМЖ. Его отец, сестра и братья давно жили в небольшом городке на юге Германии, а Николай Леонидович все не решался. Он понимал — в Германии не будет такой свободы и такой работы, там он станет одним из миллионов эмигрантов, которым предлагаются бросовые места. Да и возраст у него был невыгодный, подваливал пятый десяток, кому нужен такой работник? Лучше быть деканом в России, чем безработным немцем. Он с лихвой компенсировал свою жизнь при помощи невинных шалостей с финансовой отчетностью факультета. Никто не обращал внимания на то, что из кассы регулярно исчезало две-три тысячи долларов. Николай Леонидович действовал осторожно, не зарывался и всегда помнил о судьбе тестя-бухгалтера, который по-прежнему пребывал в местах заключения.

Студенты, зная нрав грозного декана, преподносили ему небольшие, но такие приятные презенты — микроволновую печь, чайный сервиз, запчасти для автомобиля. Николай Леонидович никогда никого не заставлял, но и не отказывался от подарков.

Родители нерадивых студентов лично навещали декана и после недолгого разговора покидали его кабинет, успокоенные. От них требовались услуги, например, устроить тещу в лучшую городскую клинику, организовать Машнэ и его семье бесплатную поездку на закрытую турбазу нефтезавода, обеспечить декана на зиму продуктами. Николай Леонидович знал, что в Москве ставки куда выше, но он довольствовался тем, что имел в провинциальном Старонникольске.

Все шло хорошо до злополучного июля, когда Николай Леонидович в очередной раз решил отправиться с семьей на отдых. Он, привыкнув не тратить деньги, а отдыхать за счет других, как всегда получил двухнедельный тур на прекрасную турбазу нефтезавода от отца одного из двоечников, которому Николай Леонидович поставил тройку. На турбазе ему нравилось классное обслуживание, кирпичные домики с кожаной мебелью и кондиционерами, закрытый пляж с белым песочком. Марина так удивительно загорала, их Николаша резвился в лягушатнике, а сам

Николай Леонидович катался на катамаране и наслаждался шашлыками.

Перед тем как уехать на отдых со всей семьей, в том числе и с тещей, Машнэ предстояло решить две проблемы. Первая — держать под неусыпным контролем процедуру приемных экзаменов. Иностранный язык был обязательным предметом для поступления на любой факультет, поэтому просители со всего университета стекались к Николаю Леонидовичу. Его супруга, Марина Васильевна, приватизировала русский язык и, соответственно, сочинения. Они были, пожалуй, одним из самых могущественных тандемов в университете, уступая пальму первенства только ректору и его жене.

С этой проблемой Николай Леонидович разобрался быстро. Оставив на хозяйстве свою заместительницу, Тамару Николаевну Астраханову, заведующую кафедрой английского языка, он мог отбыть на турбазу. Тамара Николаевна, женщина экспансивная, с волосами, похожими на ветви плакучей ивы, была подобием Николая Леонидовича в юбке — такая же хитрая, злопамятная и жадная до денег. Она одновременно занимала должность заведующей кафедры, заместителя декана и была к тому же директором одной из частных гимназий. Дав Астрахановой четкие наставления и потребовав от нее пропустить всех, кого надо, а долю Николая Леонидовича, как всегда, положить в сейф в его кабинете, он задумался над решением второй проблемы.

Это была не проблема, а проблемка. Кто, если он поедет на турбазу со всем семейством, останется дома, будет кормить кошку его тещи и поливать тещины же помидоры, выращиваемые в палисаднике за окном? Николай Леонидович никак не мог выбить у ректора новую квартиру в шикарной высотке в самом центре Староникольска. Декану, как назло, приходилось ютиться в старой трехкомнатной квартире жены в бандитском поселке. Никто из криминальных личностей не решился бы тронуть его квартиру, все знали, что брат его жены «шестерит» у Миши

Архангела, однако имелись безголовые подростки и наркоманы, ради дозы готовые продать родную бабушку.

Николай Леонидович, не привыкший к долгим разду-
мьям, решил эту проблему за счет других. Студенты, а на
что они? У него был верный аспирант, Владик Вевеютин,
толстопузый крепыш, который ремонтировал Николаю
Леонидовичу автомобиль, причем делал все бесплатно и в
удобное для декана время. Но у Владика была больная
мать! Хотя Николай Леонидович и говорил, что до защиты
диссертации никаких свадеб и болезней, все силы науке.

— Я в твои годы сидел ночи напролет! — заявлял он,
сверкая глазами, Владику.

Николай Леонидович не обманывал, в бытность свою
аспирантом он действительно сидел всю ночь напролет —
но не над учебниками или рукописью диссертации, а в
ресторанах и кафешках. Диссертацию он вымучил, на защите он выглядел смешно и жалко, не сумев толком ответить ни на один вопрос, и председатель совета, закрыв на
это глаза, призвала коллег проголосовать «за».

— Вевеютин отпадает, а жаль, — сказала Марина Васильевна. — Но знаешь, Владик предложил мне хорошую
замену. Пусть поживет у нас две недельки его подружка,
Олеся, кажется, она у тебя, Коля, пишет курсовую.

— Отличная идея, — одобрил Николай Леонидович. —
Конечно, именно Олеся. Как ее фамилия, Гриценко-Про-
ценко?

Вызвав к себе Олесю, Николай Леонидович сообщил
ей, что ей предстоит пройти испытание, которое доверяет-
ся только избранным.

— Какие у тебя планы на июль? — спросил он у Олеси,
и когда девушка ответила, что собирается отдыхать и приходить в себя после тяжелой сессии, декан, пронзив ее
взором, произнес: — Ты будешь жить у меня на квартире,
заодно работать над дипломом. У меня много материала
из немецких библиотек.

— Но, Николай Леонидович, — попыталась возразить
девушка. — Я не могу...

— Ты обязана, ты ведь ездила в Кельн на два месяца, а

Трудно быть солнцем

кто тебе поездку организовал? Правильно, дорогуша, именно я! Без меня ты там никому со своим позорным немецким не нужна. За Кельн надо платить!

Он поднял вверх костлявый палец и взглянул на Олесю поверх очков. Девушка тяжело вздохнула. Ничего не поделаешь. Идти против декана она не сможет, ей надо еще год отучиться, а потом свобода... Хотя если она намеревается идти в аспирантуру к Машнэ, то это означает еще три года каторги. Поэтому, не смея возражать Николаю Леонидовичу, Олеся была вынуждена согласиться.

Она прибыла утром в день отъезда в квартиру Николая Леонидовича, куда добиралась на перекладных два с половиной часа. Декан заявил, что она должна быть у него ровно в восемь, так как он с семьей намеревается уехать с утра, когда солнце еще не так палит.

— Молодец, помоги-ка Марине Васильевне вынести кое-какие вещи в машину, — сказал декан, вручая Олесе тяжелый ящик с детскими игрушками.

Через десять минут, когда «девятка» была забита вещами, а Николаша, визжа и брызгая слюной, кричал, что хочет спать, Николай Леонидович давал Олесе последние наставления в темном коридорчике квартиры.

— Компьютером не пользоваться, он тебе не нужен. Спать будешь в холле, на раскладушке, белье Лидия Ивановна тебе оставила. В квартире проводи весь день, я буду звонить и контролировать. Денег я тебе не оставляю, у меня есть картошка и провизия в холодильнике. Но мясо в морозилке не трогай, это соседское. Все понятно?

Олеся открыла чуланчик и с грустью посмотрела на небольшую кучку давно проросшей прошлогодней картошки, над которой вились мошки.

— Вот и брюква, — указал Николай Леонидович на огромный корнеплод, покрытый с одного бока белым налетом плесени. — Ты его или съешь, или выбрось. Корми кошку три раза в день, если пакеты с «Вискасом» закончатся, купи за свой счет, я тебе потом компенсирую. Поливай помидорчики Лидии Ивановны раз в сутки, лучше всего часов в пять-шесть утра, по два ведра под куст. И вот еще что...

Николай Леонидович, облаченный в бермуды и цветастую рубашку, снова пронзил девушку взглядом пираньи:

— На днях проездом будет брат моей супруги, Виктор Васильевич. Он коммерсант, едет с Украины в Москву. Сделает в Староникольске остановку на ночь. Он будет спать в гостиной. Ты его прими и накорми. Мы не в курсе, когда он будет точно, в течение этой недели. Так что ты никуда не отлучайся, у него же нет ключа! Ну, пока!

Декан отбыл, оставив Олесю Гриценко на хозяйстве. Денег не было, продуктов тоже, и даже белье, которое ей выделил Машнэ, было украшено фиолетовыми штампами детского садика, где когда-то работала теща декана.

В квартире профессора Олеся обнаружила несколько ящиков с научной литературой, которая адресовалась факультетской библиотеке, но стала личной собственностью Машнэ.

— Ну вот я и попалась, — сказала Олеся самой себе, когда осталась одна. — Владик, будь он неладен, зачем он предложил меня в качестве сторожа Машнэ?

Ее приятель Владик Вевеютин не скрывал, что инициатива исходила от него.

— Подумай сама, декан тебя запомнит, он будет тебе благодарен. Я и сам в прошлом году у него жил три недели в августе, и ничего. Но у меня же мама больная, сама знаешь, я не могу ее оставить!

Владик, как всегда, желал выслужиться. Работа над диссертацией у него застопорилась, и Николай Леонидович сказал, что если он хочет вовремя защититься, а не загреметь в Чечню, то нужно работать, работать и еще раз работать. Причем подразумевалось — работать на самого Николая Леонидовича...

Брат Марины Васильевны прибыл через четыре дня под вечер. Олеся варила себе гречневую кашу, мешок которой, все равно полученный в подарок, щедрый декан оставил ей на пропитание. Услышав звонок, девушка посмотрела, как и велел Николай Леонидович, в «глазок».

Трудно быть солнцем

Перед ней возникло массивное, будто высеченное из гранита лицо с челюстью неандертальца, короткая стрижка, увесистая золотая цепь вокруг шеи.

— Это я, Виктор Миловидов. Открывай!

Олеся повиновалась. Миловидов прошел в квартиру. Она почему-то представляла его себе другим, неким худосочным вежливым доцентом, а перед ней стоял бугай-мафиози.

— Будем знакомы, Виктор, — он протянул Олесе заскорузлую руку. Его глубоко посаженные глаза ощупывали ее ладную фигурку, и девушка пожалела, что стоит перед ним в легких шортиках и майке. Его взгляд замер на ее груди.

— А ты красивая, — сказал он, причмокнув, и добавил матерное слово. — Ну, где мне тут еда? Мать сказала, что оставила мне палку сервелата и коробку конфет.

Он деловито распахнул дверцу холодильника.

Олеся содрогнулась. Только сегодня утром она позволила себе отрезать от палки сервелата небольшой кусочек, так как Николай Леонидович не оставил в холодильнике ничего, кроме прокисшего борща, куска сала и большой головки чеснока. Да и коробку конфет она вскрыла накануне.

— Что это? — Миловидов повертел в руках колбасу и понюхал ее. — Почему не целая, они что, не могли оставить целую? Ну и жадюги! И где коробка конфет?

— Я ее съела, — произнесла Олеся. — Уж извините, так получилось.

— Ах вот оно что, — протянул Миловидов. — Ты ее съела, красавица! А что же мне-то делать, скажи на милость? Ну-ка, где телефон, позвоню зятю, выясню, почему это его студентки поедают то, что им не принадлежит!

Николай Леонидович, которому Миловидов подробно изложил суть произошедшего, в строгих, лающих тонах отчитал Олесю и еще раз напомнил, что мясо в морозилке трогать нельзя, оно — соседское.

Олеся понимала, что декан, как это обычно и бывало, врет, но что она могла поделать? Приходилось тратить собственные деньги, чтобы купить продукты. Вот так-то! Она в который раз прокляла Владика Вевеютина, который под благовидным предлогом избежал участи обитания на квартире декана.

Брат Марины Васильевны, доев колбасу, растянулся на диване в гостиной и захрапел. Олеся осторожно включила в соседней комнате телевизор. Через пять минут перед ней возник Виктор Васильевич. Он схватил пульт...

— Я же сплю, ты что делаешь, красотка! — сказал он и выключил телевизор. — Смотри у меня, вот позвоню опять декану, он тебе снова задаст трепку. А то развели, понимаешь, студенток, которые старших не уважают.

В который раз Олеся ощутила на себе плотоядный, ощупывающий взор Виктора Миловидова. Девушке стало не по себе, она поежилась. Он завтра уедет, успокоила она себя, и все будет позади. Надо немного потерпеть, и скоро она окажется дома!

— Ладно, бывай, я поеду в город по делам, — сказал около девяти вечера Виктор Васильевич и, как обычно, добавил несколько непечатных выражений.

— А когда вы вернетесь? — спросила с тревогой Олеся. Вообще-то она надеялась услышать, что Миловидов уедет уже сейчас, однако брат Марины Васильевны произнес:

— А тебе-то какого хрена, дорогуша, это нужно знать? Когда приеду, тогда и приеду. Ясно? Но ты меня не жди, ложись спать!

Она последовала его совету и улеглась спать. Резкий звонок разбудил ее около половины третьего. Олеся, ничего не понимая, открыла глаза и в страхе уставилась в темноту. Что происходит?

Звонок прозвенел еще несколько раз, в дверь затарабанили. Она поняла — вернулся Виктор Миловидов.

Олеся открыла ему дверь. Он был не один, вместе с ним на пороге стояла вульгарно накрашенная девица в мини-юбке, которая жевала жвачку и глупо хихикала.

— Это моя двоюродная сестра, ты ничего такого не подумай, — сказал Виктор Васильевич.

Трудно быть солнцем

Они с девицей скрылись в гостиной. Олеся улеглась на раскладушку, накрыла голову подушкой и постаралась снова заснуть. Однако ей мешала громкая музыка, хохот «кузины» Виктора Васильевича и другие специфические посторонние звуки.

Она не заметила, как заснула. Снова Олеся проснулась оттого, что громко хлопнула дверь. Часы показывали около пяти. Олеся взмолилась про себя — ну когда же все это закончится! Почему Миловидов не успокоится? Ведь и такие, как он, когда-то спят.

Колыхнулись занавески, около раскладушки возник Виктор Васильевич. В боксерских трусах он выглядел устрашающе. Он подошел к Олесе, сдернул с нее простыню и произнес:

— Пошли со мной танцевать, красотка! Эта шлюшка свалила, а я только вошел во вкус.

Он грубо схватил Олесю за руку. Девушка сопротивлялась. Ей совершенно не хотелось подчиняться глупым приказаниям этого доморощенного мафиози. Виктор Васильевич все же вытащил ее в гостиную, прижал к себе и, поглаживая по спине и ягодицам, прошептал:

— Красотка, как же ты мне нравишься!

Девушка испуганно отпрянула от него. Этого еще не хватало! Что она должна делать? Она же одна в квартире, с ней незнакомый полупьяный мужчина, сейчас раннее утро. Олеся была готова заплакать.

Миловидов толкнул Олесю на кровать. На нее обрушилось сто с лишним килограммов живой плоти. Олеся закричала и стала колошматить Виктора Васильевича кулаками. Он, не ожидая сопротивления, перевернулся на спину. Олеся вскочила на ноги и в чем была — в тонких шортиках и маечке — побежала к телефону. Она судорожно набрала номер сотового Николая Леонидовича. На десятом гудке сонный злобный голос декана ответил:

— Ну что еще такое, я слушаю, кто это?

Олеся, оглядываясь на гостиную, откуда в любой момент мог появиться Миловидов, зашептала:

— Николай Леонидович, извините, это Олеся. Брат вашей жены пытается меня изнасиловать, что мне делать?

Декан ответил:

— И из-за такого пустяка ты меня тревожишь! Тебе почудилось, Олеся. Это Витя так шутит. Ну-ка дай мне его, живо!

Олеся отошла к входной двери, открыла ее, вышла в общий коридор, а потом произнесла:

— Эй, с вами хочет поговорить декан!

На ее зов появился Миловидов, который, грозно сопя, взял трубку.

— Да, да, Колян, это я. Девчонка с ума сошла, ничего не было. Ну, она не так все поняла. Ну да, конечно, я бы никогда в твоем доме... Я понял...

Он протянул трубку Олесе.

— Колян желает с тобой поговорить, дура! И не бойся, не нужна ты мне, у меня и так баб полно!

Олеся с опаской приблизилась к телефону. Девушка была готова в любую секунду броситься наутек на улицу. Николай Леонидович грозным тоном сказал:

— Ты что позволяешь себе, Гриценко, звонишь мне ночью и обвиняешь Виктора Васильевича невесть в чем. У тебя что, нет чувства юмора? Он ничего не хотел с тобой сделать, запомни это!

— Николай Леонидович, брат вашей жены пытался меня изнасиловать, он повалил меня на кровать, — произнесла девушка, но декан прервал ее, выдал стандартную угрозу и повесил трубку.

Вслушиваясь в пищащие сигналы, Олеся взглянула на Миловидова. Тот, потирая руки, сказал:

— Ну что, съела, идиотка? Колян знает, что все в порядке. Он тебя отчислит из университета, если будешь сопротивляться. Так иди ко мне, я парнишка неплохой, даже денег тебе дам, если нужно. А то вопишь, бьешь меня! Хотя мне такие нравятся, как ты, дикие кошечки...

Олеся бросилась наутек, прихватив со стула свою одежду и кошелек. Она решила больше не возвращаться в квартиру к декану. Ей не хотелось быть изнасилованной

Трудно быть солнцем

сластолюбивым братом его супруги. Поэтому, дождавшись ближайшего автобуса, она отправилась домой, где все рассказала родителям. Те посоветовали ей не поднимать шума. Олеся была такого же мнения.

Однако днем в ее квартире раздался телефонный звонок. Декан Машнэ, брызжа слюной и истерично крича, вылил на Олесю потоки грязи.

— Ты что себе позволяешь, Гриценко! — орал он. — Ты бросила мою квартиру, уехала в неизвестном направлении! Да как ты смеешь! А если бы нас обокрали?!

— Николай Леонидович, ваш родственник хотел меня изнасиловать, я вам уже говорила, я не могла оставаться там и подвергать себя риску. Разберитесь лучше с ним.

Декан ответил:

— Это все твои жалкие выдумки, Виктора Васильевича я прекрасно знаю, он на такое не способен. Значит, ты отказываешься вернуться ко мне на квартиру?

— Да, отказываюсь, — набравшись храбрости, заявила девушка.

— Ты об этом пожалеешь, — сказал декан. — Ты об этом очень пожалеешь, Гриценко!

Олеся испугалась. Декан, как она знала, был крайне злопамятным человеком. Но не отдаваться же из-за этого брату его жены!

Через день ей позвонила супруга Николая Леонидовича, интеллигентная русистка Марина Васильевна. Шипящим голосом она сказала:

— Учти, дорогуша, ты нас очень разочаровала. Николай Леонидович считал тебя почти дочерью, а ты так повела себя. Из-за твоего идиотского поведения, Гриценко, мы вынуждены вернуться домой. Ты испортила нам отдых. Староникольск — городок маленький, карьеру ты себе здесь не сделаешь. Николай Леонидович пока что не задействовал свои связи, но он это непременно сделает. Обо всем, что произошло, ты никому не скажешь! Ты поняла меня, Гриценко?!

Олеся на этот раз разозлилась. Почему это ей, жертве, еще и угрожают? Что такого она сделала — убежала от мужика, который хотел изнасиловать ее? И с каких пор подобное поведение стало неправильным?

День спустя около многоэтажки, где жила Олеся, затормозил серебристый «Ниссан», из которого появился Виктор Васильевич Миловидов. Он приехал поговорить с девчонкой и вправить ей мозги. Когда Олеся увидела его на пороге собственной квартиры, первым инстинктивным желанием девушки было захлопнуть дверь. Однако Миловидов ловко вставил в щель между косяком и дверью ногу и заявил:

— Соплячка, ты что себе позволяешь, ты сбежала, бросив меня одного, а потом еще хамишь моей сестре! Да я тебя в порошок сотру, дура! Чтобы заткнулась и молчала в тряпочку, иначе я тебя по стенке размажу. Ясно тебе?! Миша Архангел тебя в цемент закатает!

На семейном совете, который состоялся вечером того же дня, было решено добиваться правды. Олеся на следующий день отправилась в университет, к заведующей учебным отделом, протянула ей заявление, в котором просила оградить ее от нападок декана Н. Л. Машнэ. Холеная дама, прочитав бумажку, сказала ласковым голосом, скрывая испуг:

— Олеся, прошу тебя, расскажи мне, как все было?

Девушка честно рассказала всю историю. Дама, качая головой, вздыхала и поддакивала. Никакого скандала, все уладить без шума — вертелось у нее в голове.

— Какой ужас, какой ужас, — шептала она. — Я не могу в это поверить, Олеся! Вот это да! С каких пор студенты стали личной собственностью декана! И ужасное поведение господина Миловидова! Олеся, это подлинный скандал. Но знаешь, пока что не выноси это на всеобщее обсуждение, я сама поговорю с Николаем Леонидовичем. Он не прав, но дадим ему шанс исправить допущенные им ошибки.

Вместо этого раздался еще один телефонный звонок. Супруга Николая Леонидовича ледяным тоном заявила:

— Гриценко, у нас пропало восемьсот рублей, кожаный блокнот и дорогие ручки, купленные Николаем Леонидовичем за границей. И кое-что по мелочевке — лак для ногтей, заколки, мои серебряные сережки. Я знаю, их взяла ты. Верни их, а то будет плохо. Немедленно верни и попроси прощения у Николая Леонидовича. Тогда у тебя есть шанс продолжить обучение. Староникольск— городок маленький, мы тебя везде достанем! Иначе...

Не договорив, она положила трубку. Олеся едва не заплакала. Она снова бросилась в университет к доброй даме из учебного отдела. Та вздохнула:

— Олеся, я тебя хорошо понимаю, но ничего поделать не могу. Николай Леонидович сказал мне, что ты на самом деле украла у него множество ценных вещей и теперь пытаешься очернить его с семьей. Так что, если это так, верни ему вещи.

— Я ничего не брала! — воскликнула Олеся. — Клянусь вам, это все ложь!

Дама снова покачала головой и сказала:

— Но не может же быть, чтобы Николай Леонидович обманывал меня. Нет, Олеся, тебе никто не поверит. Ты глупо себя повела. Мне тебя искренне жаль! Проси у него прощения, это твой единственный шанс!

Олеся использовала свой «единственный шанс» — она отправилась на прием к ректору. Ей не удалось убедить секретаршу пропустить ее к нему, поэтому, изложив всю историю подробно на бумаге, она положила ее в канцелярии. Документ рано или поздно попадет на стол к ректору...

Ректор вызвал ее к себе неделю спустя. Он был готов к разговору, внимательно выслушал Олесю и сказал:

— Я уже беседовал с Николаем Леонидовичем. Он утверждает обратное, говорит, что именно вы являетесь инициатором скандала. И обвиняет вас в краже вещей. Однако Машнэ мне знаком, увы, слишком хорошо. Понимаете, Олеся, тяжелое детство, ужасы несправедливой депортации...

— Но он угрожал мне, его жена и ее брат тоже, — сказала девушка. — Прошу вас, помогите мне!

— Пусть не забывает, что в университете пока я хозяин, — веско заметил ректор. — Его светлость князь Александр Феликсович не потерпит подобного скандала, репутация вуза дороже всего. Тем более, я склонен вам верить. Я поймал Николая Леонидовича на нескольких противоречиях во время моего с ним разговора. Он нарушил профессиональную этику, и я его накажу, не сомневайтесь. Но скажите, Олеся, вы состоите в Секте Тринадцати?

Девушка оторопело уставилась на ректора. О чем он говорит, какое отношение ко всему этому имеет Секта Тринадцати?

Заметив ее полное недоумение, ректор, благодушно улыбаясь, сказал:

— Вижу, что и тут Николай Леонидович пытался меня обмануть. Он утверждает, что вы, Олеся, сектантка, ваши родители активные члены этой организации, они постепенно сошли с ума и вовлекли вас в это дело. Николай Леонидович с жаром описывал мне ужасы, которые вы оставили после себя в квартире — черные кресты, сатанинскую библию... Однако когда я его спросил, почему, зная об этом, он решил оставить вас у себя на квартире, он не нашелся, что бы придумать.

— Я не имею никакого отношения к секте, — проговорила Олеся.

— Ну и хорошо, в любом случае это ваше личное дело, — сказал ректор.

Он явно был доволен. В страшном сне ему виделось, что скандал, как девятый вал, погребает под собой весь университет. Он понимал, что газеты, особенно оппозиционные, наподобие местного листка демократов «День за днем», с радостью ухватятся за подобный материал. А это может стоить места не только самому Машнэ, но и ему, ректору. Князь Святогорский более всего заботился о репутации университета. А терять свое кресло из-за девчонки, точнее, из-за братца Миловидовой, ректору не хотелось.

— Я обещаю вам, что Николай Леонидович не причинит вам вреда. Не беспокойтесь, он из той породы собак, что лают, но не кусают. Я сделал ему внушение, он не посмеет идти против моей воли, — заверил ее ректор. — Начинайте учебный год, желаю вам успехов, Олеся.

Трудно быть солнцем

Девушка успокоилась. Звонки с угрозами прекратились. Зато ее лучший друг, крепыш Владик Вевеютин, который охал, слушая ее историю, и обещал набить морду Миловидову, быстренько смотал удочки.

— Олеся, нам придется расстаться, — сказал он с выражением ханжества на лице. — Я тебе не верю. Ты мне изменяешь!

— О чем ты! — воскликнула Олеся. — Ты что, с луны упал?

Олеся не знала, что Владик, обработанный речами Николая Леонидовича и в особенности Марины Васильевны, дрожал за собственное будущее. Декан, его научный руководитель, потребовал, чтобы Вевеютин расстался с Олесей. Иначе, как сказал, воздевая к небу длинный костлявый палец, Машнэ, о защите можно забыть. Владик Вевеютин испугался. Ему совсем не хотелось идти в армию. Поэтому он с легким сердцем пожертвовал Олесей. В любом случае он давно собирался завершить с ней отношения.

После взбучки, устроенной ректором, Машнэ затаился. Он понял, что нельзя действовать открыто и напрямую. Ему бы так хотелось подписать приказ об отчислении Олеси Гриценко, но это противоречит всем нормам, его решение отменит любой суд... Но и оставить без наказания оскорбление, которое нанесла ему Гриценко, никак нельзя. Они с женой пытались выдумать новые обвинения — они перебрали все, что имелось в их распоряжении. Генератор идей, старая русалка Марина Васильевна, предлагала помимо воровства, сумасшествия и сектантства обвинить девушку в распутстве и приеме наркотиков.

— Все, Марина, эта шваль нас опередила, — сказал Николай Леонидович, вернувшись домой после напряженного разговора с ректором. — Она была у него и все ему рассказала. Мне нужно было самому идти к нему, тогда бы мне удалось повернуть все в нашу пользу. Он ей верит.

— Я тебе давно говорила, Коля, что ректор тебя не любит.

— Я знаю, — сказал Машнэ. — Он меня терпит, потому что я единственный в Староникольске доктор наук по германистике, поэтому мне и удалось стать деканом. Представляешь, он мне сказал, что деканы тоже сменяются!

— Чертова Олеся, чтоб ей сдохнуть, — злобно прошептала теща, Лидия Ивановна, присутствовавшая при разговоре супругов. — Мариночка, что теперь будет?

— Да ничего! — сказала Марина Васильевна, покрываясь бордовыми пятнами, что выражало высшую степень возмущения. Ее седая коса задергалась, рот искривился. — Коля, подожди, Гриценко еще защищать диплом и сдавать госы. Вот там-то ты ей и отомстишь по полной программе. Красного диплома ей не видать...

Однако Николаю Леонидовичу хотелось крови. Он сказал:

— С каким удовольствием я задушил бы эту сволочь.

— Коля, успокойся, — сказала Марина Васильевна. Ее голубые глаза загадочно сверкнули. Она поняла, каким образом она лично отомстит Олесе Гриценко. Но Коле не обязательно знать об этом.

— Не нагнетай обстановку, забудь об этой засранке, — она поцеловала мужа.

Но мысль о мести упорно засела в ее голове. Николай Леонидович, который отсутствовал дома в ночь с пятого на шестое, изможденный, с темными кругами под глазами, вернулся под утро, поставил машину под окном и тяжело бухнулся на супружескую кровать. Марина Васильевна, завернувшись в простыню, притворилась спящей. Коля не знал, что она сама вернулась всего полчаса назад. Никто не знает о ее маленькой тайне... Она имеет на это полное право.

Узнав об убийстве Олеси Гриценко, Николай Леонидович устроил дома небольшой семейный праздник. Он откупорил бутылку французского шампанского (подношение одного из благодарных студентов), Марина Васильевна навертела спагетти с томатным соусом, Лидия Ивановна испекла яблочный пирог. Николаша-маленький, подпрыгивая, танцевал с бабушкой около отца, играющего на баяне.

— Она умерла, умерла, умерла. Ведьма умерла! — кричал мальчик.

— У ты, наша радость, умница, гениальный ребенок, — не могли нарадоваться на него родители.

Николай Леонидович был немного обеспокоен — а вдруг о том, что его не было дома в ночь убийства, узнают в милиции.

Марина Васильевна, наоборот, не испытывала ни малейшего беспокойства по поводу того, что дома ее в ту ночь не было.

21 августа

Дверь в склеп с тихим шелестом захлопнулась. Фигуры — на этот раз их было около двадцати — одна за другой спускались по каменной лестнице вниз, к гробам. Никто не имел представления о том, что собрания Секты Тринадцати иногда проходят практически в самом центре Староникольска, на старом кладбище, в одном из склепов.

Свечи освещали гранитные стены, в склепе было прохладно и сыро. Предводитель секты, двухметровый колосс, скрытый, как обычно, черным плащом с капюшоном, произнес глухим голосом:

— Братья и сестры! Рад видеть вас снова! Сегодня мы завершим наш ритуал. И примем новых членов в наше братство!

Он воздел к потолку руки и заговорил на латыни что-то непонятное. Собравшиеся в почтении внимали его голосу. Прошло полчаса, затем, как обычно, раздался призывный глас:

— Жертву, жертву, подайте нам жертву!

В руке у главного сектанта мелькнул острый кинжал, одна из фигур в черном держала большой кубок из серебра, на боках которого были изображены черепа и магические символы.

— Подайте нам жертву, жертву, жертву...

— Деточка, посмотрите, снова роскошный букет от князя Александра, — Виктория Карловна внесла в комнату Юлии корзину белых роз. — Какие чудесные!

Директриса лукаво посмотрела на Юлю и сказала:

— И записка.

— Читайте, — попросила Крестинина.

Князь выражал ей благодарность за чудесно проведенный вечер. Накануне Юлия согласилась отужинать со Святогорским в лучшем ресторане Староникольска, «Золотом драконе». Юлия не особенно любила китайскую кухню, однако выбор блюд поразил ее. Официанты сбивались с ног, стараясь угодить князю и его спутнице. Юлия, облаченная в темно-синее платье, выглядела просто потрясающе. Святогорский об этом ей сказал.

Князь явно пытался ей понравиться. После того как экспертиза установила, что найденные в парке останки принадлежат ее прабабке, бесследно исчезнувшей в 1916 году актрисе Анне Радзивилл, Староникольск стал ареной журналистских баталий. Сенсация, хоть и несколько замшелая, все равно вышла на первые полосы газет, появилось несколько сюжетов по федеральным каналам. Все задавались вопросом — кто виноват в смерти очаровательной Анны, которая стала жертвой убийства?

— Я тоже хочу выяснить это, — сказал ей князь Святогорский. — Понимаете, Юля, все эти годы над нашим родом, как дамоклов меч, висит обвинение в том, что мой дед, Феликс-младший, и был тем самым «цветочным убийцей». Но я в это не верю.

Крестинина промолчала. Она тоже не верила в это, но пока никаких доказательств у нее не было.

В ресторане, к своей досаде, она заметила Виталия, своего бывшего друга, который появился там вместе с женой. Закусив губу, Юлия рассматривала невысокую изящную блондинку. Вот кого предпочел ей Лаврентьев.

Глава строительной фирмы кинулся к князю. Юлия не говорила Святогорскому, что знакома с Виталием. Он несколько раз пытался с ней связаться, но она отвечала ему отказом. Ей не о чем с ним говорить. Юлия пожалела, что

Трудно быть солнцем

в качестве украшения надела в этот вечер змейку с изумрудными глазками, которую подарил ей при расставании Виталий.

— Очень надежный человек, — прокомментировал князь, когда Виталий вернулся к своему столику. — Вы с ним уже знакомы?

— Нет, — ответила Юлия. — Видела его в тот день, когда... Когда были обнаружены останки Анны.

— Жена Виталия, изящная дама, которая сидит вместе с ним, родом из Староникольска.

— Ах, даже так? — удивилась Юлия.

Ее поразила эта новость. Супруга Лаврентьева родом из Староникольска? Вот почему она чувствует себя так уверенно. Виталий никогда не упоминал об этом. Хотя они ведь не говорили о его жене, когда были вместе.

Юлия взглянула на князя. Он ей нравился. Любая на ее месте с восторгом ухватилась бы за такого ухажера. Молодой, красивый, донельзя богатый, еще и с американским паспортом и древним титулом. Ее тревожила мысль — ведь ее прабабка была любовницей его деда. Неужели история повторяется?

— Так, деточка, вы пленили князя, у вас это семейное, — сказала Виктория Карловна следующим утром. — Смотрите, у вас есть все шансы стать княгиней Юлией Святогорской. Князь не раз заявлял, что его жена будет родом из России, и вообще, он хотел бы жениться на девушке из Староникольска.

Юлия ничего не ответила. Князь Александр Святогорский... Связан ли он каким-то образом с убийством Олеси Гриценко или нет? Если история повторяется, то, возможно, и сам молодой князь, как его дед, совершает новые убийства. Но Юлия никак не могла поверить в это.

— А как вам наш Рома? — спросила ее Виктория Карловна.

Юлия улыбнулась. Похоже, директриса загорелась матримониальным жаром, решив во что бы то ни стало выдать Юлию замуж. Она познакомила ее с молодым следователем Романом Морозовым, единственным сыном старинной приятельницы. Роман Морозов работал в прокуратуре и, помимо того, что обладал симпатичной внешностью и чувством юмора, был ценным источником информации. Крестинина даже сомневалась, ради чего Виктория Карловна свела ее с Романом — чтобы представить нового потенциального жениха или чтобы получить сведения о расследовании убийства Олеси Гриценко из первых рук.

Роман был приятным в общении. Юлия, следуя наставлениям Олянич, задала несколько наводящих вопросов, якобы исключительно из вежливости интересуясь кошмарным убийством юной студентки.

— Пока что никаких подвижек нет, хотя декан местного университета имел все основания ненавидеть Олесю.

Морозов не был склонен делиться информацией, однако Виктория Карловна в два счета раскопала историю конфликта, имевшего место между Машнэ и Олесей.

— Николая Машнэ никто не любит, он чрезвычайно заносчивый и самолюбивый, — сказала директриса. — А его жена, приторно-сладкая, как сахарная вата, производит ложное впечатление тургеневской девушки. Старая ундина, вот она кто! На самом деле она помыкает Машнэ, а он и не подозревает об этом.

— Вы думаете, профессор может быть причастен к убийству Олеси? — спросила Юлия. — И на самом деле это никакое не возобновление цветочной серии, а всего лишь попытка навести следствие на ложный путь?

Директриса пожала плечами:

— Вряд ли, хотя кто его знает... Пока не совершилось второе убийство, если оно вообще произойдет, мы не можем ничего говорить. Но смотрите, ситуация в Старо-никольске похожа на затишье перед бурей — все ждут развития событий, никто не говорит вслух о «цветочных убийствах», хотя все знают, что Олеся стала жертвой нового маньяка. Да и скелет вашей прабабки... Это знамение, поверьте мне...

Торжественное погребение останков Анны Радзивилл

Трудно быть солнцем

было намечено на 22 августа. Официальное следствие по факту ее убийства даже и не начиналось — спустя почти девяносто лет это было бы просто смешно. Анна стала жертвой удушения. Убийца или убийцы неизвестны — и точка. Юлия связалась с родителями, они, шокированные страшной находкой, дали согласие на погребение Анны в Староникольске.

— Это будет крайне символично, деточка, — сказала ей Виктория Карловна. — Я сама обо всем договорюсь, останки Анны должны найти упокоение и быть погребены по-христиански. Отец Василий не откажется провести службу.

Юлия ощущала смутную тревогу. Виктория Карловна была права — в ближайшие дни должно что-то случиться. И только ночью, накануне погребения останков Анны, уже проваливаясь в сон, Юлия вспомнила — 22 августа в 1916 году была убита вторая жертва, Екатерина Ставровна Ульрих, молодая вдова. И много десятилетий спустя, в тот же самый день, другая жертва таинственного убийцы найдет упокоение на кладбище.

22 августа

Клара Оганесян, владелица салона красоты «Царица Савская», положила трубку телефона и взглянула на часы, тихо тикавшие на стене. Почти два часа ночи. Она устала как собака. Неудивительно — она еще не прилегла. Клара только что закончила разговор с мужем, который находился в Лос-Анджелесе.

Завтра, точнее, сегодня — тяжелый день. Клара знала: в три часа дня состоится погребение останков Анны Радзивилл, той самой актрисы, чьи кости нашли при рытье котлована в парке дворца князей Святогорских. Это значит, что с утра в ее салон, который был самым престижным в городке, одна за другой потянутся дамы высшего общества Староникольска. На погребение собирался весь бомонд.

Каждая хочет выглядеть на этой траурной церемонии

сногсшибательно и лучше, чем соперницы. Первой, на половину восьмого, была записана Алина Потоцкая, кинозвезда. Ее визит — огромная честь и отменная реклама для «Царицы Савской». Для Алины была разработана эксклюзивная программа, включающая тайский массаж и молочную ванну. Полтора часа — и ее красота засияет новыми красками. Мадам Кичапова, жена начальника милиции — в девять утра. Маникюр, массаж, новая прическа. В десять — жена мэра: косметическая маска, солярий, также новая прическа. В одиннадцать — супруга главного режиссера театра все с той же программой: маникюр и прием у стилиста. Затем по полчаса на супругу декана, мадам Миловидову, жену заместителя мэра, сестру главы налоговой инспекции и дочь директора нефтезавода. Весь день до половины третьего был расписан по минутам. Работы предстояло много.

Клара относилась к категории людей, которые всего добивались собственными усилиями. Она знала — тому, что салон «Царица Савская» является самым престижным в Староникольске, она в первую очередь обязана самой себе. Конечно, деньги ее мужа, крупного предпринимателя, тоже сыграли свою роль, они позволили ей начать собственное дело, но ведь она могла десятки раз прогореть, а все получилось иначе! Салон процветал, местная элита — в большинстве своем женщины, но также и мужчины — выстраивались в очередь, чтобы оказаться в стенах ее заведения. Клара по праву считалась одной из самых богатых женщин Староникольска, возможно, даже самой богатой.

Оганесян знала — ее не любили. Уважали, восхищались, ставили в пример — но не любили. Слишком удачливой она была, слишком многого она добилась к тридцати семи годам. Однако ей было наплевать на мнение других. Именно так она привыкла действовать, именно это стало ее девизом.

Клара почувствовала усталость. Пора отправляться в постель, все-таки завтра рано вставать, ей необходимо лично встретить Алину Потоцкую, затем бесконечная че-

Трудно быть солнцем

реда других клиенток. Нужно привести в порядок и саму себя, чтобы в три часа оказаться в соборе Вознесения на торжественной церемонии предания земле останков Анны Радзивилл. Страшное все-таки дело — оказаться погребенной спустя почти девяносто лет после смерти. Анну кто-то убил, но ведь она была не единственной жертвой этого «цветочного убийцы». Клара поежилась.

Ей показалось, что внизу хлопнула дверь. На секунду ей стало страшно. Еще бы, она находится в полном одиночестве в большом особняке, расположенном в элитном районе Староникольска. Муж уже второй месяц пребывал за границей, сначала во Франции, затем в Канаде, и вот теперь в США. Кирилл Оганесян занимался нефтяным бизнесом. Он поощрял деятельность жены, ему льстило, что записаться на прием в «Царицу Савскую» спешат самые богатые и влиятельные люди в городке. Кроме того, и это стало дополнительным стимулом, салон приносил ощутимую прибыль. Клара уже подумывала над тем, чтобы открыть небольшую клинику пластической хирургии. У нее был настоящий организаторский талант.

Клара прислушалась. Так и есть, где-то внизу, на первом этаже, хлопает дверь. Неужели она стала растяпой и забыла закрыть дверь террасы? Этого не может быть! Клара знала — в их особняке полно ценных вещей, драгоценностей и наличных денег, их неоднократно пытались ограбить, один раз бандиты даже вломились в дом, однако милиция, которая моментально отреагировала, задержала их. Клара все же решила проверить, что же такое происходит внизу. Осторожность никогда не бывает излишней.

В легком халате она спустилась по лестнице в гостиную, обставленную с большим вкусом. За стиль отвечала она и ее знакомые московские дизайнеры, ей с мужем приходилось принимать в особняке множество влиятельных персон, поэтому необходимо было поддерживать марку.

Клара подошла к хлопающей на ветру двери террасы. Так и есть, открыта! Она сама забыла запереть ее, когда работала в саду. Ну что же, бывает и такое. Клара закрыла дверь, включила сигнализацию. Теперь никто не сможет проникнуть в дом. Страх, который охватил ее несколько минут назад, отступил.

Она решила принять ванну. Давно пора отправляться в постель. Она привыкла спать по нескольку часов в день, отсыпалась она по субботам и воскресеньям, позволяя себе спать до полудня. Ура, еще один день, и наступят долгожданные выходные. Клара мечтала скорее увидеть Кирилла, который обещал вернуться через две недели, в начале сентября. Затем они поедут в отпуск, куда-нибудь на юг Франции или в Италию. В Староникольске лето уже практически закончилось. Последние дни хлестали дожди, температура упала, хотя иногда пробивалось и солнце.

Клара снова поднялась на второй этаж и оказалась в собственных апартаментах. Она открыла блестящий кран и стала напускать в огромную треугольную ванну воду. Клара посмотрела на себя в зеркало. Она является отличной рекламой для собственного салона. Ей почти тридцать восемь, но кто даст ей ее годы? Она выглядит, как молодая девушка. Сказывались постоянные тренировки в спортивном зале, забота о собственной внешности и правильное питание. Большинство дам в Староникольске посещали салон красоты только перед торжественными случаями, когда требовалось выглядеть особенно красиво, не затрудняя себя ежедневной заботой о внешности. Клара знала секреты большинства из них. Госпожа Белякина, супруга мэра, уже сделала две пластические операции — изменила себе нос и убрала с бедер лишний жир, причем все это держалось в строжайшей тайне. Супруга театрального режиссера обладала удивительно волосатыми ногами, жена полковника Кичапова до сих пор страдала угревыми высыпаниями на спине, а супруга декана университета мадам Миловидова потела, как бешеная лошадь.

Ванная комната, выполненная в светло-лазоревых и белых тонах, постепенно наполнялась паром. Клара скинула халат и шагнула в теплую воду. Добавила немного ароматной пены, улеглась в воду и закрыла глаза. Как же все-таки хорошо! Еще небольшое усилие, завтрашний день, и затем выходные и долгожданный отпуск.

Ее мысли вернулись к погребению Анны Радзивилл. Эта тема никогда не была ей чужда, еще девчонкой она рассматривала фотографию Анны в местном музее, и все потому, что...

Раздались тихие шаги, заглушаемые ковриками, расстеленными на полу ванной комнаты. Клара открыла глаза. Так и есть, Маркиза, ее любимая персидская кошка! Маркиза обладала удивительным качеством — она могла запрыгивать на дверную ручку, которая под тяжестью ее тела поворачивалась, дверь открывалась, и кошка проникала в любую комнату.

Маркиза в один прыжок оказалась на краю ванны и уставилась на хозяйку огромными глазами. Клара плеснула на кошку немного воды, та зафырчала и переместилась в сторону.

— Я сейчас выхожу, — сказала она Маркизе.

Однако ей так не хотелось покидать приятную ванну, вода обволакивала ее, Клара чувствовала, что засыпает. Так и произошло. Едва она закрыла глаза, как провалилась в легкий сон. Она не могла сказать, сколько проспала, однако ее дремота мгновенно пропала, когда она снова услышала мягкие шаги. Маркиза? Но кошка сидела на краю ванны и умывалась. Клара попыталась оглянуться, но не смогла. И чего она боится, в доме она одна, дом находится под защитой милиции!

Но судьба тех женщин, которые стали жертвами «цветочного убийцы»... Это было так давно, но всего лишь пару недель назад было обнаружено тело студентки. Об этом не распространялись, но у Клары всегда были сведения из первых рук. Бедную девушку кто-то самым зверским образом задушил в парке. Сначала ей вкололи наркотик, а затем накинули на шею черный шарф с изображением лилии. Лилия же покоилась и на теле студентки.

Клара поняла, что вызывало чувство беспокойства. Это странное письмо. Глупая шутка того, кто знал, что...

Но Клара никогда не распространялась на эту тему. Письмо, написанное странным почерком, гласило:

> Ты — эдельвейс, цветок невинный, Клара!
> Ты эдельвейс, что утром цвел. Завял и сник, когда
> Садовник на него набрел и
> Срезал стебель без труда...
> Садовник выбрал и тебя.
> Завтра ты умрешь.

Ей сразу же бросилось в глаза сходство. Именно такое письмо получила вторая жертва «цветочного убийцы», Екатерина Ульрих, Клара знала это так хорошо, потому что и сама интересовалась этой серией так и не раскрытых до сих пор смертей в 1916 году. Говорили, что виновник всего — князь Феликс Святогорский, но она почему-то не верила этому.

Она ничего не сказала Кириллу о странном послании. Это злая и жестокая шутка, возможно, происки конкурентов. Кто-то завидует ее успеху и богатству. Но Клара не позволит запугать себя, она не из робкого десятка.

Шума не было, но что-то, подобное шестому чувству, подсказало ей, что опасность рядом. Клара резко повернула голову и увидела фигуру, облаченную в черный плащ с капюшоном, которая стояла у самого края ванны. Женщина закричала и попыталась привстать. Паника охватила ее. Каким образом незнакомец оказался в ее доме? Рука, затянутая перчаткой, вонзила ей в плечо шприц, Клара почувствовал легкий укус иглы. По ее телу сразу же побежала усталость, глаза стали смыкаться. Она знала, нельзя поддаваться этому, она должна сопротивляться, должна, должна, ведь иначе она умрет, умрет, умрет...

Убийца, именовавший себя Садовником, с ухмылкой следил за тем, как Клара Оганесян пытается выбраться из ванны. Женщина рухнула в воду, человек в черном подошел к ней, подхватил тело и вытащил его на коврик. Все должно выглядеть, как и девяносто лет назад. Тело второй жертвы, Екатерины Ульрих, обнаружили перед зеркалом, тело второй жертвы этой серии убийств, Клары Оганесян, тоже найдут перед зеркалом.

Трудно быть солнцем

Из кармана прорезиненного плаща, с которого стекала вода, убийца извлек шарф с изображением эдельвейса. Клара внезапно открыла глаза и попыталась ударить Садовника, но силы с каждым мгновением покидали ее. Убийца усмехнулся и накинул ей на шею шарф. Через минуту все было кончено. Жизнь улетучилась из тела Клары Оганесян. Садовник спрятал в карман шприц, огляделся. Сколько раз ему приходилось бывать у Клары в особняке, и никто, никто в этом городе не знает, что именно он и есть убийца! Никто и никогда не узнает об этом! Сегодня 22 августа, день второй жертвы! Он совершит все пять убийств, а затем... Убийца не знал, что будет потом.

Садовник бросил на тело Клары эдельвейс. Все, как в первый раз. Цветок на груди жертвы, записка, шарф.

Кошка, испуганная возней, снова прыгнула на край ванны и, заметив тело хозяйки, оказалась около него, обнюхивая руку Клары. Убийца подхватил кошку, та замурлыкала. Надо же, она его помнит. Он погладил Маркизу, вышел из ванной, закрыл за собой дверь. Покинуть особняк было легким делом. Сигнализация срабатывала, если кто-то пытался вломиться снаружи, она не предусматривала таких случаев, когда кто-то, совершивший буйство, уходил прочь.

Накрапывал легкий дождь. Дождь был и в день убийства Екатерины Ульрих девяносто лет назад. Убийца это знал. Сегодня напряженный день, он окажется среди жителей Староникольска на погребении Анны. Приятно будет посмотреть на это зрелище!

— Проходите, проходите, — сказала Виктория Карловна, прокладывая себе и Юлии дорогу через толпу, запрудившую площадь около собора Вознесения. — Мы имеем полное право оказаться внутри. Все же вы — единственная наследница Анны Радзивилл, ее правнучка. Все остальные — не более чем любопытные зеваки, которые собрались здесь по такому трагическому поводу.

Юлия, облаченная в черное платье, бывшее ей удивительно к лицу, послушно следовала за энергичной директрисой, которая большим зонтом расталкивала людей. Виктория Карловна, одетая слишком тепло, принимала самое деятельное участие в организации погребения Анны. Она сумела настоять на том, чтобы Анна Радзивилл была похоронена на старом кладбище. Для этого ей пришлось сходить на прием к мэру и в очередной раз полаяться с ним. Белякин, скрипя зубами и опасаясь скандала, дал разрешение.

— Я знаю, как нужно управляться с подобными типами, — сказала Олянич Юлии. — Господин Белякин труслив. Кроме того, его жене хочется блистать в нашем маленьком обществе. Взгляните, вот и она!

Юлия перевела взгляд на госпожу Белякину, облаченную в роскошное платье с декольте, больше подобающее для вечернего приема, чем для процедуры похорон. Рядом с ней находился ее великовозрастный сын Стасик. Молодой человек, щурясь на ярком солнце, которое неожиданно выглянуло из-за туч после трех дней дождя, стоял около матери и улыбался.

— Что мне импонирует в мадам градоначальнице, так это то, что она не пытается скрывать своего сына. Да, Стасик фактически инвалид, с точки зрения нас, людей вроде бы нормальных, однако он удивительно добрый мальчик, — сказала Виктория Карловна. — Ага, весь бомонд здесь. Смотрите, а это, если не ошибаюсь, сама Алина Потоцкая!

Кинозвезда, одетая в черно-белый наряд и огромную шляпу, под руку вместе со своим супругом, Глебом Плотниковым, выбиралась из роскошного автомобиля, который, распугивая столпившихся гудками, подъехал почти к самому входу в собор. К Алине сразу же бросилось несколько десятков почитателей с блокнотами. Актриса, раздаривая улыбки, милостиво согласилась ответить на несколько вопросов местной газеты и дать пару автографов. Глеб Плотников, одетый в костюм, наблюдал за женой. Она — прирожденная дива.

— Посмотрите, госпожа Потоцкая, кажется, считает, что это «Кинотавр» или «Ника», а не торжественная церемония погребения, — с некоторой злобой произнес кто-то в толпе.

Виктория Карловна и Юлия оказались внутри храма Вознесения. Крестинина была там первый раз. Величественный и строгий, он был украшен старинными фресками. Завидев их, к ним сразу же заспешил молодой князь Святогорский. Поприветствовав Викторию Карловну, он обратился к Юлии:

— Надеюсь, вы не против, что я присутствую на этих похоронах.

— Конечно же, нет, — ответила вместо Юлии Виктория Карловна. — Дорогой князь, мы всегда рады вам. Ну что же, молодые люди, я оставлю вас наедине, мне необходимо еще поговорить с отцом Василием.

Директриса заспешила к священнику. Юлия усмехнулась. Виктория Карловна не скрывает своего желания выдать ее замуж. У нее даже есть выбор между князем и следователем.

— Спасибо за цветы, — сказала Крестинина. — Они, как всегда, великолепны!

— Ну что вы, — ответил Святогорский. — Мне приятно, что они вам понравились, Юля. К сожалению, сегодня такой мрачный повод...

Крестинина перевела взгляд на алтарь, где покоился дорогой гроб, разумеется, закрытый и затянутый сверху черной материей. Там покоились останки ее прабабки. Единственное, что у нее осталось в качестве воспоминания об Анне, так это брошь в виде дельфина, которую ей преподнес Роман. Вообще-то это было противозаконно, требовалась долгая процедура, заполнение множества бумаг и отменная нервотрепка, чтобы добиться права получить брошь. Однако Виктория Карловна, побеседовав с «милым мальчиком», убедила его, что ничего не произойдет, если правнучка Анны получит в дар брошь, которая и так принадлежит ей как прямой наследнице удушенной актрисы.

Князь продолжил:

— Не будем скрывать, многие думают, что мой дед,

который, как это известно, был неравнодушен к красоте вашей прабабки, и был тем самым «цветочным убийцей».

— Я в это не верю, — сказала Юлия. — И мне все равно, что́ кто-то будет говорить. Вы мой друг, князь!

Святогорский много раз просил называть его по имени, но Юлия никак не могла переломить некий психологический барьер. Князь ей нравился, но в нем было что-то, ее пугающее. Она не могла сказать, что именно. Какая-то затаившаяся в красивых глазах жестокость, что ли. Она не могла точнее сформулировать это.

— И, кроме того, именно вы финансируете эту дорогостоящую церемонию, князь. Вы имеете право присутствовать в храме и на кладбище!

К ним подошел Виталий. Лаврентьев, прибывший со своей женой, завел с князем разговор о насущных проблемах — прокладке подземных коммуникаций. Однако сам то и дело поглядывал на Юлию. Улучив момент, он сказал ей:

— Юля, мне надо все же с тобой поговорить. Позволь мне высказать тебе все! Давай сделаем это после похорон.

— Не самое удачное время, — ответила Крестинина. Супруга Виталия обернулась. Лаврентьев, взяв ее под руку, отошел прочь.

— И все же мне кажется, что вы знакомы, — сказал князь. — Или я ошибаюсь?

К ним присоединился Роман Морозов, который пришел в собор Вознесения вместе со своей матерью, пожилой хрупкой дамой, на плечи которой была накинута шаль. Заметив, что князь непринужденно беседует с Юлией, молодой следователь несколько напрягся. Это не ускользнуло от внимания подоспевшей Виктории Карловны.

— Ага, деточка, я смотрю, из-за вас у нас может состояться дуэль! Я же говорила, что без мужа из Староникольска вы не уедете. И кого вы предпочтете — князя или следователя? Князь богат и родовит, но зато Роман, кажется, искренне вами интересуется. А для Святогорского вы не более чем новая игрушка, ему будет забавно повторить любовную связь, которая уже была между его дедом и покойной Анной. Но я смолкаю, смотрите, отец Василий начинает!

И в самом деле, священник начал службу. Все мгновенно смолкли, разговоры затихли. Юлия, вслушиваясь в красивые слова и перекаты голоса отца Василия, пыталась составить мнение о тех, кто собрался в храме. Что привлекло их на похороны Анны? Никто не заставлял их приходить сюда, это была их личная инициатива. Как сказала Виктория Карловна, люди хотят отдать дань уважения ее прабабке и завершить страшную историю, которая началась в 1916 году. Но так ли это?

Юлия не знала. Она взглянула на князя, который замер рядом с ней. На его холеном лице маска спокойствия, но она, как опытный психолог, видит, что он волнуется. Почему?

Роман Морозов, опустив голову, даже не смотрит на гроб, к которому приковано всеобщее внимание, думает о чем-то своем. О чем?

Масса красиво одетых мужчин и женщин, среди них Алина Потоцкая. Экранная звезда была бледна, это просматривалось даже сквозь толстый слой ее косметики. Она встревожена, но чем?

Юлия не могла найти ответы на многочисленные вопросы. Она увидела Почепцова, который, вытянув шею, с выражением крайнего любопытства на птичьем лице всматривался в гроб. Странная ухмылка, даже страшная, как будто Валерий Афанасьевич что-то знает, но не хочет делиться тайной.

Служба закончилась, началась процедура похорон. Дюжие молодые люди, облаченные в черные фраки, подхватили гроб с останками Анны и вынесли его на улицу. Затем погрузили в карету, запряженную семью лошадьми в черных попонах, и катафалк двинулся по направлению к старому кладбищу. Праздная толпа последовала за повозкой. Юлия шла несколько отдельно ото всех, она чувствовала на себе взгляды публики и слышала голоса, которые доносились до нее:

— Это правнучка, она была здесь, когда нашли кости Анны, представляете!

— А как похожа, она копия Радзивилл...

— Вы слышали, ведь убийство этой студентки так и не раскрыли, на ее теле нашли цветок. Значит, кто-то снова принялся убивать?

— Клары сегодня не было в салоне, вы представляете? Я пыталась звонить ей на сотовый, затем в особняк, но никто не брал трубку. И на похоронах ее нет. На нее так непохоже! Она обещала мне сделать массаж!

— Наверняка укатила в отпуск, она мне говорила, что собирается с Кириллом во Францию...

У Юлии вдруг закружилась голова. Не хватало во второй раз упасть в обморок. Совладав с накатившей слабостью, она оглянулась. Ей стало страшно. Она здесь чужая, в Старонокольске она всего лишь правнучка «той самой» Анны. Внезапно у Юлии мелькнула идиотская мысль. Ей показалось, что в толпе она видит человека, облаченного в плащ и с натянутым на лицо капюшоном. Нет, видение, иллюзия, сон... Убийцы Анны, таинственного Садовника, о котором писала Елена Карловна Олянич, никак не может быть среди гостей. Хотя бы потому, что прошло почти девяносто лет с того момента, как умерла Анна. Убийца, будь ему тогда всего лишь восемнадцать или даже пятнадцать лет, давно мертв.

Через полчаса процессия достигла старого кладбища. Для погребения Анны было отведено место около склепа князей Святогорских. Юлия снова услышала шепоток:

— А посмотрите на молодого Сашу, он белее полотна. Представляете, Анна будет лежать около его деда Феликса. Жертва и убийца рядом, вот ужас-то!

Еще несколько минут, напутственное слово отца Василия — и гроб заскользил в могилу. Юлия, подойдя к краю, бросила цветок. Слава богу, что не розу, подумала она. Ведь именно роза была приколота к платью Анны. Приколота ее убийцей.

Могила стала быстро заполняться землей. Толпа не расходилась. Обещались поминки в ресторане, бомонд ждал

Трудно быть солнцем

этого. Внезапно новый слух, как ветер, пронесся среди собравшихся. Юлия снова обернулась. Все о чем-то шептались, с тревогой посматривая на нее. Виктория Карловна, как всегда пронырливая и вездесущая, подошла к Крестининой.

— Юленька, деточка, — сказала она. — Я понимаю, что не самый подходящий момент, но все же... Я думаю, вам нужно знать... Всего полчаса назад в собственном особняке была обнаружена мертвая Клара Оганесян, владелица элитного салона красоты «Царица Савская». Она была убита, задушена шарфом с изображением эдельвейса. И такой же цветок, белоснежный эдельвейс, покоился у нее на груди. Садовник снова срезал новый цветок. Убийства продолжаются!

В особняке супругов Оганесян вовсю кипела работа. Тело жертвы, тщательно сфотографировав, увезли, особняк оцепили, эксперты пытались обнаружить отпечатки пальцев.

Полковник Кичапов, которому о страшной находке сообщили прямо во время службы в храме, расхаживал по гостиной и отдавал приказания:

— Так, шевелимся! Где врач, уехал вместе с трупом в морг? Чтобы сегодня же у меня на столе был отчет.

— Убийца, вероятнее всего, или был впущен в дом самой Оганесян, или находился там, или имел ключ, или...

— Или, или, или! — раскричался Кичапов. — Или ее убили зеленые человечки! Мне нужны не версии, а точная, без единого изъяна и вопроса картина случившегося. Этот сраный «цветочный убийца» продолжает душить женщин. Убийство студентки так и осталось «висяком», а мэр насел на меня, требует скорых результатов. Гриценко была никем, у нее родители то ли врачи, то ли учителя, а вы знаете, кто супруг Клары Оганесян? Одно его слово, и весь Староникольск останется без бензина. Он очень важный человек!

Полковник разозлился не на шутку. Вторая жертва, опять идиотское письмо, как и в случае с Гриценко, опять шарф и цветок. Текст письма — весь, за исключением имени, скопирован буква в букву с письма, которое получила вторая жертва цветочных убийств в 1916 году.

— Найдите мне этого имитатора, он получит пожизненное! — кричал Кичапов. — Жаль, что отменили «вышку», такого надо расстрелять!

— Есть результаты, — доложил полковнику один из подчиненных. — Следы в саду. Хорошо, что ночью шел дождь...

Картина вырисовывалась следующая: некто, облаченный в резиновые сапоги сорок второго размера, проник в сад, а оттуда каким-то образом в дом. Там и совершил убийство. Тело, лежащее на полу в ванной, было обнаружено около половины третьего пополудни сестрой покойной, которая, обеспокоенная тем, что Клара не появилась в салоне и на похоронах, решила навестить ее.

— Звонит врач. — Кичапов взял трубку старинного телефона, отделанного малахитом.

— Ну что, докладываю, — произнес патологоанатом. — Как раз провожу вскрытие...

— Мне наплевать, чем ты занимаешься, — сказал, кипя от ярости, полковник.

— Ладно, ладно, — миролюбиво сказал врач. — Итак, то, что она удушена, видно невооруженным глазом. Клара была убита таким же образом, что и студентка Гриценко. Вначале ей при помощи инъекции впрыснули наркотик, который лишил ее сознания, а затем убили. Смерть произошла двенадцать-четырнадцать часов назад, точнее пока сказать не могу, потому что тело пролежало на полу с подогревом в заполненной паром ванной комнате...

— И это все? — вскричал Кичапов. — Ну ты даешь, все это я мог бы и сам тебе сказать после пятиминутного осмотра тела жертвы. Работай, Сергеич, и звони мне немедленно, если наткнешься на что-то важное.

— Как продвигаются дела? — услышал полковник скрипучий голос мэра. Надо же, пожаловал! Сейчас при всех подчиненных устроит разнос. Петр Первый, он же Петр Георгиевич Белякин, любит задать строгача. Сначала по-

Трудно быть солнцем

Антон ЛЕОНТЬЕВ

бывал на похоронах этой Анны, затем отобедал за счет Святогорского в «Золотом драконе», а теперь, не обремененный заботами, приехал инспектировать работу правоохранительных органов. Полковник натянул на лицо приличествующее ситуации выражение и дал себе зарок не спорить с мэром.

— Ну что, Кичапов, опять проворонил жертву? — первым делом произнес мэр, входя в гостиную. — Мне звонил Кирилл Оганесян и требовал немедленно бросить все силы на раскрытие дела об убийстве его жены. Он сейчас в спешном порядке вылетает из Лос-Анджелеса в Москву. К его приезду у меня на столе должен быть полный отчет, а преступник обязан сидеть в КПЗ. Оганесян может прекратить поставки бензина, и что тогда?

— Убийца снова нанес удар, — сказала Виктория Карловна, заваривая для Юлии липовый чай. — Деточка, это отлично помогает при нервных расстройствах, я же вижу, на вас лица нет!

— Спасибо.

Юлия послушно взяла пиалу с горячим ароматным напитком. Она не помнила, как смогла выдержать последующие поминки, благо что все было организовано на высшем уровне. Гости, перекочевавшие с кладбища в ресторан «Золотой дракон», только и делали, что шушукались, звонили по сотовым и обсуждали новость дня — смерть Клары Оганесян. Ни для кого не стали секретом сенсационные подробности, которые распространила сестра Клары, обнаружившая тело: цветок на груди, шарф с эдельвейсом и письмо с угрозами, найденное среди бумаг покойной. Все были уверены — Садовник вернулся, «цветочные убийства» возобновились.

— Не обращайте внимания на сплетни, наши кумушки только на это и способны, чем еще они скрасят тихую провинциальную жизнь, — сказала Олянич.

— Я бы не сказала, что провинциальная жизнь такая тихая, — устало возразила Крестинина.

— Вы правы, моя дорогая, — сказала Виктория Карловна. — Москва по сравнению с нами океан, а мы — тихий пруд, затянутый зеленой ряской. Но и в пруду кипят страсти и идет борьба за выживание. Возьмите мед, экологически чистый, из акации, очень вкусный!

Юлия улыбнулась, отхлебнув чай, и попробовала мед. Действительно вкусный.

— Иногда в пруду обитают крокодилы-людоеды, которых сразу и не распознаешь, — сказала она. — Но что нам делать, Виктория Карловна?

— Думаю, деточка, я знаю, что нам надо делать, — ответила та. — Нам во что бы то ни стало необходима вторая часть дневника моей бабки Елены Карловны. Вы ведь согласны с этим?

— Да, конечно же! — с жаром подхватила Крестинина. — Нам нужен дневник, который, по всей вероятности, находится у Почепцова.

— У многоуважаемого Валерия Афанасьевича, — подтвердила директриса. — Вы как-то говорили, что у вас имеется план по его изъятию, какой именно, деточка?

Юлия ответила:

— Я подумала, что, например, я могла бы отвлечь уважаемого господина Почепцова, а вы... вы бы, Виктория Карловна, проникли к нему в особняк и постарались бы найти дневник. Или наоборот...

— Идея, в принципе, хорошая, но вряд ли осуществимая. Валерий Афанасьевич никогда бы не позволил мне задержать его более чем на пять минут. Он считает, что женщины большего не заслуживают. Да и вы, деточка, тоже не смогли бы занять его внимание. Он — не князь Святогорский и не юный следователь. Валерий Афанасьевич, как он любит заявлять во всеуслышанье, умеет ценить свое время. Подразумевается, что другие не умеют. Поэтому, Юленька, к сожалению, ваш план не пойдет.

— Но что же тогда делать? — в отчаянии воскликнула Крестинина. — Дневник Елены Карловны нам ведь на самом деле необходим! У меня такое странное чувство, уважаемая Виктория Карловна, что если мы сумеем вычислить убийцу в 1916 году, то нападем и на след того, кто совершает преступления сейчас.

— Чрезвычайно занятная мысль, — сказала Виктория Карловна. — Я никогда не думала над этим, Юленька, но сейчас, когда вы об этом говорите... Деточка, скорее всего, так оно и есть! Убийства в прошлом и настоящем взаимосвязаны! Вы молодец!

Польщенная похвалой директрисы, Юлия слабо улыбнулась.

— И мне кажется, Виктория Карловна, что мы с вами в состоянии выяснить, кто же является убийцей, не так ли?

— Вы правы, деточка, — ответила директриса. — О, если бы мы знали, кого наметил в жертвы этот кровожадный монстр! Тогда мы бы смогли предупредить эту бедную женщину, заставить ее уехать из города, скрыться прочь и тем самым нарушить цепь убийств. Валерий Афанасьевич... Вы никогда не думали о том, Юленька, что господин Почепцов слишком подозрительный тип?

Крестинина вспомнила странную торжествующую ухмылку, которая играла на личике Валерия Афанасьевича в церкви. Как будто он знал, что вот-вот разразится гроза, все узнают о смерти Клары Оганесян. Или это только в ее воображении?

— Я вам как-то говорила, что давно, в незапамятной моей юности, Валерий Афанасьевич добивался моей руки. Он мне нравился, но однажды... Я все думала, рассказывать вам об этом случае или нет... Почепцов производит впечатление человека хилого, вряд ли способного к жестокому поступку. Так все время считала и я сама! Но одним из мотивов, которые подтолкнули меня к тому, чтобы расстаться с ним, был страх. Да, да, не удивляйтесь, деточка, именно страх!

Виктория Карловна усталым жестом сняла очки и протерла глаза. Затем она продолжила:

— Я не люблю возвращаться к этой истории, деточка... Но однажды я совершенно случайно стала свидетельницей того, как Валерий Афанасьевич убил собаку. Он совершенно хладнокровно застрелил ее из ружья во дворе своего дома. Собака облаяла его мамашу. Он же заядлый охотник, вы об этом не знали? Его хобби — убивать беззащитных животных, а затем делать из них чучела. Страшно, не правда ли? У меня такое впечатление, что ему доставляет особое наслаждение целиться в зверюшек и спускать курок. Я всегда относилась к этому с омерзением. Но когда я увидела во дворе его же особняка, как он добивал скулящую собаку выстрелом, я решила — с меня хватит! При этом он так страшно улыбался, как будто... Как будто он только этим и мечтал заниматься, — сказала Виктория Карловна после небольшой паузы.

Юлия медленно проговорила:

— Сегодня, Виктория Павловна, я видела эту усмешку. В церкви, когда он смотрел на гроб моей прабабки. Он что-то определенно знает. И он радуется тому, что никто, кроме него, не в состоянии разгадать эту тайну!

Директриса сказала:

— Я не буду сильно удивлена, деточка, если вдруг выяснится, что Валерий Афанасьевич каким-то образом причастен к убийствам, которые сейчас происходят в Староникольске. О нет, вряд ли он сам совершает их, однако он может быть в курсе того, кто это делает, и, восхищаясь тайной, наблюдать за всем происходящим. Так же, как он наблюдал за той бедной собачкой, умирающей и истекающей кровью. Он наслаждается чужой смертью... Мерзкий, мерзкий тип! — воскликнула она, вздрагивая от отвращения. — Он ведь вполне может знать, кто убивал и тогда, в 1916 году! О, Почепцов, мы доберемся до дневника, который ты прячешь от меня, обязательно доберемся!

— Но как, Виктория Карловна? — спросила Юлия. — Как мы сможем отвлечь внимание Валерия Афанасьевича? Мы же не знаем, где именно он хранит дневник, поэтому нам потребуется время, чтобы найти его у него же дома.

— Вы правы, как всегда правы, — обхватив голову руками, пробормотала директриса. — Ага, ну конечно же, как я могла забыть!

Она победоносно взглянула на Юлию и сказала:

Трудно быть солнцем

— Мне кажется, судьба на нашей стороне, дорогая моя Юленька! Почепцов завтра уезжает, как я могла забыть об этом!

— Уезжает? — переспросила Юлия. — Но куда и на какой срок?

— В столицу, — ответила Виктория Карловна. — Он принимает участие в международном научном конгрессе, который посвящен средневековой Руси. Я бы и сама с большим удовольствием приняла участие в этом мероприятии, тем более что меня тоже пригласили в нем участвовать, однако... Однако, так и быть, деточка, я пожертвую своим выступлением перед элитной аудиторией, чтобы получить возможность завладеть дневником Елены Карловны. Как же я могла забыть, он сматывается завтра утром! Вот тогда-то мы и сможем обчистить его особняк! Вы не боитесь, Юленька?

— Немного, — призналась Крестинина. — Валерий Афанасьевич и на самом деле выглядит достаточно безобидно, но после того, что вы рассказали... Самые жестокие маньяки, например, Чикатило, в жизни безобидные, щуплые и невзрачные типы, которых любят дети и держат под каблуком жены. Таким же выглядит и Валерий Афанасьевич. О, мне знаком подобный тип людей... Наиболее страшный и безжалостный!

— Ну а что я говорила! — воскликнула Виктория Карловна. — Почепцов что-то знает и не хочет делиться с нами тайной! Значит, нам остается одно — самим изъять у него эту тайну!

— Но как мы попадем в его особняк? — задалась вопросом Юлия. — Наверняка он у Почепцова охраняется...

— Еще как! — с жаром подтвердила директриса. — Он так и трясется над тем, что кто-то влезет к нему в дом и украдет книги. У него на самом деле есть раритетные издания, а от матери, этой старой мегеры Валентины Клементьевны, ему досталась старинная мебель, столовое серебро и немного драгоценностей. Да, да, не удивляйтесь, я знала его покойную матушку. Валентина Клементьевна была набожной фанатичной женщиной, напрочь лишенной здравого смысла и чувства юмора. Она одевалась даже в самую невыносимую жару во все черное, плевала на коммунистов и открыто ходила в церковь. Не знаю, каким образом ей удалось избежать репрессий при Сталине, хотя, как опять же утверждают злые языки, она просто-напросто стучала на соседей. И особняк, в котором живет ее сынок... Она получила его сразу после войны, до этого в нем жил известный в нашем городе поэт... Его вместе со всей семьей арестовали одной ночью, он сгинул бесследно. Скорее всего, расстреляли в одночасье. И шептались, что виной тому Валентина Клементьевна, которая положила глаз на очаровательный домик и решила избавиться от жильцов, чтобы потом самой наложить лапу на особнячок. Правда это или нет, я не знаю. Однако она чрезвычайно радовалась, когда наша, с позволения сказать, помолвка с ее золотушным сыном была расторгнута. Она всегда считала, что ее Валера создан для большего. Одевала его с юности в рубашечки, костюмчики, украшала бабочкой тонкую шейку, поощряла замкнутость и взращивала эгоцентризм. Она умерла всего пять или шесть лет назад от рака печени. Сын устроил ее в лучшую московскую клинику, заплатил гигантские для Староникольска деньги за лечение, но все напрасно. Валентина Клементьевна пила, но скрывала это ото всех, хотя все об этом знали. Неприятная, крайне неприятная особа!

Викторию Карловну передернуло, она сказала:

— Но вернемся к тому, как мы проникнем в особняк. Валерий Афанасьевич поставил решетки, тяжелые металлические двери и ставни. Ни один вор не справится даже при помощи лома. Сигнализации у него нет, так как он не доверяет милиции, считая, что там работают одни жулики и проходимцы. Кажется, в молодости, когда он учился в МГУ, его задержал на улице милицейский патруль — он в пьяном виде буянил. С тех пор он и испытывает негативные чувства к милиции. Но это и к лучшему. Я знаю, у кого есть ключи!

— У кого? — спросила Юлия.

— У его кузины Марии. Такая же, как и он сам, малоприятная особа. Однако она не выбилась в люди, работала долгие годы уборщицей в местной школе. Она давно на пенсии. У них с Почепцовым то дикая родственная любовь, то скандал за скандалом. Насколько я помню, сейчас они пребывают в мире. Это нам на руку, и знаете, почему?

— Почему? — спросила Юлия.

— А потому, деточка, что когда Валерий Афанасьевич уезжает, а это случается регулярно, он оставляет своей двоюродной сестре ключи, чтобы она убиралась в его жилище и кормила его любимого попугая. Да, да, у него есть попугай по имени Наполеон Бонапарт. Отвратительная птица, он позволяет ей летать по всему дому, она гадит на голову тем, кто приходит к Почепцову в особняк, причем делает это, как я подозреваю, намеренно. Валера утверждает, что попугаю более двухсот лет и он принадлежал когда-то Наполеону и был вместе с ним в ссылке на острове Святой Елены. Конечно, это сказки, мифы его раздутого самолюбия, но о попугае как-то была даже статья в местной прессе. Так вот, когда Почепцов уезжает, то оставляет Марии ключи, чтобы она привела его замусоренный дом в порядок. Его кузина неплохо на этом зарабатывает. Именно она и поможет нам проникнуть в его особняк!

23 августа

Юлия никак не могла дождаться вечера. Все средства массовой информации в Староникольске только и говорили что о новом «цветочном убийстве»! Крестинина, гуляя по городу, слышала шепот — даже в магазине старушки сплетничали о том, что маньяк вернулся.

— Да говорю тебе, это его нераскаявшаяся душа вернулась в Староникольск, — услышала она разговор двух подростков. — Я такое видел в «Пси-факторе»: убийца давно мертв, а его душа вселяется в одного мужика, и он совершает такие же преступления. Почерк такой же, у меня брат работает в милиции, рассказывал...

Юлия отвернулась. Она никогда не верила в мистику,

но ее внезапно пронзил холод. Кто на самом деле стоит за этими преступлениями? Она не имела ни малейшего понятия. Валерий Афанасьевич Почепцов, тихий сумасшедший, у которого даже попугай носит имя французского императора? Или это князь Святогорский, который вернулся в Староникольск, чтобы, как и его дед, убивать? Или кто-то еще?

Юлия не знала.

— Нам пора, оденьтесь во все черное, — сказала Виктория Карловна.

Сама директриса нарядилась в темный спортивный костюм, надела на голову черную шапочку и стала выглядеть, как заправская грабительница. В сумочке у нее был фонарик, перочинный ножик и коробок со спичками.

— Валерий Афанасьевич отбыл сегодня на автобусе в семь тридцать утра. Я сама видела, как он, споря с водителем, запихнул несколько чемоданов в багажное отделение, не желая платить за лишний вес. Ключ наверняка у его Марии. Насколько я ее знаю, она сразу же отправилась убираться в его особняке. Она та еще особа, бредит чистотой, драит у себя в квартирке днем и ночью. Она всегда не любила детей в школе за то, что они ходят по мокрому полу, оставляя следы. Такая вот странная, как и сам Валера, особа. Ее мать, Надежда Клементьевна, была родной сестрой матери Почепцова. Такая же сухая, как вобла, педантичная и жестокая, преподавала в той же школе, где потом работала уборщицей ее дочь, химию и биологию. Я сама у нее училась и никогда не могла получить выше «четверки», хотя знала все назубок! Она говорила, что химию на «пять» знает только господь бог, на «четыре» — она сама, а остальные едва ли выше «тройки». Ей доставляло удовольствие препарировать лягушек. Бр-р, что за семейка монстров!

Они выбрались из дома, когда уже темнело. Был десятый час. Погода снова начинала портиться. Ветер, подхватывая первые опадающие листья, стегал в лицо, небо было затянуто черными тучами. Лето закончилось.

Виктория Карловна провела Юлию к особняку Почепцова. Он обитал в небольшом двухэтажном домике желтого цвета, с двумя колоннами у входа и двумя гипсовыми львами на крыльце. Все окна были зарешечены, массивная железная дверь закрывала вход. Директриса указала на второй этаж:

— Смотрите, деточка, Мария все еще там.

Окна наверху светились бледным, призрачным огнем. Им пришлось на ветру и под начинающимся дождем прождать не менее часа, пока в дверях не показалась высокая худая тетка с ведром и шваброй. Женщина была одета во все черное. Она закрыла дверь, подергала ручку и побрела прочь.

— Ну слава богу, закончила, — вздохнула Виктория Карловна. — У меня такое впечатление, что Мария облазила все потайные уголки своего братца.

— Но как мы отберем у нее ключ, нападем? — спросила Юлия.

— О нет, — сказала Олянич. — Для этого существую я. Я в достаточно хороших отношениях с Марией, подождите, деточка!

Директриса нагнала уборщицу, окликнула ее. Мария, ощерившись, остановилась поболтать с Викторией Карловной. Олянич сделала вид, что споткнулась, Мария подоспела ей на помощь. Через десять минут, распрощавшись, женщины разошлись. Виктория Карловна с видом победителя вернулась к Юлии. Она потрясала несколькими ключами.

— Смотрите, что мне удалось выудить из кармана уважаемой Марии! Немного выдумки, и ключи у нас!

— И где вы только этому научились? — в восхищении пробормотала Юлия.

Директриса ответила:

— Огрехи плохого воспитания, деточка. Никогда не думала, что этот трюк мне пригодится, а надо же! Мария придет кормить попугая завтра во второй половине дня, до этого времени я снова навещу ее и подложу ключи, вряд ли она хватится их раньше. Так что в нашем распоряжении целая ночь, чтобы как следует обыскать особняк моего экс-жениха Валерия Афанасьевича. Ну что же, пойдемте, деточка!

Они направились к дверям дома Почепцова. Уже сгустилась темнота, на улицах не было ни единой души. Виктория Карловна ловко вставила ключ в замочную скважину, железная дверь с тихим скрипом распахнулась.

— Ну надо же, прямо как в швейцарском банке, — сказала она, потому что за первой дверью была вторая, деревянная. Дверь также поддалась без проблем. Юлия и Виктория Карловна прошли в особняк.

Им в лицо пахнуло затхлым воздухом и каким-то едким мыльным средством. Мария явно мыла паркетный пол. Виктория Карловна вытащила фонарик. Луч заплясал по стене и уперся в чей-то насупленный портрет.

— Валерий Афанасьевич почитает себя знатоком живописи и коллекционирует местных художников. По-моему, редкостная дрянь, никакого таланта, но он уверен, что скупает картины, которые со временем поднимутся в цене. Так, деточка, опустите жалюзи. У Почепцова, он хвастался, есть особые металлические жалюзи, которые не пропускают свет наружу.

Юлия сделала то, о чем просила ее Виктория Карловна. Директриса затем включила верхний свет. Юлия зажмурилась. Они находились в большом и просторном холле, который переходил в скудно обставленную гостиную, забитую книжными шкафами. Виктория Карловна первым делом бросилась к ним.

— Надо же, у него на самом деле редкостная коллекция, он не жалеет денег на все это, — сказала она. — И откуда у него такие средства? Впрочем, насколько я в курсе, те драгоценности, которые Валентина Клементьевна оставила ему в наследство, и в самом деле стоят много. Она занималась в войну тем, что обменивала ценные вещи у голодных и отчаявшихся людей на мешок муки или пару банок консервов. Она работала на складе, у нее всегда было много продуктов...

Она пролистывала книги, пытаясь найти дневник. Юлия тяжело вздохнула. В доме Почепцова были сотни, нет, тысячи томов. Если он спрятал дневник среди книг — например, вклеил его в обложку какого-нибудь произведения, то им не хватит и недели, чтобы отыскать его.

— Где же он может хранить дневник моей бабки? — задавалась тем же, что и Юлия, вопросом директриса. — Попробуем мыслить логически. Куда бы вы на месте Почепцова спрятали дневник?

— Например, в сейф в кабинете или в ящик письменного стола, который закрывается на ключ, — ответила Юлия.

— Вполне стандартный ход, деточка, и, скорее всего, Валера так и сделал. Ну что же, я была у него в доме всего один раз, когда он представлял меня своей матушке. Помню, это было в конце весны, мы сидели на кухне и пили чай. Надо отдать должное Валентине Клементьевне, характер у нее был несносный, однако она удивительно хорошо готовила и пекла пироги. Мы ели пирог, кажется, из консервированных персиков, дикий дефицит в эпоху тотальной нехватки продуктов! Она тогда всласть надо мной поиздевалась, унижала перед собственным сыном, а тот сидел и молча за всем наблюдал, оскалив желтые зубки.

Юлия заметила, что Виктория Карловна до сих пор не может забыть о том неприятном для нее моменте. Они подошли к большой лестнице, которая вела на второй этаж. Юля отшатнулась — на нее смотрела морда дикого кабана с длинными клыками и безумными глазами.

— Деточка, не бойтесь, это всего лишь экспонат Валерия Афанасьевича. Одна из зверушек, которую он самолично застрелил, а потом сделал из нее чучело. Он же увлекается таксидермией... Научился этому у тетки, Надежды Клементьевны, она продавала свои чучела даже коллекционерам в Москве и Ленинграде.

Они поднялись по скрипящей лестнице на второй этаж. По всей стене, шедшей параллельно лестнице, висели морды животных — охотничьи трофеи Валерия Афанасьевича. Крестинина на мгновение представила, как щуплый Почепцов таится в засаде, выжидая появление беззащитного и ничего не подозревающего зверя, затем убивает

его, берет тушу, относит домой, где в мрачном подвале ос-
вежевывает ее и делает из нее чучело. Жуть, да и только!

— Ага, вам тоже страшно, деточка, — сказала Виктория Карловна, заметив озноб, который пробежал по телу
Юли. — И мне неприятно в логове Почепцова. Такое
ощущение, что он вот-вот вернется. Но все это чушь, он в
Москве до конца недели!

Они оказались на втором этаже. Прошли в кабинет,
где директриса также, прежде, чем зажечь свет, спустила
жалюзи. Кабинет был обставлен на редкость богато — в
полную противоположность унылой гостиной. Современный компьютер с дорогим плоским монитором, лазерный
принтер, факс, ксерокс. Старинная мебель, письменный
стол с бронзовым чернильным набором в виде фрегата,
огромный, стилизованный под средневековый, глобус.
И книги, книги, книги.

— Мерзавки, я вас сейчас застрелю! — раздался вдруг
неприятный, злой голос Почепцова.

Юлия запаниковала, Виктория Карловна охнула и выронила фонарик, из которого вылетели батарейки.

— Застрелю всех немедленно! Немедленно! — Голос
продолжал вещать неизвестно откуда. Директриса вздохнула и ударила себя рукой, затянутой в перчатку, по лбу.

— Какая же я растяпа, Юленька! Это же Наполеон Бонапарт, попугай Почепцова. Вот он где, смотрите!

Юлия только сейчас заметила клетку с птицей, стоя-
щую на резной этажерке. Клетка, старинная, позолочен-
ная, была накрыта длинным шелковым платком. Виктория Карловна подошла к клетке и сняла платок. Птица,
крупная, с красно-сине-зеленым оперением, нахохлив-
шись, сидела на жердочке и продолжала вещать голосом
Почепцова:

— Виктория дура, дур-р-р-ра!

— Вот, оказывается, чему он его учит, — сказала директриса. — Смотрите-ка, он до сих пор не может про-
стить мне, что я его бросила. Какой, однако, обидчивый!

Они с Юлией методично облазили его кабинет. В ящи-
ках стола они нашли массу бумаг, но дневника Елены

Карловны среди них не было. Сейф находился внутри одного из книжных шкафов, запрятанный среди книг. Олянич подергала ручку сейфа — стальной коробки — и сказала с тяжелым вздохом:

— Десять к одному, Юленька, что вы правы. Он хранит дневник в сейфе, а ключ, разумеется, взял с собой, чтобы любопытная Мария не лазила туда, куда ей не следует. Вскрыть его мы не сможем...

— Виктория Карловна, — возразила ей Крестинина. — Вспомните себя, вы же сами не храните дневник в сейфе, а только распускаете слухи, что он находится там. Возможно, так же поступает и Почепцов!

— Но если не здесь, то где? — спросила директриса. Она даже приподняла клетку с беснующимся Наполеоном Бонапартом, чтобы удостовериться, что дневник не лежит под ее дном.

— На втором этаже есть еще его спальня и гардеробная, насколько мне помнится, — сказала Виктория Карловна. — Пойдемте, может, нам повезет!

Они отправились в спальню. Во тьме, пока не был зажжен свет, Юлия видела очертания большой кровати с балдахином. На стенах фосфоресцировали зеленые звезды и полумесяц. Когда свет залил комнату, она удивленно рассмеялась, не могла сдержать смешок и Виктория Карловна. Женщины переглянулись, словно по команде.

— Однако же, — сказала директриса. — Кто бы мог подумать, что наш Валерий Афанасьевич спит в такой спальне. Ну прямо как купеческая дочка!

Кровать, явно купленная в комиссионном магазине, с латунными шарами и купидонами на решетке, была застелена розовым постельным бельем с рюшечками и оборками. Около дюжины подушек — начиная от огромной и заканчивая крошечной, едва ли больше кулака, как матрешки, выстроились в ряд вдоль стены. У каждой была своего цвета шелковая наволочка, украшенная тонкой вышивкой — пастушки́, пасту́шки, барашки, замки с лебедями, другие пасторальные мотивчики.

— Не удивлюсь, если вышивал сам Валера, он когда-то

жутко этим увлекался, — сказала Виктория Карловна, давясь от смеха. — Ну и комната, мечта старой девы, да и только! Валентина Клементьевна вообще-то всегда мечтала о дочке и жутко завидовала сестре, у которой была дочь Маша. Поэтому она одевала в детстве Валеру в платьица и завивала ему волосы, приучала к вышивке и макраме.

Стены комнаты были оклеены голубоватого оттенка обоями с изображением букетов цветов. Над самым изголовьем висела огромная, в стеклянной рамке, фотография строгой, одетой в черное женщины с постным лицом и волосами, свернутыми улиткой. Было заметно несомненное фамильное сходство.

— Вот она, уважаемая моя несостоявшаяся свекровь Валентина Клементьевна. Надо же, он так любит мамочку, что спит под ее фото. Боже, а это что такое!

Юлия подошла к этажерке, похожей на ту, которую венчала в кабинете клетка с попугаем-императором. Однако в спальне на самом верху находилась тускло мерцавшая пузатая бронзовая ваза с крышкой. Крестинина присмотрелась, и мороз побежал у нее по коже, когда она увидела табличку: «Моя дорогая мамочка. 19 июля 1921 — 2 апреля 1997».

— Это же урна из крематория! Валера после смерти Валентины Клементьевны в московской клинике кремировал ее в столице, — сказала в страхе директриса. — Юленька, деточка, я не верю своим глазам, он хранит в спальне урну с прахом матери!

Юлия отошла в сторону. Почепцов теперь уже не казался ей таким уж смешным и безобидным. Человек, который дошел до того, что хранит в спальне на подставке прах матери, вряд ли может быть полностью нормальным.

Виктория Карловна, пересилив отвращение, приоткрыла крышку урны и одним глазом заглянула внутрь.

— Пепел, только пепел, — прошелестела она. — Я думала, что он может хранить дневник около любимой мамочки...

Обыск в спальне занял еще час. Он также не принес результатов. Постаравшись привести в первозданный по-

Трудно быть солнцем

рядок постель, которую Виктория Карловна переворошила, и разложив подушки, Крестинина вздохнула:

— Тут тоже ничего нет. Но где еще?

— В гардеробной. Или в саду, зарыт в ящике в землю. Или под плиткой в ванной, — огорченно ответила Виктория Карловна. — Где угодно. Ладно, пойдемте в гардеробную, уже почти час ночи.

В гардеробной их ждал очередной сюрприз. Стены небольшой комнаты были увешаны фривольными плакатами. Однако вместо женщин на них были изображены полуобнаженные, а то и совсем голые мужчины и юноши. Виктория Карловна прислонилась к косяку.

— Вот это да, сегодня прямо-таки день Колумба — одно открытие за другим. Вот, оказывается, почему Валера с такой легкостью воспринял разрыв со мной, вот почему, дожив почти до шестидесяти, он ни разу не женился. А все говорит, что занят наукой и посвящает себя истории. А на самом деле он предпочитает мужской пол!

Шкафы были забиты рубашками, штанами и костюмами Почепцова. На отдельной полке лежали галстуки-бабочки — не менее трех десятков. В другом шкафу было полно женской одежды — старые, давно немодные, выцветшие и пропахшие нафталином платья, кофты, пальто. Также на отдельной полке — женские парики разнообразных оттенков и с разными прическами.

— Это все хозяйство его покойной матери, однако не удивлюсь, если узнаю, что Валера, находясь в одиночестве в своем особняке, наряжается в ее вещи, напяливает парик и занимается черт знает чем, — пробормотала Виктория Карловна с выражением здорового отвращения на лице. — И уверена, Мария обо всем знает, но относится к этому как к нормальному явлению. Да у них вся семейка чокнутая! Наверняка и Валентина Клементьевна обо всем знала и поощряла болезненную склонность сына. Ужас, да и только!

Среди прочих нарядов они заметили черный плащ с капюшоном. Повертев странный наряд, похожий на одеяние монаха или средневекового палача, Виктория Карловна повесила его обратно в шкаф.

На дне одного из шкафов, около начищенных до нестерпимого блеска туфель, Крестинина обнаружила пачки журналов. Взяв один в руки, она покраснела.

— Ага, порнография для приверженцев однополой любви, — констатировала Олянич. — Так-так, Валерий Афанасьевич, теперь мы знаем еще одну твою грязную тайну. Что еще ты скрываешь? Юлечка, давайте я сама!

Директриса быстро переворошила стопки журналов и убедилась, что дневника среди них нет. Не было дневника и в еще одном шкафу с оружием.

— Но где же Валера прячет его? Мы же с вами видели дневник у него в руках. Он должен быть где-то под боком, так, чтобы Валера мог в любой момент его достать и почитать. Он ведь тоже бьется над разгадкой тайны убийств.

Они снова переместились в спальню. Виктория Карловна уселась на кровать Почепцова и зевнула.

— Почти два, а мы все без результата. Что делать, что делать, деточка! Я же рассчитывала, что мы найдем дневник моей бабки, а мы потерпели неудачу. Ну что, радуетесь, Валентина Клементьевна?

Директриса воззрилась на фотографию матери Почепцова, которая, казалось, взирала на них с торжеством в рыбьих глазах. Повинуясь внезапному импульсу, Олянич схватила одну из маленьких подушечек и швырнула ее в фотографию.

— Получите-ка, Валентина Клементьевна! Мне всегда хотелось это сделать, Юленька, вы уж не подумайте, что я на старости лет сошла с ума!

Фотография свесилась набок. Из-за нее с тихим шелестом вывалилась большая тетрадь и упала на кровать. Виктория Карловна оторопело смотрела на вторую часть дневника, обнаружившуюся таким невероятным образом, затем бросилась к ней, схватила ее.

— Боже, Юленька, это и есть дневник моей бабки! Он прячет его за портретом матери! Ура, ура! Он в наших руках!

Трудно быть солнцем

Юлия расслабилась. Их миссия неожиданно увенчалась успехом.

— Вот он, дневник, Юленька! Вот это да! Вы только посмотрите! Я уже думала, что нам придется покинуть дом Валерия Афанасьевича несолоно нахлебавшись, а теперь такая удача!

Виктория Карловна прижала к себе тетрадку, на глазах ее выступили слезы. Она произнесла:

— Я не верю в это чудо, деточка, а вы?

— Ну почему же, — возразила Юлия. — Я вполне в это верю, Виктория Карловна! Посмотрите на то, что вы держите в руках!

Олянич уселась на кровать Почепцова и, не удержавшись, распахнула тетрадь и вчиталась. Уверенный, ясный почерк, выцветшие чернила... Так и есть, вторая часть дневника ее бабки Елены Карловны Олянич.

— Виктория Карловна, — произнесла Юлия. — Мне тоже безумно интересно, но давайте сначала покинем этот особняк, а то мне как-то не по себе.

Директриса кивнула головой:

— Ну конечно же, деточка! Я никак не могла удержаться от того, чтобы не заглянуть во вторую часть дневника! Это же подлинная сенсация. Но теперь уже, Юленька, я думаю — а где мы возьмем третью часть?

Они вышли из спальни. Погасив свет и снова оказавшись в темноте, Крестинина и Виктория Павловна спускались вниз по лестнице, когда произошло невероятное.

В ночной тишине до них донесся звук. Звук поворачивающегося ключа. Так оно и было. Входная дверь распахнулась, на пороге, хорошо освещаемая фонарем на крыльце, возникла тощая фигура Валерия Афанасьевича Почепцова.

Виктория Карловна замерла на лестнице, Юля почувствовала, что волосы и на самом деле могут шевелиться на голове, это вовсе не образное выражение. Она замерла где-то посередине лестницы, намертво вцепившись в перила. Почепцов включил свет в холле. Юля закрыла глаза. Ее сердце внезапно застучало, как бешеное. Валерию

Афанасьевичу требовалось только поднять глаза, чтобы заметить двух женщин, находившихся на лестнице. Двух женщин, которые незаконно проникли в его дом и пытаются теперь унести ноги, прихватив вторую часть дневника Елены Карловны Олянич.

— Эта Мария всегда забывает закрыть внутреннюю дверь! — ворчливо произнес Почепцов, разуваясь.

Юлия обернулась и жалобно посмотрела на Викторию Карловну. Та была бледнее луны. Осторожно, стараясь, чтобы старая лестница не заскрипела, Олянич стала пятиться наверх. Юлия, не сводя глаз с Почепцова, последовала ее примеру. Боже, думала она, сейчас он почувствует, что я пялюсь на него, поднимет глаза вверх — и тогда нам конец! Что сделает Валерий Афанасьевич, когда обнаружит их? Вызовет милицию? Это в самом лучшем случае... Проникновение на чужую территорию, попытка кражи...

Однако она не была уверена, что Валерий Афанасьевич предпочтет обращаться в правоохранительные органы. Ей представилась страшная картина — он берет ружье и убивает и ее, и директрису. А затем оттаскивает их тела в подвал, где препарирует их и делает из них чучела. И их головы украшают его спальню... Глупость, конечно, но вряд ли Почепцов захочет, чтобы милиция увидела коллекцию его женской одежды, «голубые» журналы или плакаты в гардеробной. Или девичью спальню с урной, в которой находится прах кремированной Валентины Клементьевны. Это же настоящий фильм ужасов, они в логове безумца, который ни перед чем не остановится! Он не выпустит их живыми!

На самой последней ступеньке лестница предательски скрипнула. Причем Юлия была уверена, что чудовищно громкий звук разнесся по всему дому и достиг ушей Валерия Афанасьевича, который снимал туфли и искал домашние тапочки. Юлия была готова к тому, что сейчас он поднимет голову — и их взгляды встретятся....

Этого не произошло. Лестница скрипнула еще раз, но Почепцов не обратил на это внимания. Скорее всего, он давно привык к тому, что старый дом, уже достаточно ветхий изнутри, сам по себе издает странные звуки.

Юлия нырнула в спасительную темноту спальни. Виктория Карловна скользнула в гардеробную. Крестинина видела, как директриса приложила к губам палец, открыла дверь, а затем осторожно ее захлопнула. Юлия последовала ее примеру. Что же теперь делать, почему Почепцов, который уехал в Москву на исторический конгресс, неожиданно для всех вернулся?

Юля вдруг поняла — у него же есть отличное алиби. Для всего Староникольска он пребывает в столице, а на самом деле.... На самом деле он находится в Староникольске. Почему он вернулся, да еще в такой глухой час? Юлия залезла под кровать, другого выхода у нее не оставалось. Под кроватью было мало места, крошечное пространство было заполнено пылью и паутиной. Крестинина, переборов отвращение, вжалась в деревянный паркет. Как они уйдут отсюда, если Почепцов вернулся насовсем? Придется прятаться до тех пор, пока он снова не выйдет из дома, а если это произойдет через сутки или двое?

В доме, заполненном тишиной, все звуки отлично разносились на большое расстояние. Крестинина слышала, как Почепцов тяжело поднимается по лестнице, затем хлопнула дверь. Он пошел в туалет. Через минуту раздался шум спускаемой в унитазе воды и шелест открывающегося крана. Затем снова шаги. Он направился в спальню. Загорелся свет. Юлия зажмурилась. Ей показалось, что Валерий Афанасьевич немедленно обнаружит ее и поднимет дикий визг.

Она видела сквозь свешивающуюся почти до самого пола бахрому покрывала ноги Валерия Афанасьевича, облаченные в смешные розовые, с помпонами, домашние тапочки. Затем до нее донесся недовольный тенорок Почепцова:

— Ну, Мария, ну мерзавка! Что ты делала в моем доме, шарила во всех комнатах? Говорила же мне мамочка, что ты любопытная Варвара, а я не верил! Зачем тебе понадобилось копаться в моей постели! Добрый вечер, мамулечка.

Звякнула крышка бронзовой урны. Юлия едва не рассмеялась, представив себе, что Валерий Афанасьевич здоровается с прахом матери. Он воистину сумасшедший, им с Викторией Карловной надо как можно быстрее уносить ноги из особняка, но каким образом?

— Дорогая моя, как твои дела? — В этот раз он замер перед фотографией, за которой обнаружился дневник. — У меня все хорошо, мамочка, а у тебя? Ты была права, Машка, как всегда, рылась по всему дому. Я больше не буду приглашать ее убираться. Мамочка, милая моя, как хорошо было, когда ты жила со мной — ты все сама убирала!

Юлия зажала рот ладонью, чтобы не рассмеяться во весь голос. Под кроватью было душно и пыльно, она чувствовала, что у нее запершило в горле. Не хватало еще чихнуть! Ей захотелось кашлянуть, и она титаническими усилиями заставила себя не делать этого.

Валерий Афанасьевич, погасив свет, вышел. Юля не знала, сколько времени затем царила тишина, ей показалось — минут сорок, однако она знала — на самом деле вряд ли больше десяти минут. Потом раздались шаги Почепцова и скрип лестницы. Через несколько секунд входная дверь хлопнула. Похоже, он снова ушел! Юлия облегченно вздохнула и сразу же после этого, втянув пыль в легкие, чихнула три раза подряд. Она не могла остановиться, представляя в ужасе, что Валерий Афанасьевич сейчас ворвется в спальню с ружьем и, заглянув под кровать, обнаружит ее. Что ей останется делать? Скорее всего, с милой улыбкой сказать: «Добрый вечер, Валерий Афанасьевич!»

Юлия выбралась из-под кровати, дверь спальни раскрылась, и на пороге возникла Виктория Карловна. Директрису немного трясло, она вцепилась в дневник намертво.

— Уф, Юленька, — пробормотала она, опускаясь на кровать Почепцова. — Никогда не могла подумать, что придется переживать такие страсти. Он же едва нас не

Трудно быть солнцем

засек, вы почувствовали это? О, да у вас все волосы в паутине! Вы где прятались, наверняка под кроватью? А я залезла в шкаф! И представляете, что я испытала, когда Почепцов распахнул шкаф! Слава богу, что я находилась за одеждами его покойной мамочки!

Директриса шумно вздохнула. Юлия прислушалась, ей показалось, что по лестнице кто-то снова поднимается. Нет, игра воображения, не более того!

— Он взял один из нарядов. Если помните, там был черный плащ с капюшоном. Так вот, он даже натянул его на себя, я наблюдала сквозь приоткрытую дверцу. Выглядит, как изображение смерти на старинных гравюрах. Затем Валера снял этот плащ, свернул его и вышел прочь. Видимо, он возвращался именно за ним!

— Виктория Карловна, — жалобно произнесла Юлия. — Скорее пойдемте отсюда, а то у меня такое ощущение, что он вернется еще раз, и тогда он точно обнаружит нас.

— Конечно-конечно, деточка, — засуетилась Олянич. — Вы правы, нам пора уходить. Дневник при мне, больше нам ничего не требуется! Если он и обнаружит пропажу дневника, а это рано или поздно случится, то решит, что его взяла Мария, его сестра-уборщица. Вряд ли он догадается, что мы гостили у него в доме.

Они быстро спустились по лестнице, вышли на прохладный воздух. Виктория Карловна закрыла двери, и женщины пошли прочь. Ночной Староникольск был похож на кладбище — ни единой живой души. Юлия больше не испытывала страха, ей хотелось одного — как можно быстрее добраться до кровати.

Через полчаса мечта ее исполнилась. Приняв душ, она в кровати пила чай с малиновым вареньем, который заботливо приготовила ей Виктория Карловна. Юлия все еще не верила, что пребывает в безопасности, ей по-прежнему чудилось, что они находятся в особняке Почепцова, а его тень, скользя, приближается к ней с кинжалом.

— Я вижу, деточка, что вы устали. Вам нужно отдохнуть, — сказала директриса. — Все-таки уже почти четыре... Сон в вашем возрасте самое надежное лекарство от стресса. Так что закрывайте глаза, моя дорогая, и засыпайте! А мне не остается ничего другого, как углубиться в чтение дневника моей бабки! Утром вы с ним ознакомитесь.

— Мне так хочется поскорее узнать, что же случилось тем летом в Староникольске, — произнесла Юлия, ощутив внезапную дикую усталость. Она и не подозревала, что ночное приключение так ее утомит. — Но вы правы, уважаемая Виктория Карловна, я вздремну совсем немного, часок... Я не могу больше, глаза у меня закрываются сами собой.

Директриса заботливо поправила одеяло и вышла, затворив за собой дверь. Юля, закрыв глаза, мгновенно уснула.

24 августа

Когда она проснулась, было утро. Почти десять. Она потянулась, чувствуя, что у нее затекла левая рука, на которой она лежала. Крестинина бодро вскочила, прошла в гостиную. Виктория Карловна, сидя в кресле-качалке, пила утренний кофе. Дневник Елены Карловны покоился у нее на коленях.

— Доброе утро, деточка, — сказала директриса, которая выглядела на редкость подтянутой и свежей, как будто проспала двенадцать часов подряд. Она была облачена в легкий белый костюм, на лицо был наложен макияж. Она смотрелась празднично и весело.

— Я весь остаток ночи читала дневник, затем перечитывала его. Деточка, то, о чем пишет моя бабка, сенсационно! Теперь я понимаю Валеру — он знал о многом и намеренно утаивал информацию! Но с этим покончено! Деточка, я приготовила вам завтрак — фрукты, кофе, булочки. Так что давайте подкрепляйтесь, а потом....

Она постучала пальцем по обложке тетрадки.

— Дневник Елены Карловны в вашем полном распоряжении. Мне необходимо переделать еще кучу дел. Во-первых, подложить ключ Марии, во-вторых, заняться делами музея, которыми я в последнее время в связи с нашим расследованием пренебрегла, в-третьих, отправить корреспонденцию, в-четвертых, дописать статью для «Вестника МГУ»... В общем, деточка, вы не обидитесь, если я брошу вас на весь день?

— Что вы, что вы! — сказала Крестинина. — Виктория Карловна, занимайтесь тем, что наметили! Это я вам доставляю сплошные неудобства!

Директриса поднялась и с укоризной посмотрела на Юлию:

— Никогда не говорите так, деточка! Я чувствую в последнее время, что наконец-то обрела дочь! Я всегда мечтала о ребенке, Юленька, но, увы, сначала была занята честолюбивыми планами относительно карьеры, затем все время было некогда... Да и не подвернулось человека, которого я могла бы полюбить... В конце концов, не за Валерия же Афанасьевича выходить замуж! Теперь я в который раз вознесу благодарность судьбе за то, что наша с ним связь расстроилась!

Вспомнив коллекцию порнографии в шкафу, урну с прахом матери и прочие сумасшествия, на которые они натолкнулись в доме Почепцова, Юлия только вздохнула. Теперь, когда ярко светило солнце и щебетали птицы, все выглядело совсем по-другому. Ей было даже жалко Валерия Афанасьевича, который оказался в плену собственных страстей и диких представлений. Но что поделаешь, каждый несет свой крест.

Виктория Карловна быстро собралась, прихватила увесистый кожаный портфель, набитый бумагами, и сказала на прощанье Юлии:

— Желаю вам напасть на след убийцы, деточка! Потому что, перевернув последнюю страницу дневника, вы поймете — это еще не окончание, существует и третья часть, но бабка моя не оставила ни единого намека, где бы она могла быть! Впрочем, она и не думала, что за ее записями, как за сокровищами пирата, будет идти такая охота. Кушайте, деточка, кушайте! Я сама пекла булочки, они с изюмом и грецкими орехами, просто пальчики оближете!

С этими словами Виктория Карловна удалилась. Юлия

со вздохом посмотрела на гору сдобных, чуть румяных булочек. Она наверняка за то время, что жила у Виктории Карловны, поправилась килограмма на два. Директриса готовит великолепно, у нее подлинный кулинарный талант.

Налив себе кофе и откусив от теплой еще булочки, Юлия распахнула первую страницу дневника. День для нее померк, она снова углубилась в перипетии событий, которые будоражили провинциальный Староникольск в 1916 году.

«...однако, прежде чем переходить к встрече с этим таинственным и жестоким убийцей, с которым судьба свела меня фактически лицом к лицу, я должна осветить другие, не менее важные события, произошедшие в столь любезном моему сердцу городке нашем, Староникольске. Обо всем по порядку, как я уже писала выше...

Убийство Екатерины Ставровны Ульрих, совершенное с такой наглостью и определенной долей театральности, породило множество слухов. Утаить подробности было невозможно. Я молчала как рыба, но кто-то из ведших расследование проболтался сам, потому что через день весь город гудел, как растревоженный улей. Все только и говорили что о «цветочном убийце» — так прозвали безумца, который убивает дам в нашем городке, оставляя на их теле цветок.

Я, как могла, следила за ходом следствия. Насколько я понимала, власти пытались выйти на след убийцы, но успехом эти деяния не увенчались. Особый интерес представляли шарфы, которыми были задушены как Евгения Ирупова, так и Екатерина Ульрих. Все торговцы в нашем городе в один голос заявляли, что этот товар, явно сделанный на заказ, у них не покупался. Это оборвало чрезвычайно плодотворную и многообещающую нить расследования, которая могла бы привести прямиком к убийце.

Кто бы он ни был, этот убийца, он затаился и соблюдал осторожность. Я, всматриваясь в лица горожан, думала — один из них, возможно даже человек, который мне хорошо известен и которого я почитаю другом, и является

Трудно быть солнцем

жестоким и циничным маньяком. Но что может толкнуть человека на убийство? Меня всегда чрезвычайно занимал этот вопрос.

Почему один человек проводит жизнь нормальную, даже скучную и вполне достойную, а другой, его же собрат, склонен к насилию, к тому, чтобы преступить нормы божьего и человеческого закона? Федор Достоевский великолепно передал психологические аспекты, столь сейчас популярные в связи с трудами австрийца Фрейда, такого деяния, как убийство. Но я никогда не могла понять этого — убить другого в первую очередь значит убить самого себя. Одна из моих статей, так и не опубликованная, посвящена именно этому.

Власти губернии также оказались весьма заинтригованы происходящим. Сам губернатор навещал нас на днях и устроил градоначальнику и шефу полиции подлинный разнос, обвиняя их в бездействии и нежелании вскрыть истину. Я так не считаю, власти делают все, что находится в их силах, но все упирается в первую очередь в то, что силы эти не такие уж и значительные. Что могут противопоставить несколько жандармов убийце, который отличается изворотливостью и хитроумным, злобным гением?

Местные газеты, щедро снабжаемые материалом теми, кто имеет доступ к информации, ведут свое расследование. Господин Ирупов назначил колоссальную сумму — сто тысяч рублей золотом — в качестве награды тому, кто сможет поймать убийцу его дочери и Екатерины Ставровны. Пока положительных результатов это не дало. Наоборот, это вызвало нездоровый ажиотаж и повальное увлечение жителей Староникольска дилетантской криминологией. Теперь каждый знает, что он — Шерлок Холмс и Нат Пинкертон в одном лице.

Дошло до того, что одна из мещанок донесла на своего мужа в полицию, сказав, что он и есть «цветочный убийца», и потребовав сто тысяч, обещанных Адрианом Николаевичем. В качестве доказательства она представила огромный нож с засохшей кровью, который обнаружила у супруга. Ее не смутило то, что жертвы были удушены, а не зарезаны. Полиция все же заинтересовалась происхождением крови. Выяснилось, что муж накануне резал свинью, что и объясняет наличие окровавленного кинжала. Муж, насколько я знаю, задал трепку супружнице, которая решила заработать на нем деньги, засадив его в тюрьму. И он был прав, хотя я и отчаянная поборница эмансипации!

Власти в Петрограде тоже не остались равнодушны к нашим провинциальным проблемам. Видимо, господин Ирупов задействовал имеющиеся у него связи, потому что к нам был командирован следователь по особым поручениям, господин Уссольцев. Перед ним самим министром внутренних дел (каким именно, не могу сказать, министры, марионетки в руках царицы и ее фаворита Распутина, меняются едва ли не каждый месяц) была поставлена четкая задача — найти и разоблачить маньяка. Это, как считают в столице, поможет разрядить накалившуюся обстановку и увеличить популярность правительства.

Не думаю, что если этот современный Жиль де Рец будет пойман, это каким-то образом уменьшит ненависть к царице-немке и продажному, алчному кабинету министров, который формируется безграмотным мужиком по указке германского военного штаба.

Но и оставлять на свободе убийцу ни в коем случае нельзя, это верно. Поэтому наше начальство приветствовало приезд господина Уссольцева, который прибыл в Староникольск двадцать девятого августа, ровно неделю спустя после второго убийства.

Местные мамочки, вполне резонно беспокоясь о жизнях своих дочерей, которые могут стать новыми жертвами «цветочного убийцы», не позволяют девушкам выходить на улицу, некоторых и вовсе отослали из города прочь. Убийца добился своего — его стали бояться. Да, о нем говорят, но говорят с почтением и страхом. Он превратился в важную фигуру. Это меня и угнетает более всего.

Как я понимаю, этот человек, в жизни малозаметный и страстно жаждущий всеобщего поклонения, и совершает эти преступления, чтобы привлечь к себе хотя бы таким извращенным образом внимание общественности. Вспомните Джека Потрошителя, так и не пойманного, который открыто издевался над полицией, посылая в различные лондонские газеты письма, полные презрения, к одному из которых — и это подлинный факт! — приложил часть почки одной из расчлененных им жертв...

«Цветочный убийца», который творит свои бесчинства в Староникольске, пока что не дошел до такого сумасшествия, он ограничивается посланиями со стихами и обязательной фразой — «завтра ты умрешь». До сих пор ему удавалось приводить в исполнение эту угрозу. Однако теперь, когда газеты даже напечатали эти два послания, все начеку. Я знаю, некоторые из горожанок трясутся, получая утром и вечером почту, боясь, что среди прочего там обнаружится конверт с новой угрозой. Да я и сама со страхом жду ежедневной корреспонденции — а вдруг на этот раз зловещее письмо, предвестник смерти, будет адресовано мне... Пока что убийца затаился, но я не сомневаюсь, что он выжидает....

Я познакомилась с господином Уссольцевым на второй день его пребывания в нашем городке. Произошло это, скажу честно, намеренно, хотя я и старалась обставить все как случайную встречу.

Я знала, что он прибыл поздно вечером двадцать девятого числа и остановился в самой роскошной гостинице Староникольска, а именно в пансионе вдовы Любимовой. Следующим утром я отправилась к вдове, которая являлась моей троюродной сестрой. Она, как всегда, наслаждалась чашкой бразильянского какао, которое боготворит и изводит фунтами, не обращая внимания на его заоблачную цену в период войны. Впрочем, она дама обеспеченная и может себе это позволить. Наше родство весьма отдаленное, и вдова ни разу не проявила желания пожертвовать моему музею хотя бы ржавую копейку.

— Добрый день, Лена, — сказала она мне, сидя в большом кресле. Женщина крупная, всегда одетая в черное (она носит траур по супругу, скончавшемуся тридцать лет назад от чахотки), она пила какао и поглощала эклеры.

— Здравствуй, Клавдия, — приветствовала я ее. — Сегодня чудесный день, не так ли?

Вдова, дама далеко не глупая, внимательно посмотрела на меня, а потом произнесла:

— Елена, не тяни кота за хвост. Я же знаю, что ты не питаешь ко мне родственных чувств, я к тебе тоже, так что оставим эти церемонии для князей Святогорских. Зачем пожаловала?

Несмотря на очевидную грубость ее тона, я не обиделась, привыкнув к такому обращению. Вдова, женщина простая, хотя и богатая, никогда не отличалась хорошими манерами. Она даже гордилась тем, что происходит из крестьян.

— У тебя остановился следователь из Петрограда, господин Уссольцев, — сказала я. — Что ты можешь сказать о нем?

Моя троюродная сестра, и я это признаю, отличается всегда здравыми и удивительно точными суждениями о постояльцах. Видимо, работа в пансионе развила ее природную смекалку. Она, сама того не подозревая, является отличным психологом.

— Ага, вот зачем ты пожаловала! Смотри у меня, Елена, ведешь расследование, пытаешься поймать убийцу, а это дело серьезное, мужское, не для тебя! Не хочу я, чтобы ты стала новой жертвой цветочного нехристя!

— Ты лучше о себе позаботься, — сказала я вдове.

Впрочем, я была уверена, убийца все-таки отличался хорошим вкусом и чувством изящного. Его жертвы были молоды, красивы и стройны. Вдова же, наоборот, стара, страшна как смертный грех и толста до безобразия. Чтобы задушить ее, потребуются колоссальные усилия — все же не так легко обхватить шарфом все пять ее подбородков!

Пропустив мое замечание мимо ушей, в мочках которых сияли крупные аметисты, вдова сказала:

— Господин Уссольцев Арсений Поликарпович, статский советник, прибыл вчера вечером и занял лучшую комнату в моем пансионе. Ты же знаешь, Елена, эта проклятая война с германцами совсем лишает меня прибыли...

Трудно быть солнцем

Кто бы жаловался, подумала я. У тебя, дорогая моя, и без того полно денег. Богатство вдовы происходило по большей части из множества земель, которыми она владела и сдавала в аренду, а также от мыловаренного заводика, единственного во всей округе. Меня утешало одно — детей у нее не было, и единственной наследницей вдовы после ее смерти была я. Однако она была здорова как корова, несмотря на свой почтенный возраст и плохие привычки, и умирать в ближайшие лет сорок не собиралась.

— Приятный молодой человек. Не такой и молодой, собственно говоря... Лет сорока пяти, но сразу видно, что вращается в лучших кругах. Галантен и красив... Впрочем, Елена, что о нем рассказывать, вот он и сам!

Вдова кивнула на человека, который с улыбкой спускался по лестнице с верхнего этажа. Едва взглянув на него, я почувствовала, как у меня сладко защемило сердце. Я до сих пор испытывала некие чувства к князю Федору Шаховскому, другу моего детства, несчастному супругу Евгении Ируповой. Но в отношении Федора я никогда не рассчитывала на взаимность. А вот Арсений Поликарпович Уссольцев!

Высокий, складный, облаченный в дорогой светло-коричневый английский костюм. Открытый лоб, темные волосы, великолепная фигура. Светлые глаза, усики... Вот и весь его портрет! В общем, я сознаюсь, таков и был мужчина моей мечты.

Заметив мое смятение, вдова крякнула:

— Что, хорош экземпляр? Будь я женщиной помоложе и не обремененной пансионом, я бы попробовала, Елена. Я смотрю, он тебе понравился. Он вдовец! Самый подходящий экземпляр для тебя!

Пожелав нам доброго утра и выразив свое восхищение ее пансионом, господин Уссольцев прошествовал в столовую. Вдова, польщенная его словами, расплылась в улыбке. Арсений Поликарпович с первой секунды пленил мое сердце. Однако кто он — и кто я! Он вращается в изысканном столичном обществе, наверняка регулярно бывает за границей, является статским советником, богат...

А я провинциальная особа, бывшая старая дева, «синий чулок» с малолетним сыном на руках.

Распрощавшись с вдовой, я устремилась в столовую вслед за Арсением Поликарповичем. Причем сделала это так поспешно, что налетела на него со спины.

Он пошатнулся и едва не потерял равновесие. Мне стало ужасно стыдно. Уссольцев обернулся и с обезоруживающей улыбкой произнес:

— Прошу прощения, сударыня, все ли в порядке? Извините великодушно, что иду так медленно...

— Это я несусь слишком быстро, — сказала я, чувствуя, что таю от его обволакивающе-приятного, густого голоса.

— Разрешите представиться, Арсений Поликарпович Уссольцев, чиновник по особым поручениям при Министерстве внутренних дел.

— Елена Карловна Олянич, директор краеведческого музея, — слабым голосом ответила я.

— Сударыня! — вскричал Арсений Поликарпович. — Как же я рад, что имею честь познакомиться с вами! Еще раз прошу прощения за мою неловкость, вы не ушиблись? Разрешите пригласить вас на чашку утреннего кофе, и не сочтите это за бестактность с моей стороны. Но вы — тот самый человек, который мне нужен!

Надо же, любезно принимая его приглашение и опускаясь в плетеное кресло, подумала я, какое чудесное совпадение, Арсений Поликарпович, вы — тоже тот самый человек, в котором я так нуждаюсь!

Подали великолепный кофе, мы разговорились. Арсений Поликарпович не скрывал, с какой миссией он прибыл в Староникольск. Обо мне ему рассказали, отметив, что я была свидетелем первого убийства и присутствовала на месте второго преступления.

— Я восхищаюсь дамами, которые посвящают себя науке и благу общества, Елена Карловна, — сказал он. — О вас знают в столице, да-да, не удивляйтесь, знают о том, что вы собственными силами открыли музей и стараетесь превратить провинциальный Староникольск в культурную Мекку.

Я польщенно улыбнулась. Какой приятный человек, надо же! Оказывается, и в убийствах может быть что-то полезное — во всяком случае, знакомство с Арсением Поликарповичем.

— Мне настоятельно рекомендовали прислушаться к вашим советам и вашему мнению, Елена Карловна, — продолжал Уссольцев. — Вы же знаете, передо мной поставили задачу в кратчайшие сроки поймать вашего так называемого «цветочного убийцу». И я клянусь, не будь я Арсением Уссольцевым, пусть я лучше умру, чем не сделаю это!

О, как ужасно-пророчески были эти его слова! И если бы я тогда знала, что нас ожидает совсем-совсем скоро... Но изменить судьбу, я в этом уверена, не в наших бренных силах...

Однако кто бы мог тогда знать, что нас ожидает, повторюсь я еще раз, взирая ретроспективно на зловещие события, которые не заставили себя ждать. Я, плененная обаянием Арсения Поликарповича, не думала ни о чем другом, как только о нем. В тот день я вернулась в музей после завтрака с ним и никак не могла сосредоточиться. Что за мужчина! Именно такого я искала в течение всей своей жизни. Но возникал вопрос — нужна ли я ему?

Арсений Поликарпович был человеком действия. Он немедленно приступил к расспросам и, таким образом, к расследованию. Мы встретились с ним на следующий день, и я подробно изложила ему свои мысли касательно происходящего в нашем городке. Он, внимательно меня выслушав, сказал в восхищении:

— Уважаемая Елена Карловна, вы можете мне не верить, но я впервые встречаю такую умницу, как вы!

Скажу честно, такие слова, произнесенные таким мужчиной, были бальзамом для моей израненной души. Я вызвалась помочь ему, разумеется, объяснив это так:

— Арсений Поликарпович, не сочтите за дерзость, однако, я думаю, вам потребуется помощь человека, который разбирается в местной жизни. И если вы мне разрешите, то таким человеком могу стать именно я.

— Елена Карловна, — ответил он с улыбкой. — Я буду чрезвычайно благодарен вам, если вы согласитесь оказать мне помощь. Вы правы абсолютно, я в Старонникольске человек новый, не ориентирующийся в местной жизни и хитросплетениях отношений между жителями. Поэтому мне потребуется опытный лоцман, и если им станете вы... Я мог только мечтать об этом!

Я, не веря такому счастью, немедленно согласилась ознакомить Арсения Поликарповича с сутью происходящего в Старонникольске. Он был человеком чрезвычайно умным, который схватывал все на лету. Он сказал мне:

— Я уже имел в Петрограде дело с безумцем, который лишал жизни молодых женщин. На то, чтобы изловить его, потребовалось около двух лет, за это время погибло семь женщин. Ничего не поделаешь, такова цена правосудия.

Я к тому времени ознакомилась с петроградскими газетами и навела справки. Арсений Поликарпович Уссольцев по праву считался одним из лучших, если не самым лучшим, следователем в столице.

Молодой, амбициозный, всегда вникающий в суть и преследующий торжество правосудия, вот каким он был. О том деле, о котором он мне рассказывал, было написано множество статей. Арсений Поликарпович отличался скромностью, поэтому он не упомянул, что рисковал своей жизнью, когда отправился безоружный в логово к этому чудовищу и оказался с ним лицом к лицу.

Я как-то спросила его об этом поступке. Он, задумавшись, ответил:

— А что мне еще оставалось, уважаемая Елена Карловна? Этот человек, который лишил жизни столько молодых девушек, был опасен. В то же время он, известный петербургский врач, вхожий в высший свет, обладал безупречной репутацией, и никто не поверил бы мне без доказательств, что убийцей является именно он. Поэтому, действуя на свой страх и риск, я был вынужден отправиться к нему, зная, что он опасается меня и в любой момент готов нанести удар. Мне повезло, и я могу только благодарить бога за то, что он сохранил мне жизнь и позволил разоблачить убийцу.

— Но, Арсений Поликарпович, — сказала я в диком волнении, — я тоже готова фактически на все ради своего детища, Староникольского музея, но рисковать жизнью... Вы настоящий герой, поверьте мне!

— Нет, я обычный человек, который занимается тем, что приносит другим пользу, — сказал он вполне серьезно. — Это потом газеты представили меня Давидом, ниспровергшим Голиафа, однако я сделал только то, что на моем месте сделал бы каждый. Вот, например, вы! Хрупкая женщина, подлинный ученый, всю себя отдающая науке — и в то же время вы занимаетесь этим расследованием. Я считаю, вы выполняете свой долг перед нашей страной. Когда идет кровопролитная и самая страшная война за весь период существования разумного человечества, это более чем великолепно. Я восхищен вами, Елена Карловна!

Мы вели такие разговоры, прогуливаясь по Староникольску и его окрестностям. Я, находясь на закате своей жизни, вдруг поняла, что отчаянно и по-девичьи полюбила этого человека. И, как мне казалось, Арсений Поликарпович отвечал мне взаимностью.

Я показывала ему старинные церкви и церквушки нашего Староникольска, он был в восхищении от монастыря. Мы забрались на высоченную колокольню, которая вздымалась ввысь, в небо. Для этого нам пришлось преодолеть около пяти сотен истертых стопами многих монахов ступенек, и мы оказались на самом верху, около огромных и крошечных колоколов. Мы взирали на Староникольск, который как на ладони расстилался перед нами. Стоя на ветру, вцепившись в поручни ограждения, я чувствовала, как прохладный ветер обдувает мое лицо. Быть вместе с Арсением — вот что стало для меня целью жизни.

— Дорогая Елена Карловна, — признался он мне, когда мы в очередной раз поднялись на нашу излюбленную колокольню. — Как же я признателен вам за то, что вы уделяете мне столько времени. Ваша помощь бесценна, и я говорю это совершенно откровенно. Вы сумели изложить мне все факты полностью, ваши мысли чрезвычайно занятны. Без вас я не смог бы составить такое скорое суждение обо всем, что происходит в городке.

Мы находились на площадке, над нами громоздились колокола, под нами расстилался город и речка.

Вечерело, солнце закатывалось за горизонт, в воздухе роились мошки. Я посмотрела на Арсения Поликарповича. Каким же красивым и одухотворенным было его лицо в тот момент! До сих пор в моей жизни был только один мужчина — мой покойный супруг Степан Логвинов. Князь Федор Шаховской был моей давней и неразделенной платонической страстью, но я не вспоминала о нем с того самого момента, как познакомилась с Арсением.

Арсений, какое чудесное и звучное имя... Я называла его так про себя. Или, когда оставалась одна, прижав к лицу руки, позволяла себе произносить вслух это имя. Сынок мой Карлуша, мое сокровище, был смыслом моего существования. Арсений Поликарпович, которого я пригласила в гости, пришел в восторг от мальчика. Как и любая мать, я склонна преувеличивать таланты своего чада, однако мне было отрадно наблюдать за тем, как Арсений Поликарпович возится с моим малышом, а тот, сияя, прижимается к нему.

— Увы, господь во время моего короткого брака не дал мне детей, но я так мечтаю о таком сыночке, как ваш Карлуша, — сказал мне Арсений Поликарпович. — Поверьте мне, Елена Карловна, он чрезвычайно одаренный мальчик. Из него выйдет толк. Но ему необходим отец, я вижу и чувствую это!

Я тоже видела и чувствовала это. Карлуша с восторгом относился к визитам Арсения Поликарповича, который играл с ним и приносил в качестве подарков сладости или безделушки. Наблюдая, с каким умилением Уссольцев возится с моим сыночком, я ловила себя на том, что восхищаюсь этим.

Может быть... — приходила мне в голову робкая мысль.

Трудно быть солнцем

Может быть, все закончится именно так, как я представляла себе в грезах? Арсений Поликарпович, разоблачив подлого и жестокого убийцу, останется в Староникольске. Со мной и с Карлушей?

Кто мог тогда знать, что все закончится так трагически и ужасно. Я, полная иллюзий и чудесных стремлений, ощущала, что влюбилась в первый и, как я теперь уверена, в последний раз в своей жизни. Моим избранником стал он — Арсений Поликарпович Уссольцев.

Как я отметила, он также был ко мне неравнодушен. Арсений Поликарпович относился к тому типу людей, которые, глубоко все переживая, не спешат показывать свои подлинные чувства. Я понимала его, он приехал в наш городок расследовать серию жестоких и загадочных смертей, а вовсе не для того, чтобы стать жертвой страсти одинокой особы преклонных лет, директора местного музейчика.

— Елена Карловна, — обратился ко мне Арсений Поликарпович, когда мы с ним прогуливалась по залитому лунным светом Староникольску.

Погода стояла для начала сентября удивительно теплая, наступило так называемое «бабье лето». Я понимала, что пришло и мое «бабье лето» — последняя пора любви перед тем, как я окончательно превращусь в старуху. Все же к тому времени мне исполнилось сорок девять лет.

— Елена Карловна, — повторил Уссольцев. — Когда я общаюсь с вами, у меня становится отрадно и спокойно на душе. Вы именно тот человек, с которым.... С которым я мечтал провести остаток дней моих. Ваш сынок Карлуша великолепный мальчик, я бы хотел, чтобы он назвал меня отцом. К сожалению, моя супруга, которую я любил всем сердцем и которая была для меня смыслом существования, скончалась во время родов. Ей было тогда девятнадцать лет, вместе с ней, прожив всего несколько часов, скончался и наш дорогой сыночек.

— Какой ужас! — в потрясении воскликнула я.

Я не могла поверить, что судьба послала Арсению Поликарповичу, этому чудесному и умному человеку, такое серьезное испытание. Но, с другой стороны... Если бы он прибыл к нам в Староникольск, оставив в Петрограде любимую жену и взрослого сына, то вряд ли я могла бы рассчитывать на взаимность с его стороны. А так...

Как я убеждалась, смерть во многом определяет жизнь. Она является ее концом и ее началом, но меня, человека, интересовавшегося естествознанием, всегда пугала та неизвестность, которая поджидает нас после того, как глаза наши навечно сомкнутся и темнота охватит разум. Я сомневалась в доктринах, которые проповедовали религии. Мне казалось, да кажется и сейчас, что смерть никак не может быть лучше жизни, как стараются убедить нас священники, и вряд ли нас ожидает лучшая участь после кончины.

— Арсений Поликарпович, — сказала я тогда, испытывая большое волнение. — Я... Я даже не могу ничего сказать! Как же я рада, что познакомилась с вами!

Он взял мою ладонь, и я ощутила тепло его руки. Мне больше ничего не требовалось, я поняла, что и он любит меня. Но разве могла я подумать, что это счастье закончится так скоро? Все же мы находились не в Эдемском саду, а в провинциальном городке, где действовал безумец.

Арсений Поликарпович внимательно ознакомился с результатами тех следственных действий, которые были предприняты местной полицией. Сначала городничий и его команда настороженно отнеслись к появлению петроградского чужака. Они думали, он прибыл затем, чтобы поучать их и в итоге присвоить себе лавры победителя.

Однако Арсений Поликарпович, человек кристальной честности и большого ума, не противопоставлял себя староникольской полиции, а, наоборот, старался использовать их знания, опыт и сноровку на всеобщее благо.

В который раз я убедилась в том, что выбор пал на Арсения Уссольцева не случайно. Именно он идеально подходил на роль следователя, который мог бы разоблачить нашего цветочного монстра. Он внимательно изучил послания и пришел к противоположному, нежели полиция, выводу.

Трудно быть солнцем

— Я не думаю, что убийца является человеком диким и подвластным эмоциям. Наоборот, он видится мне чрезвычайно расчетливым, хладнокровным и злобным. Скорее всего, он обвиняет судьбу в том, что не смог достичь высот жизни, и старается отомстить ей и обществу за это. Он не глуп, более того, обладает большими интеллектуальными способностями. Эти стихи... Я уверен, они помогут нам выйти на его след.

— Но почему цветы, почему этот злодей украшает тело каждой из жертв цветком и совершает убийство при помощи шарфа, на котором также имеется изображение цветка? — спросила я. Меня давно мучил этот вопрос.

— Не могу сказать, Елена Карловна, — ответил мне Арсений Поликарпович. — Я убеждаюсь с каждым прожитым днем, что человеческий мозг и процессы, протекающие в нем, подлинная загадка, над разрешением которой нам предстоит биться еще долгие столетия. Чтобы понять психологию убийцы, влезть в его шкуру и проследить его дальнейшие шаги, нужно быть гением сыска, которым я, увы, не являюсь... Видимо, в жизни этого человека было что-то, связанное с цветами. Например, его мать, женщина властная и жестокая, могла увлекаться цветоводством, или свое первое преступление он мог совершить именно в саду, среди благоухающих бутонов... Я не знаю, Елена Карловна, ничего не могу сказать по этому поводу!

— Но кто же может оказаться этим чудовищем? — спросила я Арсения Поликарповича. — И почему он решил наносить один удар за другим?

Следователь, подумав, ответил мне:

— К сожалению, я пока что имею только очень смутные подозрения, говорить о которых слишком рано. Елена Карловна, первое убийство произошло на свадебном торжестве Евгении Ируповой и князя Шаховского. Я имел честь беседовать в Петрограде с отцом покойной, Адрианом Ируповым. Он произвел на меня впечатление человека, которого ударила молния. Он полон чувством мести и желает покарать того, кто лишил его единственной дочери. Беседовал я и с князем Шаховским. Он также навел меня на ряд ценных идей. Скажите, уважаемая Елена Карловна, кто бы мог ненавидеть бедную девушку до такой степени, чтобы лишить ее жизни?

Я задумалась, а потом ответила:

— Я не была так хорошо знакома с семейством Ируповых, все же мы принадлежим к разным социальным группам, вы понимаете, о чем я... Евгения была милой девушкой, она вряд ли могла иметь врагов. А что, если это месть ее отцу, который сделал состояние, разоряя других? И не забывайте о розовом бриллианте «Утренняя заря», похищенном с места преступления. Его же взял убийца, как вы считаете?

— Вероятнее всего, да, — ответил Арсений Поликарпович. — И это вроде бы должно помочь нам напасть на его след. Но я уверен, убийца не будет пытаться продать камень, он оставит его в качестве талисмана, как символ первого удавшегося преступления. Нам необходимо вычислить взаимосвязь между первой и второй жертвой. Что могло объединять Евгению Ирупову, точнее, княгиню Шаховскую, и Екатерину Ульрих? Почему убийца выбрал в качестве жертв именно их? Я уверен, он готовился долго и тщательно к смертоубийствам, поэтому говорить о том, что он выбрал жертвы наугад, нельзя. Их должно что-то объединять, но что именно? Этот вопрос к вам, Елена Карловна, вы же знаете местные сплетни...

Я снова задумалась. Евгения Ирупова и Екатерина Ульрих. Я рассказала Арсению Поликарповичу о подозрениях, которыми была окружена молодая вдова Ульрих. Он воспринял это с живым интересом.

— Значит, Екатерину Ставровну подозревали в отравлении супруга? Что же, это может оказаться весьма важным. А что думаете вы сами, Елена Карловна? Кого подозреваете вы? Думается мне, ваши мысли очень и очень интересны.

Я смущенно произнесла:

— Вряд ли это на самом деле так, Арсений Поликарпович! Да, читая детективы, я стараюсь угадать убийцу, однако жизнь — это не дешевый бульварный роман. Мне

Трудно быть солнцем

почему-то кажется, что молодой князь Святогорский, которому молва приписывает вину в этих убийствах, невиновен во всем происходящем. Это месть Ирупова, который всегда конфликтовал со старым князем и затаил на него обиду за то, что тот со смехом отверг мысль о возможности брака между его сыном и дочерью Адриана Николаевича.

— Молодой князь Феликс Святогорский хорошо известен в Петрограде, и, увы, не с лучшей стороны, — сказал Арсений Поликарпович. — Мот, транжира и повеса. Я сочувствую его молодой супруге, она, если я правильно знаю, находится на сносях?

— Да, Аделаида ожидает прибавления в семействе, старый князь обещал в случае рождения юного наследника закатить пир. Не знаю, сдержит ли он обещание в свете подобных событий. И вот что показалось мне странным, когда я в последний раз посещала дворец Святогорских...

Я рассказала Арсению Поликарповичу о горничной Настеньке, дочери расфуфыренного дворецкого Никифора, верного сатрапа Феликса-старшего. О том, как она горько плакала у себя в каморке, а отец, явно зная причину ее слез, пытался вытолкать меня прочь, чтобы я не узнала, в чем же дело.

— Возможно, это также связано с происходящим, а возможно, и нет, — ответил Уссольцев. — Я получил приглашение на ужин к Святогорским, и я прошу, Елена Карловна, чтобы вы сопровождали меня.

Сердце у меня усиленно забилось, мне стало трудно дышать. Вот оно, подлинное человеческое счастье! Арсений Поликарпович не боится пересудов, которые, как щупальца гигантского осьминога, расползлись уже по всему городу.

Я знала — пройдет немного времени, и он сделает мне предложение. И я не собиралась долго ломать голову над ответом. Разумеется, я соглашусь! Я всю жизнь ждала такого человека, как Арсений Поликарпович. Он станет мне великолепным, образцовым мужем и чудесным отцом Карлуше. Я уже грешным делом задумалась над тем, где мы будем жить. Наверняка в Петрограде, он не такой человек, чтобы заживо хоронить свой талант и экстраординарные способности в староникольской глуши. Я, как верная жена, последую за ним всюду.

— Шикарное здание, — восхищенно пробормотал Арсений Поликарпович, когда мы подошли к дворцу Святогорских. Его удивлению не было предела, когда он оказался в парке и насладился видом фонтанов.

— Крошечный Версаль, право же, князь, — сказал он старому Феликсу, который сопровождал нас, как всегда, восседая в инвалидном кресле. Князь был безупречно одет, взгляд его прищуренных глаз перебегал с моего лица на лицо Арсения Поликарповича.

— Да, это Версаль, не так ли, сын? — спросил он Феликса-младшего, который молча толкал кресло. — Помнится мне, все эти бесчисленные Людовики занимались в Версале непотребством, при живых женах содержали метресс... Как и ты, Феликс, как и ты....

Молодой князь ничего не произнес, а отец его разразился кудахтающим, злобным смехом. Довольный собственной абсолютно бестактной шуткой, он переключился на меня.

— А вот вы, уважаемая Елена Карловна... Дошли до меня поразительные слухи о том, что вы наконец-то снова собрались замуж. А то я все боялся, что пропадает такой редкостный человеческий экземпляр, сгинет во благо науки... Хе-хе, и кто ваш избранник, вы не в курсе, господин следователь?

Арсений Поликарпович, надев маску безупречной выдержки и холодной столичной вежливости, стойко сносил все уколы и подлые намеки старого Святогорского. Уссольцев осмотрел место преступления, опросил князя и прислугу. Ничего нового это не дало.

— А вы не думаете, что и мой сын причастен к этому? — сказал князь Арсению Поликарповичу, когда Феликс-младший, сославшись на то, что ему нужно проведать жену, ушел из парка прочь. — Я ведь и сам иногда так думаю... Это он только производит впечатление тихого

Трудно быть солнцем

мальчика, на самом деле в его жилах течет дикая кровь Святогорских.

Я с отвращением посмотрела на старого инвалида. До чего же надо дойти, чтобы обвинять в убийствах собственного сына! Князь никогда мне не нравился, однако в последнее время, после начала убийств, он стал просто невыносим. Если бы не его инвалидное кресло, к которому он был прикован уже много лет, я бы дала руку на отсечение, что он с большим удовольствием совершал бы эти страшные преступления, которые были полностью в его стиле. Впрочем, даже если предположить, что он имитирует свой недуг, вряд ли Феликс Александрович способен на это — он слишком хрупкий и немощный для того, чтобы справиться с молодыми и полными сил жертвами, которые, несомненно, пытались оказать сопротивление.

Предоставив Арсению Поликарповичу возможность вести беседу со старым князем, я прогулялась по саду. В одном из его уголков, около искусственного пруда, я замерла как вкопанная. Белые лилии, похожие на морские раковины, цвели, поражая своей красотой. Боже, на теле Евгении Ируповой нашли лилию! Я попыталась найти в саду эдельвейс. Меня давно занимал вопрос, откуда в Староникольске мог взяться цветок, более характерный для горных ландшафтов Австрии или Швейцарии, нежели для нашей среднерусской местности. Следствие тоже пыталось выяснить это, но безуспешно.

Заглянув в оранжерею, где старый Феликс мог проводить многие часы в одиночестве, я почти сразу же наткнулась на этот цветок. Вот он, растет на альпийской горке... Так-так, получается, что цветы — как лилия, так и эдельвейс — взяты из сада Святогорских. Но о чем это свидетельствует? Я не знала...

Затем я отправилась во дворец, якобы затем, чтобы нанести визит вежливости Аделаиде Святогорской, которая, чувствуя приближение родов, все время находилась в своей опочивальне.

Княгиня выглядела изможденной. Помимо тяжелой беременности, ее мучила связь мужа с актрисой Анной

Радзивилл. Та все еще пребывала в Староникольске, и Феликс-младший до сих пор ухлестывал за ней. Мне было бесконечно жаль молодую княгиню, я испытывала чувство неприязни к ее супругу и определенное отвращение к беспринципной актрисе, богатой и знаменитой, которая наслаждалась адюльтером с Феликсом. Он для нее — очередная забава, она знает, что причиняет боль его беременной жене, зачем она делает это? Или Анна Радзивилл в самом деле вознамерилась стать очередной княгиней Святогорской? Я была уверена, что старый князь скорее уйдет в монастырь, нежели благословит сына на подобный шаг. При всей их несносности и распутстве Святогорские всегда зорко следят за соблюдением внешних приличий.

Пожелав всего наилучшего княгине, которая должна была буквально в течение недели разродиться, я вышла из ее будуара. Мне стало жутко интересно, как же обстоят дела у Настеньки. Я совсем забыла о бедной девочке, мне стало стыдно, я обязана помочь ей и узнать, почему она так горько плакала и кого обвиняла в своих бедах.

Я проскользнула к ее каморке, тихонько постучалась. Никто не ответил. Я приоткрыла дверь. В комнате, тщательно прибранной, никого не было. Но где же Настя? Что с ней произошло?

Как это всегда бывает, в самый неподходящий момент возник Никифор. Дворецкий, которого я терпеть не могла (а он отвечал мне взаимностью, считая пиявкой и любопытной старой девой), появился из-за поворота, неся в руках серебряный канделябр. Увидев меня, он обозленно и крайне нелюбезно сказал:

— Елена Карловна, чего это вы шныряете по дворцу? Это комната моей дочери!

— Я... Мне хотелось бы увидеть вашу дочь, у нее в последний раз был такой болезненный вид. Как у нее дела?

Никифор пролаял:

— Все в полном порядке, милостивая государыня! Благодарю за ваш интерес, а теперь покорнейше прошу покинуть апартаменты!

— Никифор, хватит ломать комедию, — произнесла я

строгим тоном. — Мне все известно! Что с Настенькой, где она? Если не скажете мне правду, я намекну следователю из Петербурга, что вы, вполне возможно, знаете об убийстве княгини Шаховской больше, нежели утверждаете.

Дворецкий побледнел, канделябр задрожал в его руке, однако это длилось несколько мгновений. Затем, снова взяв себя в руки, он ответил с нескрываемым презрением ко мне:

— Ничего вам не известно, госпожа Олянич! Настенька утомилась, эти убийства произвели на нее гнетущее впечатление, и, приняв любезное приглашение его сиятельства князя Феликса Александровича, я отослал ее в подмосковное имение.

Складно врет, подумала я. Но что-то тут не сходится. Настеньку явно убрали из дворца как свидетельницу чего-то. Но что может знать глупышка? В чем она может быть замешана?

Так и не добившись от чопорного дворецкого новой информации, я была вынуждена уйти прочь. Он проводил меня, следуя по пятам, до парка, где Арсений Поликарпович как раз прощался с князем. Мы покинули дворец.

— Ну и какое впечатление произвел на вас наш сюзерен? — спросила я Уссольцева.

Арсений Поликарпович, погладив усики, ответил:

— Таких типов много в столице. Растленные, богатые, думают, что для них не существует законов. Князь занятная личность и, как мне кажется, прирожденный преступник.

— Абсолютно верная характеристика! — сказала я, поражаясь откровенности Арсения Поликарповича. Затем я поведала ему о своем небольшом открытии касаемо лилии и эдельвейса, не забыв упомянуть и о том, что Настенька под благовидным предлогом отослана из Староникольска.

— Вы просто умница, — сказал мне Арсений Поликарпович. — Я тоже заметил эти цветы и сразу понял, что убийца взял их из сада Святогорских. Но о чем это свидетельствует, уважаемая Елена Карловна? О том, что монстр имеет доступ в парк? Возможно, что да. Но при желании в парк можно пробраться, если перелезть через ограду. Во всяком случае, это весьма занятно. А что касается дочери дворецкого... Я не думаю, что это каким-то образом связано с убийствами. Скорее всего, отец и в самом деле заботится о безопасности дочери, и за это ему честь и хвала!

Я несколько обиженно посмотрела на Арсения Поликарповича. Почему он не хочет воспринимать всерьез мои изыскания? Настенька, я была уверена, связана со всем происходящим, и я докажу это! Но каким образом?

Шли дни, которые, как опадающие сентябрьские листья, пролетали один за другим в цветном хороводе. Убийца выждал достаточно долгое время, а затем снова нанес удар. Его новой жертвой, чье тело было обнаружено третьего сентября, была Серафима Никитична Грач.

Серафима Никитична Грач являлась одновременно позором и гордостью нашего Староникольска — в зависимости от того, кто и в каких тонах говорил о ней.

Ей было лет под сорок, она отличалась изысканной моложавой красотой, заказывала туалеты в Петрограде и Париже, содержала арабских лошадей и завела первый в городе автомобиль.

Помимо всего этого Серафима Никитична являлась владелицей единственного в Староникольске дома терпимости. Она не скрывала этого, как не скрывала и того, что жила по большей части за счет дивидендов, которые давало это увеселительное заведение. Располагался bordelle на окраине Староникольска, в старинном особняке, который ранее планировалось отвести под мой музей. Однако Серафима Никитична, дав нужному чиновнику в мэрии взятку, сумела наложить свою лапку на особняк. Она устроила там вертеп, а я была вынуждена еще несколько лет скитаться.

Весть о ее смерти застала всех врасплох. Рано утром ее обнаружили в ее же собственной квартире, расположенной на последнем этаже этого здания, удушенной. Новость, как пламя, раздуваемое ветром, разнеслась по Староникольску. Еще одна убита цветочным монстром!

Арсений Поликарпович позвонил мне около половины восьмого и сообщил об этом. Я еще находилась в постели, так как немного простыла, однако, невзирая на недомогание, немедленно собралась и отправилась прямиком к борделю мадам Грач.

Около него толпились любопытные, которых к входу не допускала полиция. Я слышала обрывки разговоров:

— Вот ей-то поделом, за все ее прегрешения... — На ее груди была орхидея... — А правда, что она была полностью обнаженной?

Я, не обращая внимания на досужие разговоры, подошла к входу. Арсений Поликарпович уже ждал меня. Он, облаченный в серый костюм, был немного бледен.

— Убийца снова принялся за свое, — сказал он. — Я уже осмотрел место преступления, но пойдемте, я вам все покажу.

Я вступила под сень дома терпимости. Не могу сказать, что ни разу не была в нем, я несколько раз приходила сюда убеждать Серафиму Никитичну поступить по совести и отдать мне здание — со своими деньгами она могла позволить себе любой другой особняк. Она, нагло поиздевавшись надо мной, грубо ответила отказом. Еще несколько раз я приходила сюда, чтобы убедить девушек бросить это позорное занятие, что также вызывало гнев мадам Грач.

Однако мои визиты не увенчались успехом. Ни одна из девушек, которая работала в данном заведении, не захотела бросить эту позорную работу.

В этот раз все было по-другому. Я прошла в холл, обставленный в пурпурно-красных тонах. Стены украшали дешевые репродукции малоприличных картин на мифологические темы: сатиры, нимфы, наяды, кентавры...

Серафима Никитична никогда не отличалась наличием вкуса. Деньги она начала зарабатывать как содержанка богатого промышленника, переехала вместе с ним в Санкт-Петербург, долго путешествовала по заграницам, сменила дюжину или около этого любовников. Один из ее старичков завещал ей весьма крупную сумму денег, получив ее, мадам Грач организовала в Староникольске дом терпимости. Отчасти она сделала это, чтобы зарабатывать деньги (и это приносило неплохую прибыль, многие из мужчин наведывались к ней!). Однако при этом, как я понимала, Серафима Никитична, никогда не любившая наш городок, сделала это нарочно, чтобы позлить матрон Староникольска и бросить, таким образом, вызов общественному мнению.

Такая она была, мадам Грач, ставшая третьей жертвой таинственного «цветочного убийцы».

Девушки, облаченные во фривольные наряды, испуганно жались к колоннам из фальшивого зеленого мрамора, взирая на тех, кто входил и выходил. Мне было жаль эти растленные и невинные создания. Они сами не понимают, куда попали. И теперь, размышляя об их дальнейшей судьбе, я подумала, что убийца по большому счету оказал городу благодеяние, лишив жизни Серафиму Никитичну. Но убийство всегда остается убийством, вне зависимости от личности жертвы. Это тягчайшее преступление, которое должно быть наказано соответствующим образом.

Я впервые оказалась в личных покоях Серафимы Никитичны, которые располагались на втором этаже особняка. В отличие от, так сказать, рабочих помещений, они были обставлены с бездной вкуса. Я удивленно осмотрелась. Стены украшали картины знаменитых художников, спокойные тона обоев, никакого дешевого и крикливо-вульгарного вкуса, столь характерного для первого этажа.

— Проходите, Елена Карловна, — сказал Арсений Поликарпович. Он находился в будуаре.

Я, опасливо оглядываясь по сторонам, прошла внутрь. Тело жертвы находилось на кровати, точнее, свешивалось через край. Рыжие крашеные волосы Серафимы Никитичны, разметавшись, касались персидского ковра. Бедняжка была облачена в красивую, цвета морской волны, ночную рубашку из тончайшего шелка с богатой вышивкой. Я не могла бы сказать, что особенно горевала по поводу утраты, постигшей наш городок. Все же смерть содержательницы борделя не так ужасна....

В то же время мне было жаль мадам Грач, которая

Трудно быть солнцем

стала жертвой убийства. Однако, как я понимала, она отчасти сама виновата в том, что произошло. Убийца намеренно остановил на ней свой выбор. Он уничтожал известных дам в Староникольске, а Серафима Никитична, и это не подлежит ни малейшему сомнению, была именно такой особой.

— Смерть наступила около полуночи, — сказал седой доктор, который как раз осматривал тело. — Таким образом, Серафима Никитична мертва от восьми до девяти часов.

Мой взгляд был прикован к черному шарфу с изображением орхидеи, который обвивал тонкую шею Серафимы Никитичны. На кровати, на смятой постели, лежала увядшая орхидея тигровой окраски. Теперь я знала наверняка — этот цветок был сорван в оранжереях князей Святогорских. Только у них в Староникольске произрастали эти экзотические и дорогие цветы.

— А письмо, есть ли письмо? — спросила я, стараясь не глядеть на мертвое тело. Арсений Поликарпович показал на изящный секретер орехового дерева, где покойная хранила бумаги. Поверх всех прочих документов лежал распечатанный конверт со смертоносным посланием. Я с любопытством уставилась на новое стихотворное предупреждение о грядущей смерти.

> Ты орхидея, символ растленной красоты!
> Ты есть орхидея, Серафима!
> Ты орхидея, дикая, жестокая, красивая...
> Цветешь в саду Эдемском на холме.
> Но красота твоя, распутная, спесивая,
> Увянет в тот момент,
> Когда стилет Садовника убьет тебя,
> И сгинешь ты во тьме...
> Завтра ты умрешь.

— Новый стихотворный перл нашего таинственного друга, который предпочитает именовать себя Садовником, — сказал Арсений Поликарпович. — Ну, что скажете, Елена Карловна?

Я в задумчивости перечитала послание еще раз. Как и

все предыдущие, это письмо было написано явно измененным почерком на дешевой бумаге, которую можно приобрести в любой писчебумажной лавке любого города. Конверт тоже ничем не выделялся.

— Почему Серафима Никитична, которая явно знала о происходящих в городе смертях, не придала значения этому посланию и не известила полицию? — сказала я наконец. — Она была женщиной, лишенной моральных принципов, но в наличии здравого смысла и инстинкта самосохранения ей отказать было нельзя. Так почему?

— Вы бьете в самую точку! — рассмеялся Арсений Поликарпович. — Конечно же, я подумал в первую очередь именно об этом. Ведь мадам Грач определенно должна была обратиться в полицию, когда с вечерней почтой ей принесли это письмецо. Однако она не сделала этого! Но у нас есть свидетельница, одна из работниц этого заведения. Елена Карловна, давайте выслушаем девушку в холле, предоставив специалистам место преступления для тщательного сбора улик!

Я согласно кивнула и бросила последний взгляд на распластавшееся тело Серафимы Никитичны. Она, мертвая, на самом деле была все еще красива, но как прав был неизвестный автор — красота ее, как красота ядовитого цветка в джунглях, хищная и растленная.

Серафима Никитична отчасти сама виновата в том, что стала жертвой Садовника. Не будь она так скандально известна, вряд ли бы этот тип, склонный к театральности, остановил бы свой выбор именно на ней. Крашеные рыжие кудри пламенели на фоне белого белья. Ну что же, прощайте, Серафима Никитична, пришел конец и вашему прибыльному бизнесу...

Мы вышли в холл, уселись в глубокие удобные кресла. Арсений Поликарпович достал небольшую записную книжку, куда он заносил все мысли касательно серии преступлений. Перед нами возникла испуганная молодая особа, чей возраст едва ли был более двадцати лет.

Дрожа и переминаясь с ноги на ногу, она переводила взгляд с моего лица на лицо Уссольцева. Я знала бедняжку. Дочь мельника, она попала в паутину к мадам Грач около года назад. Я посетила тогда Серафиму Никитичну и просила образумить девушку, которая в погоне за легкими деньгами решила наняться к ней в дом терпимости. Однако мадам Грач ответила, что каждый волен поступать, как того желает, а потом, явно издеваясь, добавила, что и я сама могу подработать у нее, возможно, это обеспечит финансово мой музей. Я тогда гордо удалилась под ее гортанный смех. И вот Серафима Никитична мертва, удушена Садовником-рифмоплетом...

— Итак, Маргарита, прошу вас, садитесь, — сказал несколько сурово Арсений Поликарпович девушке, которая была облачена в стандартное для заведения мадам Грач одеяние — корсет и яркие панталоны из шелка.

Девушка дрожала, и я прекрасно видела, что перед нами никакая не распутница, а обычная молодая дурочка, которая, польстившись на рассказы о хорошей жизни, угодила в ловушку, расставленную хитроумной Серафимой Никитичной.

— Деточка, ничего не бойтесь, — ласково сказала я, стараясь успокоить бедняжку. — Мы с Арсением Поликарповичем зададим вам всего несколько вопросов, не более того, вы ответите нам честно, и все... Ваши мучения закончились, мадам Грач мертва, вы можете отправляться домой!

Я ожидала реакцию радости по поводу избавления от кабалы, и Маргарита действительно заплакала, размазывая по лицу толстый слой белил и румян. Я подошла к девушке, попыталась ее успокоить. Она сбросила с плеча мою руку и сказала недовольным тоном:

— Что вы в этом понимаете, госпожа директор музея! Вы всю жизнь провели с засушенными головастиками и чучелами хорьков!

— Милочка, — сказала я, несколько опешив, — все позади, Серафима Никитична мертва, я уверена, что после ее смерти заведение будет закрыто, вы снова обретете свободу, разве это не чудесно?

Маргарита, услышав мои слова, разразилась рыданиями.

— Это все именно так, именно так, — прокричала она. — А как я буду зарабатывать деньги, у кого теперь? Придется перебираться в Ярославль! Искать новый бордель! Боже мой, ну и сволочь этот убийца! Все девушки проклинают этого сатану! Он же лишил нас такого хорошего места и такой доброй хозяйки!

Я была глубоко огорчена словами юной особы. Надо же, вместо того чтобы радоваться, обретя возможность начать новую, полную морального превосходства жизнь, она печалится из-за потери хлебного места. Нет, я отказываюсь понимать новое поколение. В наши времена все было совсем по-другому. И если России предсказывают великие потрясения и даже грядущую революцию, то я думаю — страна этого заслужила, коли молодые девушки страстно хотят быть шлюхами и горюют из-за смерти содержательницы борделя!

— Итак, Маргарита, — произнес Арсений Поликарпович, — насколько мне известно, именно вы вчера вечером принесли Серафиме Никитичне почту. Это соответствует действительности?

Тон следователя был любезный, но в то же время он не позволял девушке отклоняться от темы расспросов. Маргарита кивнула, а затем добавила:

— Да, господин следователь, это так. Я всегда приносила Серафиме почту.

— Во сколько часов это было? — спросила я.

Девушка, поразмыслив, ответила:

— Примерно в восемь. Да, как раз после визита городского главы...

Она запнулась, покраснела и взглянула на меня исподлобья. Я сделала вид, что ничего не услышала. Что же, визиты многих солидных и облеченных властью мужчин нашего городка в заведение Серафимы Никитичны ни для кого не являлись секретом. Почти все дамы Староникольска проклинали мадам Грач. И я была более чем уверена — по поводу ее кончины кое-кто закатит настоящий

Трудно быть солнцем

праздник. Серафиму Никитичну никто не любил. Возможно, только работающие у нее девицы.

— Было ли среди почты это письмо? — Зажав двумя пальцами конверт, Арсений Поликарпович продемонстрировал его Маргарите.

Та, вглядевшись, сказала:

— Ну конечно, оно было там. Я принесла Серафиме пять или шесть писем. В основном счета. Она вскрыла их при мне, мы немного поговорили... Она прочитала и это странное послание.

— И какова была ее реакция? — В глазах Арсения Поликарповича зажегся огонек. — Она что-нибудь сказала, как она отреагировала на это?

Девица ответила:

— О да, она сказала, что это чья-то глупая шутка. Она перечитала письмо, заметила, что стишки написаны явно потомственным алкоголиком.

— И все? — протянула я. — Серафима Никитична не была обеспокоена этим письмом? Ведь она знала о том, что две другие жертвы тоже получили подобное письмо. Почему она не обратилась в полицию?

Маргарита пояснила:

— Серафима решила, что это шутка и месть одного из ее бывших любовников. Она даже сказала мне, что ее никто не сможет убить. И знаете, почему? Пойдемте, я покажу вам!

Мы вернулись в будуар к мадам Грач. Тело уже исчезло с кровати и находилось теперь на полу, ожидая транспортировки в анатомический театр для процедуры вскрытия. Что же, бедная Серафима Никитична, такова ее участь — завершить свой жизненный путь в возрасте неполных сорока лет на столе прозектора.

Девушка подошла к секретеру, выдвинула один из маленьких ящичков и указала на крошечный, инкрустированный перламутром пистолетик.

— Она сказала, что если кто-то попытается ее убить, то она живо расправится с ним.

— Однако, как видите, оружие ее не спасло, — сказал в

задумчивости Арсений Поликарпович. — Но почему? Это может означать только одно — человек, который убил ее, был хорошо знаком Серафиме Никитичне. Иначе бы она подняла шум, позвала на помощь, применила оружие. Но, как видите, она и не пыталась этого сделать.

— Мы установили, каким образом убийца проник сюда, — сказал один из полицейских, почтительно обращаясь к Арсению Поликарповичу. — Через черный вход. Лестница ведет прямо сюда, в опочивальню к мадам Грач. Он, по всей видимости, позвонил, она сама подошла к двери и открыла ему. Девушки никого не видели... особые клиенты, которые хотят сохранить инкогнито, проникали в бордель именно через будуар мадам Грач.

— Это подтверждает мою версию о том, что человек, который лишил ее жизни, был хорошо ей знаком. Более того, Серафима Никитична явно не ожидала от него подобного действия, как убийство. Был ли у мадам Грач... скажем так, постоянный друг?

Маргарита знала ответы на все вопросы. Она сказала:

— В данный момент нет. Серафима рассталась со своим ухажером около двух недель назад. Это поручик Зорич.

Я знала поручика — роскошный ловелас с шикарными усами, который не скрывал, что живет за счет своих любовниц. Получив ранение на фронте, он был командирован в тыл до полного излечения. Вот он и лечился тем, что сожительствовал с мадам Грач.

— Она его выгнала, — сообщила нам Маргарита. — Зорич совсем обнаглел, требовал выпивки, денег и при этом приставал к девушкам в заведении. Серафима посчитала, что это выше ее сил, и вышвырнула его с чемоданом прочь.

— Еще один потенциальный кандидат в убийцы, — сказал Арсений Поликарпович. — Поручик вполне мог затаить злобу на Серафиму Никитичну и отомстить ей таким образом. Ну что же, милочка, спасибо вам!

Девушка удалилась. Мы провели в будуаре еще несколько минут. Арсений Поликарпович делал пометки в своей записной книжечке. По дороге в пансион к вдове

Трудно быть солнцем

Любимовой (мы решили прогуляться по городу) я спросила его:

— Вы уже знаете, кто убийца, уважаемый Арсений Поликарпович?

— Увы, пока еще нет, — сказал он. — Однако с каждой минутой я приближаюсь к разгадке этой тайны. Убийцы, я убедился в этом на основании моего многолетнего опыта, всегда самонадеянны. Они считают, что разработали идеальный план и никто не в состоянии их разоблачить. Это не так! На самом деле этот «цветочный убийца» оставил множество следов, которые надо уметь читать. У меня уже есть несколько зацепок... С каждой новой жертвой он увеличивает шансы собственного разоблачения!

Я в диком волнении схватила его за рукав:

— Это значит, Арсений Поликарпович, что вы скоро схватите этого зверя! Это будет ваш триумф! И наш милый городок снова заживет спокойной жизнью!

— Спокойной жизни уже не будет, — несколько печально сказал Уссольцев. — Елена Карловна, здесь, в Староникольске, этого еще не чувствуется, но Петроград кипит. Ситуация очень похожа на девятьсот пятый. Но в этот раз, думается мне, все гораздо хуже. Хотя кто знает, если правительство примет верное решение и предпримет умные шаги... но сомневаюсь в этом. Вселенской катастрофы не избежать!

В тот же вечер Арсений Поликарпович сделал мне предложение. Это произошло следующим образом — я пригласила его к себе на чай. Весь вечер я усиленно готовилась к его визиту. Я испекла чудный яблочно-малиновый пирог, заварила душистый чай. Карлуша радовался визиту Арсения Поликарповича — Уссольцев никогда не появлялся без небольшого подарка для него.

Арсений Поликарпович, как всегда, элегантный, появился с роскошным букетом. Я даже прослезилась немного — в моей жизни никто и никогда не дарил мне цветы. Супруг мой покойный, Степан Логвинов, отличался замкнутостью характера и считал, что женщин надо держать в строгости, походя в этом на моего батюшку. Он ни разу не сделал мне подарка. Но, возможно, это объясняется тем, что брак наш по причине трагических обстоятельств длился совсем недолго.

Погода выдалась удивительно теплая. Мы расположились на террасе, которая выходила в заброшенный сад. Я запустила его, так как у меня не было времени работать в нем самой, а денег на оплату садовника, как всегда, не имелось.

Я чувствовала, что Арсений Поликарпович хочет мне что-то сказать. Он был на редкость галантным и задумчивым. Наконец, когда все темы для разговора были исчерпаны, он произнес:

— Уважаемая Елена Карловна, разрешите мне...

Он запнулся. Я не смотрела на него, вглядываясь в горизонт, который освещали последние лучи закатывающегося солнца. Мне внезапно стало холодно, я поежилась. Но меня съедал внутренний холод!

— Разрешите мне сказать несколько слов, — продолжил Уссольцев. — С того момента, когда я познакомился с вами, я понял, что жизнь моя изменилась бесповоротно. Вы самая великолепная, самая умная и красивая женщина, которую я знаю! Я всегда думал, что после смерти моей супруги я никогда не смогу полюбить ни одну женщину, но теперь вижу, что глубоко заблуждался. Мои чувства к вам... Я люблю вас, уважаемая Елена Карловна! Поэтому разрешите мне просить вашу руку и сердце!

Я поплотнее запахнула темно-синюю шаль, в которую куталась весь вечер. Вот он, долгожданный момент! Ведь я тоже успела полюбить всем сердцем и всей душой Арсения Поликарповича! Он — умный, интеллигентный, воспитанный — и есть идеал мужчины, которого я искала всю свою жизнь.

Правильно истолковав мое молчание как согласие, он продолжил:

— Я буду счастлив назвать вас своей супругой! Ваш чудесный малыш, Карлуша, станет моим сыном! И я думаю, Елена Карловна, не за горами тот день, когда вы подарите мне нашего сына!

Трудно быть солнцем

Я заплакала — первый и последний раз в своей жизни. Его слова тронули меня безмерно. Мой любимый Арсений Поликарпович! Как же я была благодарна судьбе за то, что она подарила мне эти краткие моменты огромного счастья!

— Вы станете моей женой? — спросил он, и мои ладони оказались в его ладонях. Я сквозь пелену слез взглянула на Арсения Поликарповича и ответила:

— Мой дорогой Арсений! Я буду счастлива стать вашей женой!

И он впервые поцеловал меня.

— Мы сыграем свадьбу, как только убийца будет пойман, — сказал Арсений Поликарпович. — А я думаю, этого ждать недолго. У меня уже есть кое-какие мысли по этому поводу!

— Дорогой мой Арсений, — сказала я, наслаждаясь солнечным закатом. Мое сердце билось от радости слишком быстро. — Давайте этим вечером забудем обо всем, кроме нас!

Он согласился. Мы провели остаток дня вдвоем на террасе, строя планы нашей совместной жизни. Арсений Поликарпович знал, как мне дорог Староникольск, поэтому предложил бросить свою работу в министерстве и переехать к нам в провинцию.

— Мой дорогой, — сказала я. — Я чрезвычайно благодарна вам за ваше предложение, но я не посмею принять от вас такую жертву. Я с удовольствием перееду в Петроград. Староникольск после этих убийств уже перестал быть прежним.

Мы с Арсением Поликарповичем решили, что до разоблачения «цветочного убийцы» не будем афишировать наши отношения, и заключили помолвку тайно. На следующий день он преподнес мне в качестве подарка тонкое кольцо из золота с чудесной жемчужиной. Я была в восторге от подобного дара.

Какой же наивно-счастливой была я тогда, и не подозревая, что это неземное счастье вскоре должно было закончиться — его оборвал тот самый монстр, который и совершал убийства в Староникольске...

Шли дни, Арсений Поликарпович занимался расследованием, я, упоенная счастьем, сопровождала его. Мне было так приятно находиться подле человека, которого я любила всем сердцем. Человека, который любил и меня, и моего маленького сыночка.

Наступает время перейти к повествованию о встрече с этим кровожадным чудовищем, которое творило бесчинства в нашем городе. Уже тогда я пыталась выяснить у Арсения Поликарповича, кого же именно он подозревает. Он отвечал уклончиво.

— Пока никаких четких подозрений, — говорил он. — Только мысли, не более того, моя дорогая.

Я тоже напряженно думала. Итак, это мужчина. Кто еще мог наведаться в столь поздний час в заведение мадам Грач? Кого бы еще она впустила только что получив письмо с угрозами? Она не была глупой, эта Серафима Никитична, и явно заботилась о собственной безопасности.

Кандидатуру ее экс-любовника, поручика Зорича, отверг и Арсений Поликарпович, и я. У того было железное алиби — он весь вечер и всю ночь резался в карты и кутил с девицами в Ярославле, так что его непричастность к убийству Серафимы Никитичны была очевидна.

Но если не он, то кто еще? Один из столпов общества Староникольска? Молодой Святогорский? Никифор? Городской голова? Кто-то другой? Я терялась в догадках.

Княгиня Аделаида Святогорская шестнадцатого сентября разродилась сыном, которого по традиции нарекли Феликсом. Итак, на свет появился новый князь, Феликс Феликсович Святогорский, Феликс Третий. Я отправилась во дворец и принесла свои искренние поздравления. Аделаида была ослаблена тяжелыми родами и романом мужа с Анной Радзивилл. Старик князь был рад, хвастался всем, что мальчик, его единственный внук, на редкость здоровый.

— Вы только посмотрите на него! — говорил он, бережно держа в руках младенца. — Какие розовые щечки, какие голубые глазки. Чудный малыш, правда же?

Я никогда еще не видела старого Феликса таким забот-

Трудно быть солнцем

ливым и нежным. Надо же, этот распутник может быть удивительным дедом!

Выходя из дворца, чтобы прогуляться по саду, где били фонтаны, я заметила одинокую и сгорбленную фигуру, которая притулилась на скамейке. Настенька! Как же я могла забыть о бедной девушке! Какая же я бессовестная эгоистка, обещала Настеньке помочь, а сама, в суматохе убийств и увлеченная Уссольцевым, совершенно упустила из виду дочку злобного дворецкого.

— Здравствуй, милочка, — сказала я.

Девушка, к которой я подошла неслышно со спины, вздрогнула и обернулась.

Боже мой, я запомнила Настю живой, полненькой, симпатичной пейзанкой, а передо мной была ее тень — бледная, высохшая, с темными кругами под красными, заплаканными глазами. Ее волосы, которые всегда были для меня предметом зависти, теперь безжизненно висели патлами, утратив яркий блеск, губы потрескались. Настенька выглядела на десять лет старше. Она была облачена в безразмерное старое платье.

— Елена Карловна, — сказала он лишенным эмоций голосом, — я рада вас видеть.

Я оторопело смотрела на девушку. В чем причина ее разительной перемены?

— Настенька, деточка, в чем дело? — спросила я, присаживаясь рядом с ней на скамейку. — Расскажи мне! Ты выглядишь, как призрак! Прошу тебя!

Девушка слабо усмехнулась, и эта улыбка была более похожа на гримасу боли и отчаяния, чем на добрую улыбку жизнерадостного ребенка, каким Настенька была всего несколько месяцев назад.

— Ты же была в подмосковном поместье князя, — сказала я. — Ты вернулась?

— Князь приказал, — ответила Настенька. — И я рада, что вернулась в Староникольск. Они держали меня там в темной избе, боясь, что я сбегу.

— В чем дело? — требовательно произнесла я. — Настя, ты обязана мне все рассказать!

Девушка мотнула головой:

— Я не могу, Елена Карловна. Я не могу...

— Но почему? — Я прижала к себе малышку. — Деточка, я смогу тебе помочь. Если отец над тобой измывается или тебя домогается молодой князь... Поверь мне, я смогу тебе помочь, деточка!

Бедное дитя, вздрагивая, как загнанная охотниками лань, плакала у меня на груди, не в силах вымолвить ни слова. Я гладила ее по головке, стараясь утешить.

— Помогите мне, дорогая Елена Карловна. Вы единственный в этом мире человек, который может помочь мне, — сказала Настенька, немного придя в себя. — Все дело в том, что...

— Анастасия! — раздался ворчливый голос ее отца, проклятущего Никифора, который обладал удивительной способностью возникать в самый неподходящий момент.

Девушка была готова доверить мне свою тайну, но из оранжереи, держа в руке корзинку с орхидеями, появился дворецкий. Его свиные глазки заметались, когда он увидел, что Настенька плачет у меня на плече. Он испугался, этот Никифор, ох как испугался!

Уронив на землю корзинку с цветами (теми самыми орхидеями тигровой раскраски, одну из которых убийца оставил в будуаре Серафимы Никитичны), он буквально бросился к дочери, схватил ее за запястье и оторвал от меня.

— Мерзавка, пошла к себе в каморку! Что ты себе позволяешь! — завизжал он на Настеньку.

Девушка, снова заплакав, бросилась во дворец. Я хотела последовать за ней, но дворецкий преградил мне путь. В руке у него были зажаты блестящие садовые ножницы, которыми он угрожающе размахивал перед моим носом.

— Куда, мадам! — с пеной у рта сказал он. — Вы нанесли визит ее сиятельству княгине, вот и проваливайте прочь! Это вам не вокзал, чтобы шастать по всем закоулкам!

— Что вы сделали с Настей? — требовательно сказала я. — Из-за чего ваша дочь превратилась в привидение? Вы ее бьете, Никифор? Я доложу обо всем в полицию!

Трудно быть солнцем

— Да хоть государю-императору! — захохотал наглым тоном дворецкий. — Моя дочь — что хочу, то и делаю. А теперь прошу вас выйти вон, госпожа Олянич, иначе...

Секатор в его руке угрожающе защелкал. Я была вынуждена удалиться. Никифор, собрав рассыпавшиеся орхидеи, побежал во дворец. Я вышла из-за ели, за которой спряталась, и решила во что бы то ни стало поговорить с Настенькой. Бедной девушке требуется моя помощь. Моя и, возможно, помощь Арсения Поликарповича. Мы не оставим ее в беде!

Внезапно окно на втором этаже дворца распахнулось, я увидела Настю. Она бросила мне что-то и немедленно закрыла окно. Я присмотрелась: около девушки возник Никифор, который, грубо пихнув ее, погнал куда-то, наверняка в ее жалкую каморку.

Я поспешила поднять с травы то, что бросила мне Настенька. Это было пресс-папье, завернутое в бумагу. На бумаге торопливым детским почерком было написано: «Дорогая Е.К.! Очень вас прошу, будьте сегодня в 11 вечера около входа на кладбище, мне надо с вами поговорить. Помогите мне! А.».

Я была очень рада записке Настеньки. Она просит меня о помощи! Я обязательно помогу ей! Я ни за что не брошу Настеньку на произвол судьбы!

Вернувшись домой, я позвонила Арсению Поликарповичу, дабы обратиться к нему за советом, однако вдова Любимова, моя троюродная сестра, которая сняла трубку, сообщила, что ее постоялец еще утром уехал в Москву.

— Он обещал вернуться завтра утром. Сказал, что уехал по очень важному делу. И добавил, что скоро придет конец убийствам. А как у тебя дела, Лена? Говорят, Арсений Поликарпович ухлестывает за тобой?

Не желая удовлетворять праздное любопытство вдовы, я сухо попрощалась и положила трубку. Значит, Арсения сегодня вечером не будет в городе. Произошло что-то важное, иначе бы он предупредил меня о своей поездке в Москву. Но это вовсе не значит, что я брошу на произвол судьбы бедную Настеньку. Я одна отправлюсь на ночное рандеву с ней.

Я еле сумела дождаться вечернего часа. Что же скажет бедная девочка, какую тайну откроет мне? Я даже не догадывалась. Около половины одиннадцатого я засобиралась в путь. До кладбища было не так далеко, но я не могла оставаться в особняке. Карлуша давно спал. Поцеловав сонного мальчика, я оделась потеплее и вышла из дома. Погода разительно изменилась. Еще днем сияло солнце, было покойно и тихо, ночью же поднялся сильный ветер и накрапывал дождь. Ну что же, на дворе стоял сентябрь, погода портилась моментально...

Я дошла до кладбищенских ворот. Настеньки еще не было. Мне не оставалось ничего другого, как ждать. Прошло пять, десять, пятнадцать минут... Часы на башне давно пробили одиннадцать часов, однако Настеньки все не было и не было. Я не знала, что же мне делать. Я решила — скорее всего, бедная девушка не может улизнуть из дворца, она находится под постоянным наблюдением, ее папаша, этот чопорный дворецкий, охраняет все входы и выходы. Поэтому мне нужно немного подождать. Я стала нарезать круги у входа на кладбище.

Признаюсь, мне, человеку несуеверному и ничего не боящемуся, было немного не по себе. Тьма скрывала все вокруг, не было видно ни зги. В какой-то момент мне показалось, что до слуха моего долетают шаги. Я обернулась и присмотрелась. Никого... Воображение, фантазия — вот что это было! В очередной раз я пожалела о том, что Арсений Поликарпович был вынужден уехать в Москву. Как не хватает мне моего Арсения! Он бы знал, что нужно предпринять!

Часы пробили половину первого. Я забеспокоилась. Что же мне делать — оставаться здесь и ожидать девушку или уходить прочь? Я не знала. Пока я принимала решение, до меня долетели тихие шаги. На этот раз сомнения не было — кто-то приближался к кладбищенским воротам.

Я замерла около каменных ворот, думая, что наконец-то увижу Настеньку. Бедная деточка, она превратилась в свою тень. Что же могло произойти с жизнерадостным ребенком, кто и какое зло причинил ей? Разумеется, я помогу ей, я не оставлю ее в беде, не брошу на съедение волку — ее жестокому и деспотичному отцу Никифору.

Однако вместо Настеньки я увидела другую фигуру, облаченную во что-то темное, она несла на плече большой сверток. Мне стало не по себе, я затаилась.

Фигура воровато оглянулась и подошла к входу на кладбище. Я находилась совсем рядом, могла даже слышать напряженное дыхание того, кто явился сюда в этот поздний час.

Бледный свет одинокого фонаря осветил пришельца. Я вознесла молитвы господу, что прихватила с собой пенсне.

Это был молодой князь Святогорский, Феликс-младший. Но в каком ужасном состоянии он был! Волосы растрепаны, на лице выражение ужаса и смятения. А ведь вчера на свет появился его сын! Казалось, князя это совершенно не трогало.

Мое внимание занял громоздкий сверток, который он принес с собой. Нечто, завернутое в одеяло. Но что именно? Он положил сверток на землю и принялся возиться с замком. Кладбище наше — после того, как в городе объявилась непонятная секта — стало запираться, дабы приверженцы сатанинского культа не проводили здесь свои черные мессы. Главаря секты, учителя гимназии, разоблачили, он бежал прочь, однако членов секты, среди которых были именитые горожане, не тронули. Ходили темные слухи, что сам городской голова принимал участие в противоестественных ритуалах, однако никто не мог ничего утверждать со стопроцентной уверенностью — иначе бы пришлось признать, что и сам рассказчик был на шабаше...

Ключи от кладбища были у сторожа, однако каждое знатное и богатое семейство в Староникольске имело право заказать для себя дубликат, дабы в любое время прийти на кладбище.

Но что молодой Святогорский делает на кладбище в столь поздний час и что за сверток он принес?

Сначала у меня мелькнула мысль, что, вероятно, Настенька попросила его прийти сюда и передать мне что-то, но, следя за поведением княжеского отпрыска, я отвергла такую вероятность. Кто он — и кто такая юная Настенька? Он бы ни за что не пошел навстречу бедной девушке. Князь, такой милый и очаровательный, всегда умел дать понять другим, что он — представитель одного из самых родовитых аристократических семейств России.

Я присмотрелась к свертку, и волосы мои едва не встали дыбом. Я увидела, что из свертка виднеется женская ножка в туфле. Мне стоило огромных трудов, чтобы не вскрикнуть. Я со всей силы зажала себе рот руками. Мне стало страшно, я никогда бы не подумала, что могу испытать такой животный страх. Так и есть, женская ножка в туфельке... теперь мне стали видны и кровавые пятна на одеяле.

Феликс-младший наконец-то справился с замком, ворота кладбища скрипнули, он подхватил сверток и направился в темень. Я чувствовала, что мне становится плохо, однако, пересилив слабость, я решила следовать за Святогорским. Итак, он и является этим ужасным монстром, «цветочным убийцей»... Что еще я могла подумать, увидев, как он пытается избавиться от женского трупа? Мне не хотелось в это верить, юный Феликс мне нравился, однако факты остаются фактами — он в глухой час притащил на городское кладбище мертвое женское тело.

Я осторожно пошла за Феликсом. Он плутал среди надгробий и склепов, пока, наконец, не оказался около склепа, принадлежащего его собственному семейству. Итак, он решил избавиться от тела новой жертвы. Но кто она, эта несчастная? Я не видела ее лица, только безжизненную ножку, обутую в туфельку.

Феликс громыхал замком, открывая массивную дверь, ведущую в склеп, затем исчез в черном проеме вместе со свертком. Я подошла к открытой двери склепа, в лицо мне пахнуло сыростью и затхлостью. Я не решилась следовать за ним. В любом случае мне известно место погребения его жертвы...

Трудно быть солнцем

Святогорский вышел обратно примерно через четверть часа. Я слышала его тяжелое дыхание. В руках у него на этот раз ничего не было. Он закрыл дверь склепа и направился прочь с кладбища. Я поспешила опередить его, мне это удалось. Он закрыл кладбищенские ворота. В тусклом свете единственного фонаря я видела его напряженное, белое лицо.

Он — убийца! Я завтра же сообщу об этом Арсению Поликарповичу! Мы напали на верный след. Убийца пойман!

Феликс скрылся в направлении княжеского дворца, я, потрясенная увиденным, осталась около ворот кладбища. Бедный, бедный Феликс, как же мне его жаль... Почему именно он оказался этим безжалостным, не знающим сочувствия злодеем... Но что поделаешь, правда всегда жестока!

Я замерла, до меня долетели шаги кого-то еще. Теперь это должна быть Настенька! Я стояла как раз под фонарем. Ну что же, бедная девочка все же смогла удрать из-под надзора бдительного папаши!

Однако в этот раз Настенька тоже не появилась. Вместо нее я увидела высокую фигуру во всем черном. Фигура была облачена в длинный плащ с капюшоном, который был надвинут на лицо. Я испуганно вжалась в чугунные ворота кладбища. Кто это?

Почему-то я уже знала ответ. Это и есть Садовник, тот самый монстр, который лишил жизни уже четырех жительниц нашего славного городишки. Но если это Садовник... Значит, под плащом может скрываться только одна личность — молодой князь Святогорский!

Фигура заметила меня, потому как по собственной глупости я находилась на хорошо освещаемом месте. Этот некто был примерно на расстоянии двадцати метров. Я не знала, что же мне делать. Незнакомец решительным шагом приближался ко мне. И вот этот неизвестный оказался около меня.

Высокий, во всем черном, без лица — он навевал ужас. Руки его были обтянуты садовыми перчатками. Я сказала:

— Феликс Феликсович, немедленно прекратите, я знаю, вы только что спрятали в вашем семейном склепе тело новой жертвы! Я буду кричать, учтите это!

Однако тот, кто возник из тьмы, по-своему отреагировал на мои слова. Он бросился на меня, его скрюченные руки пытались добраться до моей шеи. Я отчаянно завизжала (скажу честно, никогда не предполагала, что способна так громко визжать) и попыталась его ударить. У меня плохо получилось, потому что убийца продолжал наступление. Мне не хотелось стать его новой жертвой. У меня был маленький сыночек, мой Карлуша, и у меня был Арсений Поликарпович. О, как мне не хватало тебя в тот момент, дорогой и любимый мой Арсений!

Я прижалась спиной к холодному чугуну решетки. Что же мне делать? Нападающий был явно сильнее меня! Его руки уже сомкнулись на моей шее, и я чувствовала, что еще совсем немного, и я потеряю сознание, как вдруг из последних сил я извернулась и сумела впиться зубами в ладонь этому чудовищу. Монстр закричал от боли и отдернул руку. Я ударила его в лицо и бросилась наутек.

Он побежал за мной, я слышала, как его тяжелые сапоги громыхают по булыжной мостовой. Я продолжала голосить, призывая на помощь хоть кого-нибудь, но никто не ответил мне. Я, оказавшись около ворот одного из домов, заколотила в них. Хозяева, которых я разбудила, отказались открыть мне дверь. Я видела свет в окнах, слышала их голоса, однако никто не желал мне помочь.

— Меня же убьют! — задыхалась я. — Прошу вас, будьте так милосердны!

Они оказались глухи к моим просьбам... Что же, жители Староникольска были до ужаса напуганы всем происходящим, и я не знаю, как поступила бы я сама, если бы кто-то в три часа ночи стучал в мои ворота, прося о помощи.

Призрачная черная фигура преследовала меня, я поняла, что спасение — в моей скорости. Поэтому я бросилась наутек со всей силой, на какую была способна. Наконец-то я свернула в переулок, где находился мой особнячок.

Трудно быть солнцем

Рука моя опустилась в карман, и я не обнаружила ключа. Видимо, я потеряла его во время этой безумной пробежки!

Но нет, я вспомнила, что ключ у меня в другом кармане. Я отперла дверь, вбежала в дом и тотчас закрылась на все засовы и замки. Не удовлетворенная этим, я притащила к двери большой комод из столовой. Если этот монстр решит штурмовать мой дом, то у него ничего не получится!

Однако тот, кто преследовал меня, исчез. Вероятно, поняв, что я ускользнула от него, он решил выждать. Я, переводя дыхание, прошла в детскую, где мой сынок мирно спал, подложив под розовую щечку свой крошечный кулачок. Я поцеловала его и вышла.

Спать мне не хотелось. Этой ночью мне довелось увидеть и пережить очень многое. Итак, размышляла я, что мне известно? Феликс Святогорский притащил мертвую женщину, которую спрятал в семейном склепе. Сразу после этого на меня напал Садовник. Что это значит? Я вдруг поняла со всей ясностью, что у Феликса просто не было бы времени напялить на себя этот черный наряд и броситься на меня. Но получается...

Я заварила себе, несмотря на ночной час, крепчайший кофе, прошла в кабинет и стала думать.

Получается, что монстр, губящий женщин, это не молодой князь. Или я все же ошибаюсь?

Но мои глаза меня не подвели, я явно видела физиономию Святогорского под фонарем, именно он принес сверток, из которого свешивалась ножка в туфельке.

Я просидела до того самого момента, когда серый туман рассвета стал постепенно вползать в окна. Затем я ощутила дикую усталость, и сон сморил меня прямо в кресле. Я проснулась от того, что экономка, несносная особа, теребила меня за рукав. Спину ломило, ноги гудели, голова раскалывалась.

— Елена Карловна, — сказала мне экономка. — Вас просят к аппарату!

Идя к телефону, я отметила, что был почти полдень. Надо же, как долго я проспала! Это был Арсений Поликарпович. Он произнес всего несколько фраз, которых, однако, хватило, чтобы сон окончательно слетел с меня:

— Доброе утро, дорогая Елена Карловна! Однако вряд ли оно такое уж доброе... Убийца нанес новый удар, исчезла Анастасия Полякова, служанка во дворце князей Святогорских. Среди ее вещей обнаружили послание от Садовника. Приходите как можно скорей!

Я повесила трубку и постаралась собраться с мыслями. Какой ужас, Настенька, бедная девушка, стала новой жертвой убийства. Еще вчера я видела ее живой, и вот теперь... Все то, что случилось со мной ночью, казалось сейчас ирреальным и фантастичным. Но мозоли на ногах, ссадины на руках и синяки на шее убеждали меня в обратном. Это не был кошмарный сон, это была истинная правда!

Быстро собравшись, я направилась во дворец к Святогорским. Зеваки толпились около центрального входа, Арсений Поликарпович был рад видеть меня. Я сочла, что еще рано говорить ему о том, свидетельницей чему я стала сегодня ночью. Все же смерть Настеньки была несоизмеримо важнее.

— Елена Карловна, у вас бледный вид, — сказал он озабоченно. — Девушка просто исчезла, однако в ее вещах мы нашли новое послание. Пойдемте!

Мы отправились в каморку к Настеньке. Никифор, ее злобный отец, стоял и отвечал на вопросы. Его мучнистое лицо не выражало ничего. Мне показалось, что то и дело на физиономии его проскальзывает непонятная улыбка. Но если он потерял единственную дочь, то по крайней мере странно вел себя!

Тут же был и старый князь, он с великим интересом наблюдал за всей суетой. Молодой Святогорский, бледный и напряженный, сцепив руки, прислонился к стене. Он выглядел, как человек... Как человек, совершивший этой ночью убийство. Но ведь так это и было!

— Я не знаю, что случилось с моей дочерью, прошу вас, найдите ее, — голосил Никифор, и в его голосе я уловила торжествующую нотку. Дворецкий выглядел крайне фальшиво и неубедительно в роли горюющего родителя.

Трудно быть солнцем

— Смотрите, Елена Карловна!

Арсений Поликарпович протянул мне листок бумаги, на котором печатными буквами был выведен новый стихотворный шедевр убийцы:

> Ты есть тюльпан, цветок вечной юности.
> Ты тюльпан, Настенька!
> Тюльпан ты алый, горящий, как голубиная кровь.
> Твой нежный стан, изящный, тонкий,
> Пленяет взор все вновь и вновь.
> Однако стоит Садовнику сорвать тебя на грядке —
> И ты мертва, увяла, в тленный прах рассыпалась...
> Тюльпан погиб, скончался без оглядки...
> Завтра ты умрешь.

— Моя деточка, где моя Настенька! — говорил Никифор. — Найдите мне мою доченьку! Может быть, она еще жива?

Арсений Поликарпович отвел меня в сторону и тихо сказал:

— Тело девушки мы не нашли. Однако все указывает на то, что она мертва. Она стала новой жертвой Садовника!

Я хотела было рассказать Усольцеву о том, что пережила этой ночью, однако он был занят важными следственными процедурами. Я оставила его и подошла к старому Святогорскому. Князь, кхекая, наслаждался всей суетой.

— Бедная Настюша, умереть в таком нежном возрасте, — говорил он.

Его сын внезапно прервал отца:

— Прошу тебя, замолчи!

— Что ты себе позволяешь, Феликс! — назидательно сказал старший Святогорский. — Иди прочь, позаботься об Аде и своем сыне! Ты им сейчас нужен более всего!

Молодой князь беспрекословно повиновался и ушел прочь. Однако до того, как он исчез, я успела бросить пристальный взгляд на его руки. Вчера я сильно впилась зубами в ладонь убийце. Там наверняка остался след и даже рана.

Но руки молодого князя были идеальны, на них не

было ни единой царапины... Значит, убить меня пытался не он? Значит, Садовник — не молодой Феликс? Я ничего не понимала! Голова у меня пошла кругом. Я прислонилась к стене. Старый Святогорский продолжал цинично подшучивать над судьбой исчезнувшей Настеньки.

— Возможно, эта девственница сбежала с кем-то... Молодым офицериком или приказчиком из лавки. Все они такие, эти девушки... Притворяются святошами, а сами думают только об одном. О деньгах!

В ушах у меня зазвенело, и я потеряла сознание.

— Елена Карловна, Елена Карловна! — долетело до меня сквозь пелену.

Я открыла набрякшие, ставшие свинцовыми веки. Около меня суетился Арсений Поликарпович.

— Что это с вами, уважаемая госпожа директриса? — сказал старый Святогорский. — Отчего это вам стало плохо? Уж не беременны ли вы, уважаемая? Что с вами?

Я и сама не могла ответить на этот вопрос. Я не могла сказать, почему я внезапно упала в обморок. Скорее всего, на меня навалилась усталость всех предыдущих дней. Такое бывает...

Арсений Поликарпович был не на шутку озабочен моим состоянием. Я возлежала на кушетке в холле дворца, думая: как же приятно иметь человека, который заботится о тебе, более того, любит тебя! В том, что Арсений Поликарпович Уссольцев любит меня, я ни на секунду не сомневалась.

Но не время тогда было думать о себе и о своих пусть и романтических чувствах. Исчезла бедная Настенька, которая, как все на то указывало, стала очередной жертвой безумного убийцы. Мне сделалось невыносимо горько. Бедная, бедная девочка!

— Елена Карловна, я прикажу, чтобы вас доставили домой, — сказал Арсений Поликарпович, и его рука легла поверх моей ладони. Мне было сладостно ощущать это. Но я не смела забывать, ради чего оказалась во дворце князей Святогорских.

Трудно быть солнцем

— Арсений Поликарпович, — произнесла я слабым голосом. — Мне необходимо сказать вам кое-что...

Уссольцев покачал головой и произнес:

— О нет, потом, потом, дорогая моя Елена Карловна. Вы не можете оставаться во дворце, вам необходим полный покой и здоровый сон. Вы же устали, я это вижу!

Я продолжала настаивать на своем. Он же не знал о том, что мне довелось увидеть. Арсений Поликарпович должен узнать об этом, причем немедленно!

— Мой дорогой Арсений Поликарпович, — сказала я. — Мне необходимо сказать вам кое-что... Это очень и очень важно! Прошу вас, выслушайте меня!

— Ну конечно же, моя дорогая Елена Карловна, — ответил он заинтересованным тоном. — Я всегда внимательно слушаю вас... В чем дело?

Я, собравшись с духом, рассказала ему о том, чему стала свидетельницей минувшей ночью, а также о событиях, этой ночи предшествовавших. Он узнал о моей беседе с Настенькой, о ее страхах и ее мольбе о помощи. О странном и жестоком поведении отца ее, дворецкого Никифора, о том, как я отправилась к кладбищу и видела молодого князя, который нес женское тело, завернутое в одеяло, и скрылся с ним в своем родовом склепе, и, наконец, о том, что странный человек, по всей видимости, тот самый Садовник, пытался напасть на меня...

— Боже мой, боже мой! — только и сказал, когда я завершила повествование, Арсений Поликарпович. — Какая же вы храбрая, даже отчаянная женщина! Вы рисковали жизнью, едва не стали новой жертвой! Пообещайте мне, что никогда более не посмеете подвергать свою жизнь таким серьезным опасностям! Она мне слишком дорога... Вы мне слишком дороги, уважаемая Елена Карловна, я не могу потерять вас!

Я едва не расплакалась, слушая подобные речи. Мой Арсений был таким милым и шармантным! Он по-настоящему любил меня, как, впрочем, и я его.

— То, что вы рассказали, меняет весь расклад. Честно скажу, я ездил в Москву, чтобы проверить один след, который казался мне перспективным, я получил кое-какую информацию... Но в свете того, что вы рассказали мне, Елена Карловна...

— Что мы должны делать, Арсений Поликарпович? — спросила я, пытаясь привстать с кушетки. Голова у меня внезапно закружилась опять, и я была вынуждена откинуться вновь на спину. — Вы же как следователь имеете право потребовать от князя вскрыть его склеп. Если там находится тело Настеньки...

— Я так и поступлю, — нахмурившись, произнес Арсений Поликарпович. — Мы должны знать, что же произошло на самом деле!

Я попросила Арсения Поликарповича помочь мне подняться, он, поддерживая меня бережно за руки, оказал мне эту любезную услугу. Я ощущала, что ноги у меня ватные.

— Я хочу присутствовать при вашем с ним разговоре, — сказала я твердым тоном, и Уссольцев, понимая, что переубедить меня невозможно, сдался.

Мы тотчас направились в кабинет к князю. Никифор, который что-то слишком подозрительно суетился, встретил нас весьма нелюбезно. Узнав о том, что мы хотим немедленно переговорить с князем Феликсом, он ответил:

— Его светлость заняты, он не может принять вас, в следующий раз!

— Следующего раза не будет! — отмел его жалкие попытки Арсений Поликарпович. — Уважаемый, немедленно проводите нас к князю и доложите, что с ним желают беседовать директор Староникольского музея госпожа Олянич и статский советник, следователь по особым поручениям господин Уссольцев. Я думаю, — он особенно подчеркнул эту фразу, — князь нас примет!

Он оказался прав. Заскрежетав зубами, Никифор, который почему-то никоим образом не походил на убитого горем отца, чья дочь исчезла, по всей видимости, стала жертвой безжалостного убийцы, скрылся за массивными дверями и вернулся через короткое время, чтобы процедить:

— Его светлость желает вас видеть, прошу вас!

Посторонившись, он пропустил нас в княжеский кабинет. Старый Феликс восседал за огромным столом. Перед ним лежали бумаги, которые он просматривал. Князь был явно встревожен нашим визитом.

— Чем обязан? — произнес он сухим тоном, даже не предложив нам сесть. В его голубых глазах светилась непонятная мне ненависть и...

И страх! О да, я сумела распознать страх, сквозивший во всем его поведении. Может быть, он знал, что его единственный сын и наследник является убийцей? Возможно, это именно так!

— Ваша светлость, — сказал непререкаемым тоном Арсений Поликарпович. — У меня появились сведения о том, что в вашем родовом склепе может находиться тело мертвой женщины, вероятнее всего, бесследно исчезнувшей Анастасии Никифоровны Поляковой. Поэтому я вынужден просить вас предоставить мне возможность вскрыть склеп.

Я знала, что старый Феликс не является приятным собеседником и человеком, который склонен идти другим навстречу. Но я не предполагала, что он может быть таким надменным и упрямым, каким он оказался в тот раз. Едва Арсений Поликарпович завершил изложение своей просьбы, как князь вскричал:

— Это исключено! Я не понимаю, о чем вы ведете речь, господин следователь! Нет, нет и еще раз нет!

Я опешила. Чем объясняется подобная реакция Феликса-старшего? Разве что тем, что он знает: его родной сын — убийца. Значит, он пытается во что бы то ни стало выгородить его!

Слова князя произвели подобное же воздействие и на Арсения Поликарповича. Уссольцев взглянул на Феликса и сказал:

— Князь, вы не имеет права отказывать мне. Тем самым вы мешаете осуществлению правосудия. Значит, вы напрочь отвергаете возможность того, чтобы мы спустились в ваш склеп, расположенный на местном кладбище?

Князь покачал черепашьей головой и ответил:

— Я не понимаю, чем объясняется ваша странная

просьба. Конечно же, господин следователь! Склеп моей семьи — это частные владения, куда заказан вход всем, и вам в том числе!

— Ну что же, князь, а если я повторю, что у меня есть неопровержимые свидетельства того, что в вашем склепе покоится тело женщины, возможно, пропавшей госпожи Поляковой? Значит, вы отказываетесь помочь мне?

Феликс подъехал к нам на кресле и ответил:

— Думайте, что пожелаете, сударь, но я говорю вам — вы ошибаетесь. Не знаю, какая именно сорока принесла вам на хвосте эту смехотворную весть, но в моем склепе покоятся останки только членов моего семейства, и никого более! Если вы считаете, что Анастасия, которая на самом деле убежала из города с любовником, лежит там, то я вынужден просить вас представить мне официальный документ, согласно которому вы имеете право провести в склепе обыск. Только тогда, господин следователь, только в этом случае я отдам вам ключ! Так что желаю вам всего хорошего и прошу покинуть мой дом!

Голос князя под конец едва не сорвался. Он на грани истерики, подумала я. Но в чем же дело? Почему у него такая странная реакция? Впрочем, если ты знаешь: твой сын — убийца, то и реакция может оказаться непредсказуемой...

Нам с Арсением Поликарповичем не оставалось ничего другого, как подчиниться словам князя. Он фактически выгонял нас из своего дворца, нам пришлось уйти.

— Елена Карловна, я добьюсь своего, — сказал Уссольцев, когда мы снова оказались в саду. — Сейчас у меня нет полномочий, чтобы потребовать у князя ключ или отдать приказание взломать дверь склепа. Но я спрошу у Петрограда, что мне надлежит предпринять в подобной ситуации. Конечно же, князь Святогорский — лицо значительное, но это вовсе не дает ему возможность избежать правосудия и вводить в заблуждение следствие. Я клянусь вам, в ближайшие дни мы сможем узнать, что же на самом деле произошло предыдущей ночью. Но думаю, мы можем задать несколько вопросов молодому князю!

Трудно быть солнцем

Феликс-младший сидел с отрешенным видом на садовой скамейке. Когда мы оказались рядом с ним, он испуганно взглянул на нас. И снова в глазах я увидела страх, такой же животный страх, который метался во взоре его отца. Святогорские напуганы до смерти, но чем?

Я подумала, что, возможно, имею честь разговаривать с убийцей. Но Феликс не мог быть тем страшным, облаченным во все черное человеком, который пытался лишить меня жизни. Я уверена, что прокусила тому ладонь, а раны на руке у Феликса не было. Но я не сомневалась, что видела именно его лицо под бледным светом кладбищенского фонаря.

— Ваша светлость, — сказал Арсений Поликарпович, — можете ли вы сказать, где вы находились прошлой ночью?

Молодой Святогорский надменно взглянул на него и спросил:

— Это что, официальный допрос, господин следователь?

— Можете считать, что да, — ответил Арсений Поликарпович.

Князь усмехнулся. Однако его улыбка была вымученной и жалкой. Руки, которые покоились на коленях, вдруг задрожали. Мне стало его жалко. Но я отмела всякую мысль о жалости, когда подумала, что он, вероятнее всего, и есть убийца бедной резвой девочки Настеньки. Он лишил ее жизни!

— Я провел эту ночь у постели своей супруги, которая родила мне сына, — сказал князь. — Вы удовлетворены?

Арсений Поликарпович покачал головой:

— Могу ли я побеседовать с ее светлостью княгиней?

— Разумеется, нет, — злобно ответил, вставая, Святогорский. — Моя жена находится в тяжелом состоянии, она не намерена беседовать с вами, господин следователь. В чем вы, собственно, меня подозреваете?

— В том, ваша светлость, — таким же тоном ответил Арсений Поликарпович, — что вы имеете самое непосредственное отношение к исчезновению и, возможно, смерти

Анастасии Никифоровны Поляковой. У меня есть свидетельские показания, согласно которым вы, князь, сегодня ночью переносили чье-то мертвое тело, тело женщины, в ваш фамильный склеп. Скажите, князь, это так?

Святогорский страшно побледнел, его глаза зажглись паническим ужасом. Он боялся, он был виновен!

— Я не понимаю, о чем это вы, господин следователь, — сказал он хриплым голосом, стараясь не смотреть в глаза. — Если у вас имеется свидетель, то скажите, кто это! Все, о чем вы говорите, ложь и ничего кроме лжи! Я... Я не причастен к тому, о чем вы ведете речь! Я не причастен, запомните, не причастен к смерти Анастасии Никифоровны!

Он бросил нас и скрылся, убежав во дворец. Арсений Поликарпович сказал:

— Он явно скрывает что-то, и в самое ближайшее время, дорогая Елена Карловна, я сумею выяснить, что же именно. Я телеграфирую в Петроград и запрошу министра, что мне делать. Я потребую полномочий на проведение обыска в усыпальнице и во дворце.

— Вы думаете, Арсений Поликарпович, что вам разрешат? — спросила я медленно. — Мне кажется, Святогорский слишком значительная фигура...

Уссольцев пожал плечами:

— О да, вы правы. Он — аристократ, потомственный дворянин, один из столпов общества. Но это не позволяет ему безнаказанно убивать девушек и творить бесчинства. Я знаю, что добиться права на обыск будет крайне сложно. А без него я связан по рукам и ногам. Я немедленно отдам приказ, чтобы на кладбище неподалеку от склепа Святогорских постоянно дежурил полицейский, он будет наблюдать за тем, чтобы никто не перепрятал тело, находящееся в склепе. Рано или поздно мне удастся убедить министра, что вскрыть усыпальницу необходимо! Я попробую поговорить с Адрианом Ируповым, он явно заинтересуется этими новостями и поможет мне добиться права на обыск.

В словах Арсения Поликарповича слышалось столько

Трудно быть солнцем

уверенности и пыла, что я поверила ему — он добьется своего. Я была горда тем, что любимый мной человек находится благодаря моей информации на верном пути. Итак, Святогорские... Изнеженные, утонченные дворяне, в роду которых встречались сумасшедшие... И вот сумасшествие вновь дало о себе знать! Что поделать! Но нельзя позволять молодому князю продолжать совершать убийства.

Я не знала, что пройдет всего несколько дней, и ситуация кардинально изменится. Я не чувствовала того, что приближается самая страшная пора в моей жизни. Я была упоена тем, что мы с Арсением напали на верный след. Мы не подозревали, что убийца, зная о том, что мы готовы его схватить, намеревается нанести роковой удар. Какой же наивной дурочкой была я тогда!

Стоило мне всего лишь задуматься — и Арсений Поликарпович, человек, которого я более всего любила в жизни, не стал бы жертвой убийства. Да, да, убийства, а не несчастного случая, как все уверены...»

Юлия перевернула последнюю страницу дневника. Слова, полные трагизма и интриги, обрывались на многоточии. Итак, она прочитала очередную часть дневника. Что это дало ей? Виктория Карловна была права — они обладают бесценной информацией!

Приближался вечер, однако Юля решила перечитать записки Елены Карловны еще раз. Она практически закончила перечитывать их, когда в особнячке появилась Виктория Карловна. Увидев свою постоялицу с тетрадью в руке, она сказала:

— Ну что, вы, как я вижу, никак не можете оторваться от этого источника информации?

— Вы абсолютно правы, Виктория Карловна, — сказала Крестинина. — То, что Почепцов скрывал от нас, сенсационно. Значит, убийцей является все же молодой князь...

— Не спешите с выводами, — ответила директриса. — Моя бабка сама не уверена в том, что молодой Феликс — тот самый Садовник. Но, я думаю, она испытывала некую тайную симпатию к князю, поэтому и не хотела даже допускать мысль о его причастности к преступлениям. Я, к сожалению или к счастью, не так сентиментальна, деточка. Я, как и вы, почему-то склонна думать, что ответ очевиден — именно молодой Святогорский и есть тот самый убийца. Посудите сами, кто еще?

— Но, — возразила Юлия, — но Елена Карловна уверена — у Садовника должен был остаться след укуса на ладони, у князя же его не было!

Директриса покачала головой:

— Не знаю, как к этому и относиться. Моя бабка могла и напутать, ее укус мог оказаться не таким уж сильным. Но вы безусловно правы — нам нужна третья часть дневника. И все упирается в вопрос — где мы ее возьмем, Юленька! Она вряд ли у Почепцова, но где тогда? Каким образом мы раскроем все эти тайны?

Юлия задумалась. Им действительно необходима третья часть записей Елены Карловны. Директриса тем временем продолжала:

— Вспомните, когда я показывала вам кладбище, мы застали Почепцова на пути к склепу Святогорских. Он явно хотел убедиться, находится ли там тело Настеньки или нет. И еще, деточка... Меня мучает вопрос: отчего Садовник, до той поры всегда оставлявший свои жертвы на месте преступления, убрал тело Настеньки? Это так на него не похоже...

— Но ведь и тело моей прабабки Анны было найдено под землей, она числилась пропавшей, хотя никто не сомневался, что Садовник убил ее, — сказала Юлия. — Что мы будем делать, Виктория Карловна?

Директриса вздохнула:

— Я думаю, нет, я более чем уверена, что мы не имеем права утаивать эту информацию от следственных органов. Я бы, конечно, предложила самим отправиться в склеп и проверить, находится там тело Настеньки или нет... Но у нас нет права — и даже нет ключа. А просто так его не добудешь, это вам не дом Почепцова! Ключ находится у князя Александра Святогорского!

— Но ведь тело могли и перепрятать, — сказала

Трудно быть солнцем

Юлия. — Прошло столько лет... Если Святогорские тогда, в 1916 году, знали, что Арсению Поликарповичу и вашей бабке все известно, они наверняка были вынуждены заметать следы...

Директриса ответила:

— О да, все возможно, но мне почему-то кажется, что тело Настеньки, попавшее в склеп, так его и не покидало. У Святогорских не было для этого и возможности, и времени. Смотрите, деточка, — Арсений Поликарпович приказал установить слежку за склепом, затем, всего лишь через несколько месяцев, ближе к концу года, после самоубийства молодого Феликса, отец-старик вместе с Аделаидой и крошкой-внуком тайно бежал из Староникольска. И, скорее всего, к тому времени земля горела у него под ногами, ему было не до тела бедной Настеньки, которая покоилась в склепе. Ведь мне известно — ордер на обыск склепа и дворца Арсений Уссольцев так и не получил. Министр отказал ему по личному требованию царя, который заявил, что Святогорского необходимо оставить в покое.

— Ну что же, Виктория Карловна, тогда нам остается одно — известить следственные органы, вы совершенно правы, — в задумчивости произнесла Юлия.

— Вот это правильно, — директриса подошла к телефону. — Я сейчас же свяжусь с Романом Морозовым. Мне кажется, наш молодой следователь к вам неравнодушен, деточка. Я же говорю, что вы не уедете из Староникольска без жениха! Я думаю, мне удастся убедить Романа, а в особенности его мамочку, с которой я приятельствую, что мы также имеем право присутствовать при вскрытии склепа.

2 сентября

Ирина Александровна Мерзлякова, заместитель мэра по социальным вопросам, прислушалась. Ей показалось, что в пустынном помещении мэрии кто-то ходит. Ну что она так пугается, понятное дело, сейчас, в половине десятого вечера, в здании мэрии бродит уборщица. Но разве уборщица приходит по вечерам, а не рано утром?

Ей стало немного страшно. Но только немного. Ирина Александровна, особа сорока шести лет, уже в течение двух с половиной лет, после перевыборов Петра Георгиевича Белякина, занимала пост заместителя мэра по социальным вопросам. Красивая, уверенная в себе, со вкусом одетая, умеющая говорить, она всегда выступала на стороне своего начальства. Ирина Александровна была до этого главным врачом одной из староникольских больниц, однако тайно всегда мечтала о месте в политике. Поэтому, когда мэр, формировавший новую команду, предложил ей кресло своего зама, она, подумав, согласилась.

Вначале она пыталась тешить себя иллюзиями, что на те крошечные деньги, которые находились в ее распоряжении, ей удастся поднять уровень обеспеченности пенсионеров или увеличить зарплаты бюджетникам. Увы, денег не хватало ни на что. Ирина Александровна несла свой крест, как могла. Она знала, что вряд ли кто-то мог действовать так же решительно и эффективно, как она. Правда, когда оппозиционная пресса сообщала о том, что вице-мэрша получила новую пятикомнатную квартиру в самом центре Староникольска, в элитной стеклянной башне, где обитали самые значимые лица города, и все задавались вопросом, откуда при ее скромной зарплате берутся средства на постоянные новые наряды, она игнорировала подобные нападки.

В последнее время, после возобновления «цветочных убийств», головной боли у Ирины Александровны прибавилось. Мэр на планерках требовал от своих подчиненных реальных действий, запрещал им общаться со средствами массовой информации и вообще делал вид, будто никаких убийств нет. Однако в городок уже пожаловала команда одного из федеральных каналов, они даже хотели взять интервью у Ирины Александровны, причем желали задавать вопросы именно о возобновленных убийствах, а не о чем-то ином, что находилось в ее компетенции.

Мерзлякова, конечно же, помня о наставлениях мэра,

Трудно быть солнцем

отказала им, однако чувство страха у нее осталось. Она боялась. Почему? Все объяснялось очень просто: несмотря на то что с момента первых убийств прошло восемьдесят с лишним лет, она не забывала простого факта...

Ирина Александровна не хотела думать об убийствах. Она задерживалась в последнее время на работе допоздна, приезжала домой около полуночи. И после этого кто-то будет заявлять, что власти Староникольска бьют баклуши и ничего не делают! Да она из кожи вон лезет, чтобы хоть как-то облегчить социальное бремя и разрешить насущные вопросы. На ней висела такая ответственность, а дома ее не ждало ничего отрадного. Старший сын окончил московский экономический вуз и теперь стажировался в США, с младшей дочерью, ученицей гимназии, у Ирины Александровны давно не было контакта — девчонка отбилась от рук, хамила, переживала так называемый пубертат. Супруг Ирины Александровны, бизнесмен, сначала гордился тем, что его жена стала заместителем мэра, но потом даже потребовал, чтобы она ушла с этой должности. Ему, видите ли, не нужна жена-командирша, он и сам в состоянии обеспечить семью материально! Скорее всего, он никак не может принять то, что она занимает такой высокий пост. Мерзлякова знала, что он ей изменяет, но ничего поделать с этим не могла. Вот и оставалось одно — с головой уйти в работу, чтобы забыть о домашних проблемах.

Ирина Александровна взглянула на часы. Ого, уже почти четверть одиннадцатого. Нет, сегодня у нее нет желания снова засиживаться до полуночи, все равно она не сможет переворошить кипу документов, лежащую у нее на столе. Придется взять с собой, пока ее везут домой, она сможет прочитать несколько страниц. А там, как всегда, легкий ужин, душ — и постель. Потому что завтра опять отправляться на работу. Белякин велел всем собраться к половине девятого у себя в кабинете на совещание по поводу информационной политики в отношении «цветочных убийств».

Мысли Ирины Александровны снова вернулись к таинственному Садовнику. Кто бы мог подумать, что ужас возобновится. Ведь она сама имеет непосредственное отношение ко всему, в их семье «цветочные убийства» всегда были темой для кухонных разговоров и мрачных шуток, ведь...

Раздался зуммер телефона. Ирина Александровна, которая собирала тяжеленный портфель, вздрогнула. Кто это может быть в столь поздний час? Она взяла трубку, думая, что звонит шофер — сообщить, что неполадки с машиной. Такое уже случалось, и не раз. Приходилось ждать, когда машину заменят. Автопарк мэрии давно пришел в негодность, но деньги на покупку нового автомобиля выделялись только для самого Белякина и двух его первых замов. Ирина Александровна не относилась к числу избранных.

— Алло, — произнесла она. В трубке царило молчание. До ее уха долетело то ли сопение, то ли хрипы. — В чем дело, алло, я слушаю, приемная мэра, — сказала она наобум.

— Это ты, Ирина? — произнес далекий, бесплотный голос, не похожий ни на мужской, ни на женский. — Это ты?

Мерзлякова положила трубку. Телефон через несколько секунд зазвонил снова. Господи, что за идиотские шутки! Завтра же необходимо выяснить, кто ее запугивает. Ведь только сегодня утром на ее имя в мэрию поступило анонимное письмо, которое кто-то отправил даже не по почте, а бросил в ящик для корреспонденции, стоявший около ее кабинета. Кто-то нацарапал странное послание:

Ты орхидея, символ растленной красоты!
Ты есть орхидея, Ирина!
Ты орхидея, дикая, жестокая, красивая...
Цветешь в саду Эдемском на холме.
Но красота твоя, распутная, спесивая,
Увянет в тот момент,
Когда стилет Садовника убьет тебя,
И сгинешь ты во тьме...
Завтра ты умрешь!

Трудно быть солнцем

Ирина Александровна, прочитав послание, ужаснулась. Точно такое письмо, и она это очень хорошо знала, получила накануне своей смерти третья жертва цветочных убийств, Серафима Никитична Грач, владелица единственного в Староникольске в 1916 году дома терпимости.

И вот теперь подобное, дышащее злобой и безумием письмо оказалось и у нее на столе. Ирина Александровна хотела обратиться в милицию, у нее же были связи, но потом решила — кто-то обязательно узнает о том, что она получила такое письмо, оппозиционные газетенки поместят эту дешевую сенсацию на первой полосе, Белякин будет рвать и метать. Возможно, это и есть чья-то провокация.

Мерзлякова грешила на собственную дочь. Та одевалась во все черное, слушала непонятные завывания, именуемые роком, увлекалась всякой чертовщиной. Девчонка вполне могла отправить подобную муру, чтобы досадить матери. Только вчера, в первый день нового учебного года, девчонка закатила истерику, заявив, что не желает идти в девятый класс, а хочет сделать карьеру рок-звезды и вообще стать любовницей Мэрлина Мэнсона. Дочь так и отправилась в школу на линейку во всем черном и рваном.

Ирина Александровна застегнула портфель. Телефон зазвонил снова. Она осторожно взяла трубку и с облегчением услышала голос шофера, который сообщал, что машина подана.

— Я выйду через десять-пятнадцать минут, — сказала она.

Ирина Александровна выключила компьютер, подхватила пачку бумаг и тяжелый портфель. Может, стоит попросить шофера помочь ей? Она вышла в коридор, заперла кабинет, поставила его на сигнализацию. В мэрии давно никого не было, лишь она засиживалась допоздна, мэр уезжал сразу после шести, а едва Белякин исчезал, испарялись и его подчиненные. Ирина Александровна снова услышала шаги. Мелькнула чья-то черная тень. Так и есть, уборщица в черном халате.

Подхватив бумаги и портфель, вице-мэр пошла по длинному коридору к выходу. Фигура, замершая где-то посередине, около лестницы, ведущей вверх, не двигалась. Ирина Александровна вежливо поздоровалась и пошла дальше. Внезапно Мерзлякова поняла — это не уборщица.

Фигура была облачена в черный плащ с капюшоном. Женщина обернулась. Фигуры, которая всего секунду назад была позади нее, уже не было около лестницы.

Ирина Александровна заспешила к выходу. Еще тридцать метров, и она окажется на вахте. Там, за поворотом! Там всегда дежурит милиционер, ее ждет машина...

Внезапно Ирина Александровна почувствовала легкий укол в плечо, по ее телу расплылась слабость, она выронила портфель, бумаги разлетелись по полу. Фигура, вся в черном, склонилась над ней. В руках у незнакомца, чье лицо было закрыто, она заметила черный шарф. Ирина Александровна все поняла и попыталась закричать, но из горла вырвалось только хриплое клокотание.

Садовник подошел к вице-мэру и накинул ей на шею черный шарф с изображением орхидеи...

Мертвую Ирину Александровну, лежащую среди бумаг, с орхидеей на груди, обнаружил три четверти часа спустя шофер, который устал ждать вице-мэра и, не дозвонившись до нее с вахты, отправился узнать, в чем же дело.

Третий цветок был сорван.

5 сентября

— Осторожнее, — произнес следователь Роман Морозов. — Вот мы и у цели, не так ли? Не поскользнитесь, ступеньки после дождя мокрые.

— Да, — ответила Виктория Карловна, — совершенно верно. Мы у цели!

Группа из дюжины человек оказалась около склепа князей Святогорских. Юлия Крестинина, Виктория Карловна Олянич, князь Святогорский, а также команда представителей следственных органов и патологоанатом. Виктория Карловна применила всю силу своего красноречия, чтобы убедить полковника Кичапова вскрыть склеп

Трудно быть солнцем

Святогорских и начать поиски тела Анастасии Никифоровны Поляковой, бесследно пропавшей в 1916 году.

Основным препятствием на пути к цели мог оказаться один человек — князь Александр Святогорский. Учитывая то влияние, какое он оказывал на власти Староникольска, ему ничего не стоило провалить затею с поисками тела исчезнувшей горничной. Однако, к удивлению Виктории Карловны, князь не имел ничего против.

Его светлость, узнав о том, что собирается предпринять команда экспертов, поставил одно условие — он сам должен находиться при вскрытии фамильного склепа. Что же, полковник Кичапов не был против. Он не особенно верил убедительным доказательствам, которые предоставила Виктория Карловна. Даже если она и права и первый Садовник схоронил в склепе тело Настеньки, то как они смогут обнаружить его? Эта затея представлялась ему мало реальной. Он, будь его воля, отказал бы Виктории Карловне, однако полковник получил прямое указание из мэрии оказывать ей всяческое содействие.

После очередного убийства, жертвой которого стала вице-мэр Ирина Александровна Мерзлякова, отношение к происходящему со стороны мэра Белякина резко изменилось. До этого он воспринимал события в Староникольске как нечто, его лично не касающееся. Но жертвой стала его заместитель, наглый и безжалостный убийца действовал в стенах мэрии! Петр Георгиевич не мог этого вынести! Поэтому, после грандиозного разноса, устроенного Кичапову, он приказал найти убийцу в течение двух дней.

Полковник оказался проворнее. Уже на следующий день после убийства госпожи вице-мэра был арестован человек, которому были предъявлены обвинения в «цветочных убийствах». Полковник Кичапов гордо провозгласил, что убийца находится в руках правосудия, и дал интервью средствам массовой информации.

Убийцей, злобным Садовником, на чьей совести были по крайней мере три женщины, оказался профессор местного университета Николай Леонидович Машнэ. По крайней мере, так утверждал полковник Кичапов. Машнэ давно находился на прицеле следствия, еще со времени первого убийства. Он имел зуб на Олесю Гриценко, открывшую собой список жертв, он же находился в здании мэрии и был последним человеком, которого перед своей смертью, случившейся второго сентября, приняла вице-мэр.

Задержание профессора стало сенсацией. В Староникольск к тому времени стянулись массы назойливых журналистов. Еще бы, в городке, небольшом и типично провинциальном, происходили такие лакомые для масс-медиа события. Несколько желтых еженедельников командировали корреспондентов, которые вынюхивали и вели собственное расследование.

«Реинкарнация убийцы из 1916 года!», «Садовник срывает очередной цветок!», «Убийца копирует стиль Джека Потрошителя!», «Профессор-маньяк!» — таковы были только некоторые из многочисленных заголовков.

Профессора отправили в КПЗ. Однако, как сразу же засудачили в городе, он вряд ли является Садовником. Да, Машнэ ненавидел Олесю Гриценко, с которой у него была жуткая ссора, однако при чем тут другие женщины? В прокуратуре тем временем велся допрос за допросом, и скоро полковник Кичапов был вынужден признать, что он сел в лужу и арестовал не того человека. Однако он еще надеялся, что декан Машнэ признается в убийствах. Тот же, ведя себя на допросах нагло и с апломбом, заявлял, что засудит всю прокуратуру и предъявит ей колоссальный иск за нанесение урона его репутации.

Неудача с Машнэ и была, собственно, одной из причин, почему мэр Белякин приказал полковнику Кичапову пойти навстречу просьбам Виктории Карловны Олянич. Требовалось отвлечь внимание средств массовой информации и обывателей от неудач следственных органов, и поиски единственной так и не найденной жертвы первых убийств оказывались лакомым кусочком.

Поэтому мэр и дал отмашку и лично просил князя

Трудно быть солнцем

Святогорского разрешить вскрыть фамильный склеп. Князь не отказал.

Пятое сентября стало тем днем, когда было решено спуститься в склеп, чтобы найти тело Настеньки. Единственным источником информации была вторая часть дневника Елены Карловны, похищенная у Почепцова. Конечно же, Виктория Карловна заявила, будто прочитала о том, что убийца спрятал тело Настеньки в склепе, в дневнике, который находился в ее распоряжении. Она не стала заострять внимание на том, что дневник был украден из дома Валерия Афанасьевича.

— Смотрите, Юленька, — шепотом сказала Виктория Карловна, кивнув на Почепцова, притаившегося за одной из близлежащих могил. — Наш Фантомас тут как тут.

Валерий Афанасьевич, на лице которого блуждала злобная гримаса, наблюдал за тем, как несколько человек начали спускаться в склеп, после того как массивная железная дверь и решетка были открыты.

— Он наверняка обнаружил пропажу дневника и ничего не понимает, — сказала Виктория Карловна. — Думает, что его стащила кузина Мария, которая убиралась в его логове.

Юлия поежилась под пристальным, немигающим взглядом историка. Такой вроде бы безобидный человечишка, однако она вспомнила все то, что они обнаружили у него в доме. Она вспомнила и рассказы Виктории Карловны. А что, если он и есть убийца? Ведь, например, в тот день, когда он официально находился в Москве на конгрессе, Почепцов на самом деле тайно возвращался ночью в городок. Он вполне подходил на роль кровожадного монстра.

— Думаете о том, что наш дорогой Валерий Афанасьевич способен на убийства? — словно прочитала мысли Юлии Виктория Карловна. — Я такого же мнения. Он как одержимый охотится за дневниками. Страшный человек, как я вам и говорила. Конечно же, декан Машнэ не виновен в том, что на него навешивает Кичапов. Однако, деточка, пойдемте, пойдемте...

Они спустились по гранитным ступенькам внутрь

склепа. Их сопровождали следователь и князь. Юлия с любопытством разглядывала место последнего упокоения князей Святогорских. Она никогда и не думала, что окажется здесь!

Толстые стены, прохлада и легкий запах затхлости. Они находились под землей, в большом и просторном помещении с колоннами и сводчатым потолком. Гробы, в которых покоились останки Святогорских, располагались в стенных нишах. Молодой князь зябко поежился. Ему явно не доставляло удовольствия находиться в склепе предков.

— Склеп был построен в начале девятнадцатого века, — заметила директриса. — Тогдашний глава княжеского дома приказал создать некое подобие склепа семейства Медичи. Получилось неплохо, не так ли, князь?

Александр Святогорский молчал. Юлия заметила, что у него на лбу выступили капельки пота. В склепе совсем не было жарко, наоборот, до костей пробирала подземная прохлада. Значит, князь чего-то боится? Но чего именно? Чего ему опасаться в склепе? Он же сам дал разрешение на поиски останков Настеньки. Или у него не было другого выхода?

Юлия подумала — а что, если народная молва права и убийца, который душил женщин в 1916 году, и есть его дед Феликс-младший? Не исключено, что князь обо всем давно знает и теперь вынужден безропотно наблюдать за тем, как разоблачается незавидная роль его несчастного деда.

— Вот он, молодой Феликс, — качнула головой Виктория Карловна, когда они остановились около одной из ниш, — посмотрите, князь, здесь покоится ваш дед!

— Я знаю, — помертвевшими губами ответил Святогорский. — Я уже был в склепе, Виктория Карловна!

Большой гроб, который даже спустя почти век после трагических событий выглядел, как новый, был спрятан в углублении за витой решеткой. Табличка гласила — его светлость князь Феликс Феликсович Святогорский, который скончался по воле господа 24 сентября 1916 года.

Трудно быть солнцем

— Посмотрите, что это! — произнес один из членов следственной бригады.

Юлия пригляделась. На гранитном полу заметны остатки оплавленных свечей, непонятных знаков.

— Секта Тринадцати, — ответила безапелляционным тоном Виктория Карловна. — Разве это непонятно? Они ошиваются в городе, проводят свои ритуалы повсюду, в том числе и на кладбище.

— Но ключи от склепа есть только у меня, — сказал, насупившись, князь. — Как они могли здесь оказаться, это невероятно!

— Князь, поверьте, вероятным может быть все, даже то, что невероятно, — сказал следователь Роман Морозов.

Юлия давно поняла, что Роман невзлюбил молодого князя. Тот платил ему той же монетой. Причиной их столкновений была именно она. Святогорский продолжал посылать ей цветы и несколько раз приглашал ее в ресторан, ей пришлось отказаться. Роман заходил в особняк к Виктории Карловне, а его мамочка, подруга директрисы, также навещала ее и, распивая чаи, долго рассуждала о том, какой умница ее сын. Похоже, Виктория Карловна права — она уедет из Староникольска замужней дамой. Но когда она вообще покинет этого городок?..

Уже месяц она находится здесь. Ей давно пора было вернуться в Москву, но Юлия не испытывала пока ни малейшего желания. Она так и не разрешила для себя вопрос — что же делать дальше? Ее шеф в институте домогается ее и грозит увольнением... Требовалось что-то предпринять, однако она откладывала принятие решения. Продлив отпуск за свой счет, она осталась в Староникольске. Ей было жутко интересно — она стояла на пороге раскрытия тайны. Ведь если они с Викторией Карловной смогут выяснить, кто же является убийцей и кто был убийцей в начале века, это станет подлинной сенсацией.

— Итак, с чего начнем? — спросил один из экспертов.

Князь, который ощущал себя хозяином, прошелся по склепу и остановился около одного из наиболее старых гробов, датированных серединой семнадцатого века. После революции склепу повезло — его не разграбили и не разгромили, потому что видные поборники науки и просвещения в Староникольске объявили его исторической ценностью.

— Пожалуй, начнем отсюда, — сказал князь. — Это гробница Елизаветы Гавриловны Святогорской...

— Вам лучше не смотреть на то, что мы там обнаружим, — сказал Роман Виктории Карловне и Юлии.

— Ну почему же, — ответила энергичная директриса. — Деточка, если вы считаете, что меня можно испугать кучкой костей или оскаленным скелетом, то ошибаетесь. Я не отношусь к особам, которые падают в обморок при виде крысы. Я в первую очередь исследователь! Я же проводила в студенческие годы много времени на раскопках в Средней Азии, навидалась столько костей, что вам и не снилось! Так что начинайте, прошу вас!

Узорчатую решетку с большими усилиями удалось повернуть, из ниши выволокли дубовый гроб. Огромный, окованный бронзой, похожий на древнеримский саркофаг, он производил страшное впечатление. Юлия чувствовала, что сердце ее начало учащенно биться. Но в чем дело, чего она так боится?

— Все гробы вскрывались в начале девятнадцатого века, двести лет назад, и помещались в эти саркофаги, — пояснила Олянич. — Да не бойтесь вы так, деточка, ничего страшного нет! Я давно уяснила простую истину — опасаться стоит не мертвых, а живых.

— Вы правы, — одними губами прошелестела Юлия. Она понимала, что бояться просто глупо, но ничего не могла с собой поделать.

Саркофаг осторожно попытались вскрыть, но бронзовые петли не поддавались. После долгих усилий наконец-то удалось откинуть крышку. Первым внутрь заглянул Александр Святогорский. Его лицо, напряженное и побелевшее, ничего не выражало. Виктория Карловна подбежала к гробу, также уставилась на его содержимое.

— Ну вот, это и есть ваша прапрапрабабка, княгиня Елизавета Гавриловна, — сказала она молодому князю. —

Она была первой супругой Владимира Святогорского, который являлся одним из советников царя Алексея Михайловича. Скончалась в возрасте двадцати семи лет от таинственной болезни. Говорят, что ее отравили.

— Закрывайте, — сказал Роман Морозов, бросив беглый взгляд на содержимое саркофага. Виктория Карловна вернулась к Юлии.

— Ничего занятного, несколько истлевших костей и богатый наряд. Это явно не Настенька Полякова.

Перешли к следующему гробу. Так длилось два с половиной часа. Крестинина посчитала — всего в склепе находилось никак не менее тридцати гробов. Последним здесь был погребен тот самый Феликс Святогорский, которого и подозревали в причастности к убийствам. Если дело пойдет так и дальше, то им потребуется весь день, чтобы вскрыть каждый из саркофагов.

Патологоанатом, также изучавший останки, явно скучал. Напряжение, которое было характерно для начала экспедиции, спало. Все утомились, Юлия ощутила легкую головную боль.

— Осторожнее! — воскликнул князь Святогорский, когда очередной гроб, который три милиционера вытаскивали из ниши, покачнулся и ударился одним из углов о гранитный пол. Звук получился неприятным. Юлия поежилась.

Виктория Карловна, которая с блокнотом стояла у каждого из саркофагов, сказала, прочитав позеленевшую табличку:

— Гроб номер двенадцать. Мы уже в конце восемнадцатого века. Итак, перед нами останки Ипполита Феликсовича Святогорского. Достиг при Екатерине почти всего, обрел небывалые богатства, именно он и стал первым владельцем охотничьего домика, который до постройки дворца располагался в окрестностях Староникольска. При императоре Павле, как почти и все соратники Екатерины, впал в немилость и был после ссоры царя с князем на балу сослан в Староникольск. Готовился даже процесс по обвинению князя в мздоимстве, но император вовремя скончался от удара табакеркой в висок... Итак, Ипполит Феликсович, позвольте потревожить ваш прах!

Щелкнули петли, крышка не поддавалась. Пришлось немного поддеть ее ломом, чтобы открыть гроб. Князь Святогорский, как всегда, первым заглянул внутрь. Он внимательно изучил содержимое и сдавленно произнес:

— Кажется, мы нашли ее.

Его слова произвели магическое действие. Всеобщая апатия исчезла, даже головная боль, которая терзала Юлию, отступила. Виктория Карловна рысцой подскочила к саркофагу и, осмотрев его содержимое, воскликнула:

— Боже мой, да здесь два скелета! Явно мужской, в парадном камергерском мундире, а поверх него — женский! Это и есть Настенька!

Роман Морозов с патологоанатомом прошествовали к гробу. Врач профессиональным взглядом оценил содержимое.

— Вы правы, — сказал он. — Крайне занятно! Первому скелету, облаченному в парадную придворную форму, я бы дал никак не менее двухсот лет...

— Так и есть, — вставила Виктория Карловна. — Князь Ипполит Святогорский скончался 21 декабря 1809 года в Петербурге...

— А вот что касается второго... Безусловно женский... Посмотрите, как хорошо сохранились волосы, длинная русая коса... Тело облачено в наряд, который я бы датировал началом двадцатого века.

— Это Настенька, — уверенно заявила Виктория Карловна. — Ее спрятал Садовник после того, как совершил очередное убийство.

Патологоанатом несколько минут изучал страшную находку. Юля, несмотря на приглашение Виктории Карловны взглянуть на останки, так и не подошла к гробу. Если это Настенька, она не хотела видеть то, что осталось от жизнерадостной и милой девушки, которой она симпатизировала. Елена Карловна писала о ней с явной симпатией и добротой. И вот здесь, в гробу одного из князей, лежат ее останки... Это так ужасно!

Трудно быть солнцем

— Она не была задушена, — сказал вдруг эксперт. — Вряд ли мы можем вести речь о жертве убийцы, известного как Садовник. Посмотрите на эти порезы на платье... Я сейчас не могу ничего утверждать, но эта женщина была зарезана!

— Как это? — удивленно произнесла Виктория Карловна. — Как это зарезана? Я ничего не понимаю, как такое возможно... Садовник не мог изменить свои привычки, он же душил жертвы...

— Чтобы установить причину смерти, требуется проведение тщательного осмотра останков, — сказал эксперт. — Крайне, крайне интересно... Однако я бы все же сказал с большой долей уверенности, что жертва была убита при помощи холодного оружия, кинжала или стилета, которым ей в область сердца было нанесено... никак не менее трех ранений... Да, именно так. Посмотрите, шейные позвонки абсолютно в сохранности, она не была задушена!

Защелкали вспышки фотоаппаратов. Виктория Карловна подошла к Юлии. Крестинина взглянула на князя Святогорского. Тот, с посеревшим лицом, прислонился к стене склепа и закрыл глаза.

— Деточка, — в растерянности заявила Виктория Карловна. — Получается, что Настенька... Что Настенька не была убита Садовником, но что это значит?

10 сентября

— Что это значит? — всех занимал один и тот же вопрос.

Масса журналистов, по большей части московские, среди них и несколько иностранных, собрались в зале для пресс-конференций мэрии Староникольска. Всеобщий ажиотаж после обнаружения в фамильной усыпальнице князей Святогорских тела женщины, идентифицированной как Анастасия Никифоровна Полякова, четвертая, до сих считавшаяся исчезнувшей жертва цветочного маньяка, достиг своего апогея.

О староникольских убийствах писали в общероссийской прессе, всех занимали как старинные, так и нынешние загадки. Власти, хранившие гробовое молчание, последовавшее за эксгумацией тела Настеньки, пообещали наконец-то предать достоянию общественности все известные факты. На полдень была назначена пресс-конференция, в ходе которой эксперты осветят все вопросы касательно тела четвертой жертвы из 1916 года.

Виктория Карловна с Юлией находились в зале. Им удалось получить приглашения, и в этом основная заслуга принадлежала Роману Морозову. Молодой следователь, явно неравнодушный к Юлии, сумел обеспечить им присутствие на закрытой пресс-конференции, доступ на которую имели исключительно журналисты.

В пять минут первого, когда всеобщее волнение достигло пика, появилась процессия из нескольких человек. Гул в зале усилился, а затем стих. Самыми важными людьми стали три эксперта, представители прокуратуры, которые и проводили изучение останков женщины, обнаруженной в княжеском склепе. Помимо них за столом оказался мэр, полковник Кичапов, а также Александр Святогорский.

Пресс-конференция началась. Вначале один из экспертов изложил, к каким выводам они пришли.

— Женские останки, обнаруженные в саркофаге, где покоился князь Ипполит Святогорский, могут быть без сомнений идентифицированы как останки Анастасии Никифоровны Поляковой. Это останки девушки восемнадцати — двадцати лет, которая скончалась в результате проникающих колото-режущих ранений, нанесенных в область сердца. Останкам восемьдесят — восемьдесят пять лет, поэтому датой смерти вполне может являться сентябрь 1916 года...

Эксперт на секунду замолк, отпив из стакана воды. То, что произнес его коллега, переняв эстафету, произвело эффект разорвавшейся бомбы:

— Женщина, чье тело было предоставлено нам для проведения следственных действий, была беременна. Беременность к моменту смерти достигала четырнадцати-

Трудно быть солнцем

пятнадцати недель. Это останки так и не родившегося ребенка, девочки...

Юлия в потрясении взглянула на Викторию Карловну. Та, как охотничья собака, напряглась и вслушивалась в каждое слово. По залу прокатился шум, журналисты загалдели, послышались вопросы, однако мэр Белякин, который главенствовал на пресс-конференции, поднял руку и заметил:

— Дамы и господа, прошу вас соблюдать установленные правила. Сначала наши уважаемые эксперты излагают свои результаты, затем вы имеете право задавать им вопросы...

Эксперт продолжил повествование. Он отмел предположение, что женщина была предварительно задушена, а потом ее трупу нанесены ножевые ранения. На этом он закончил свое выступление. Юлия перевела взгляд на князя Святогорского. Он держался на редкость собранно, однако на его лице была непонятная улыбка, которая больше походила на окостеневшую гримасу отчаяния и боли.

— Можете ли вы сказать, кто является отцом ребенка? — раздался первый вопрос. Журналистка, одетая в эффектный костюм, подняла наманикюренный палец.

— Нет, — ответил эксперт. — Для этого необходимы генетические исследования, к которым мы не прибегали...

Вопросы, по большей части нелепые или такие, на которые эксперты не могли дать ответа, сыпались как град. Мэр Белякин умело вел пресс-конференцию. Затем возникли вопросы к нему и к полковнику Кичапову. Начальник милиции Староникольска, тяжело вздыхая, был вынужден признать:

— Да, причастность господина Машнэ к убийству Ирины Александровны Мерзляковой не подтверждается. Поэтому сегодня утром он был выпущен на свободу...

— Господин мэр, — спросил кто-то из местных. — Что вы намереваетесь делать, чтобы оградить жителей нашего города от последующих бесчинств маньяка? Если этот некто повторяет убийства 1916 года, то он совершит еще по крайней мере два убийства. Готовы ли вы дать слово, что эти убийства будут предотвращены? Или жительницам Староникольска придется мириться с тем, что две из них станут жертвами цветочного нелюдя?

— Я заверяю вас, мы прикладываем все усилия, чтобы поймать этого маньяка, — сказал, немного нервничая, мэр. Всего лишь утром, за два часа до начала пресс-конференции, у него состоялся бурный разговор с губернатором, который требовал, чтобы убийца был немедленно пойман или хотя бы задержан перспективный подозреваемый.

— Можно ли вам верить, господин мэр! — послышались возгласы журналистов.

— Кто станет следующей жертвой? — был задан и такой вопрос. Мэр, стушевавшись, замял его, ответив, что следствие вовсю работает над тем, чтобы предотвратить новое преступление.

— Значит, вы уверены, что новое преступление не за горами? — спросил один из иностранных журналистов на неплохом русском. — Убийца совершает преступления в те же дни, что и его предшественник в 1916 году. Таким образом, дата следующего преступления — ночь с шестнадцатого на семнадцатое сентября. У вас неделя. Готовы ли вы предотвратить это убийство?

Мэр Белякин, раскрасневшись, принял вызов. Он заявил:

— Убийце, кто бы он ни был, не удастся больше нанести удар. Новых жертв не будет!

Пресс-конференция завершилась на этой патетической ноте. Юлия и Виктория Карловна вышли из здания мэрии. Накрапывал мелкий дождик, на горизонте роились черные тучи, дул холодный ветер. Директриса, вздохнув, сказала:

— Я почему-то думаю, что мэр наш излишне оптимистичен. Убийца явно не остановится, пока не нанесет следующий удар. Пойдемте, деточка, а то сейчас начнется ливень...

Трудно быть солнцем

13 сентября

— Прошу вас, проходите, очень рада с вами познакомиться, — супруга господина мэра, Инна Станиславовна Белякина, протянула Юлии холеную руку, украшенную несколькими перстнями со сверкающими камнями. Юлия почему-то не сомневалась, что крупные камни — это бриллианты.

Они были приглашены в гости к супруге мэра, которая давно хотела познакомиться с Юлией, внучкой Анны Радзивилл. Инна Станиславовна, симпатичная брюнетка без возраста, с точеной фигурой, облаченная в светло-синее платье, принимала их в своей квартире.

Мэр с супругой жили неплохо. Роскошный холл, гостиная, обставленная старинной мебелью, дорогие картины — все это свидетельствовало о хорошем вкусе и наличии средств. Инна Станиславовна радушно встретила гостей.

Их ждал небольшой столик, накрытый на три персоны. Чай, сладости и сплетни.

— Стасик будет очень рад вашему визиту, дорогая Виктория Карловна, — сказала, наливая в тонкую фарфоровую чашку ароматный напиток, супруга мэра. — Юленька, разрешите мне вас так называть, прошу вас, попробуйте лимонный кекс, я сама его пекла. Специально к вашему визиту. Мы же давно хотели с вами познакомиться, но все время что-то мешало...

Инна Станиславовна помешала ложечкой чай и продолжила:

— Пети, увы, нет, он не сможет составить нам компанию, но вы понимаете, что он должен работать. Эта суматоха из-за убийств и обнаружения в склепе Святогорских тела бедной девушки. Как это некстати, как некстати...

В речах супруги Белякина сквозило явное недовольство тем, что Виктория Карловна в очередной раз сунула свой любопытный нос в дела, которые ее не касаются. Директриса просветила Юлию относительно ее взаимоотношений с Инной Станиславовной. Мадам мэрша управляла мужем, который заправлял Староникольском. Таким образом, скандал с «цветочными убийствами» и останками беременной Настеньки, поиски которых были инициированы Викторией Карловной, был как бельмо на глазу и вызывал явное недовольство Инны Станиславовны. Однако супруга мэра предпочитала не ссориться с врагами, а приглашать их на чай, дабы получить информацию.

— Но что поделать, такова, видимо, судьба, — завершила фразу Инна Станиславовна. — Юлечка, как же я все-таки рада, что могу познакомиться с вами. Скажу откровенно, меня всегда занимала и волновала судьба Анны Радзивилл. Она — часть истории нашего Староникольска, ведь так, Виктория Карловна?

Виктория Карловна, которая изучала обстановку в гостиной Инны Станиславовны, встрепенулась. Вопрос отвлек ее от размышлений о том, сколько стоят шелковые обои, украшающие стены гостиной.

— Мамочка, — раздался басок. — Я тоже хочу!

Инна Станиславовна нахмурила выщипанные брови, извинилась и проворно поднялась из кресла.

В гостиную, переваливаясь при ходьбе, вошел высокий и полный молодой человек, которого Крестинина уже однажды видела — на празднике по случаю закладки фундамента нового дворца. Именно в тот день, когда были обнаружены останки ее прабабки...

Госпожа Белякина подошла к сыну. Виктория Карловна уже говорила Юлии, что единственный сын четы Белякиных страдает умственной неполноценностью. Стасику было уже за двадцать, а его разум находился на уровне семилетнего ребенка. Инна Станиславовна чрезвычайно страдала из-за этого, поэтому и направляла свою колоссальную энергию в другое русло — в местную политику. У мэра с женой была взрослая дочь, которая давно переехала в Москву, где удачно занималась бизнесом.

— Познакомьтесь, мой сын Станислав, — закусив губу, сказала Инна Станиславовна.

Стасик сразу понравился Крестининой. Нескладный, большой, не умеющий из-за искривления позвоночника правильно ходить, он был добрым и улыбчивым.

Трудно быть солнцем

— Здравствуй, — произнес он, схватив двумя ладонями ее руку. — Ты добрая, я сразу вижу!

Инна Станиславовна натужно улыбнулась, снова опустилась в кресло и взяла чашечку. Ее рука дрожала, а с лица не сходила маска фальшивого спокойствия.

— Стасик мой любимый ребенок, — сказала она, вздохнув. — Но богу было угодно, чтобы он родился таким...

— Инна Станиславовна, я вам сто раз говорила, Стасик такой же, как и все. Но вы никак не можете смириться с тем, что он не соответствуют вашим мечтам и не сумеет воплотить в жизнь ваши честолюбивые планы, — произнесла директриса.

— Может быть, вы и правы, — ответила супруга мэра. — Я не знаю...

— Вика пришла, — произнес Стасик. — Вика, Вика, — залепетал он, продолжая улыбаться. — Будем учиться!

— О, я же занимаюсь с ним немного, — пояснила Юле Виктория Карловна. — Стасик удивительно способный, схватывает все на лету. Он уже может читать по слогам...

Чтобы отвлечь гостей от своего сына, Инна Станиславовна отослала Стасика в его комнату и продолжила непринужденное светское общение.

— Виктория Карловна, вы уже знаете, кто был отцом так и не родившегося чада Анастасии Поляковой? — спросила она, отхлебывая чай. — Ходят упорные слухи, что это — дед нашего милого князя, несчастный Феликс, который завел со служанкой интрижку, та от него забеременела, вот он и убил ее, а потом застрелился сам.

— Про несчастного Феликса и так ходит слишком много различных слухов, — сказала Виктория Карловна. — Я не верю, что он является убийцей!

— Но тогда кто? — удивленно спросила Инна Станиславовна.

Директриса пожала плечами:

— Мало ли еще подозреваемых...

— Вы, наверное, правы, — ответила жена мэра. — Я всегда думала о том, что быть убийцей очень страшно. Представляете — человек только о том и думает, как лишить других жизни. Это же так ужасно!

Разговор плавно тек вокруг темы «цветочных убийств». Вскорости Юлии наскучило прислушиваться к различного рода версиям, которые выдвигали Виктория Карловна и Инна Станиславовна. Крестинина была вынуждена оставаться в гостиной и одаривать всех улыбкой, хотя мысли ее были далеко. Она думала о том, что за последний месяц произошло чрезвычайно много событий. И ее не отпускало чувство, что в ближайшие дни предстояло случиться еще чему-то страшному и важному для нее.

— Юленька, о чем вы задумались? — спросила ее супруга мэра. — Я слышала, что наш князь, я имею в виду молодого Святогорского, весьма к вам неравнодушен. Я его понимаю... Смотрите, милочка, станете новой княгиней! Александр жутко богат, он миллионер!

В ее словах слышалась зависть. Юлия ответила:

— Вряд ли мне суждено это, Инна Станиславовна.

— Ну, не говорите так, — ответила Белякина. — Я ведь, когда выходила замуж за Петра Георгиевича, и не помышляла о том, что он когда-нибудь займет такой важный пост. Однако в жизни, как вы сами знаете, все меняется моментально.

— О, Юленька пользуется подлинным успехом, — тотчас сообщила Виктория Карловна. — Вы только подумайте, Инна Станиславовна, Роман Морозов, следователь, также проявляет к ней интерес...

Юлия подумала о том, что Виктории Карловне нельзя доверять тайны. Директриса обязательно выболтает то, что другим знать вовсе не нужно.

Извинившись, Юлия поднялась с кресла и скрылась в ванной. Ей было любопытно взглянуть на квартиру народного избранника. Мэр обитал на двух уровнях в шести комнатах. Он ни в чем не отказывал себе, было заметно, что у него водились деньги. Всем заправляла Инна Станиславовна, это было видно с первого взгляда.

Большой коридор, который вел в одну из комнат, украшали фотографии. Петр Георгиевич Белякин и сильные мира сего. На некоторых фотографиях мелькала и Инна Станиславовна. Несколько фото изображали молодую женщину, удивительно похожую на супругу мэра — такую же целеустремленную, с плотно сжатыми губами и без тени улыбки. Это и есть дочь, которая удачно занимается в столице бизнесом, сразу поняла Юлия.

А вот фотографий их сына, Стасика, нигде не было. Видимо, мэр и его супруга стеснялись болезни своего ребенка. Юлия вспомнила несколько случаев из собственной практики — у людей водятся деньги, они удачливы в профессиональной и личной жизни, однако, как они сами считают, все портит ребенок-инвалид.

Юлия прошла в комнату к Стасику. Он обитал в просторном помещении, заполненном разноцветными игрушками. В тот момент, когда она заглянула в комнату через открытую дверь, он сидел за столом и, высунув язык, сосредоточенно водил карандашом по бумаге.

— Здравствуй, — сказала Юлия, обращаясь к нему.

Стасик, услышав ее голос, повернул большую голову. Он явно был рад видеть Крестинину.

— Я здесь живу, — с гордостью сказал он. — Тебе нравится?

— Очень, — ответила Юлия.

Она не обманывала. Белякины явно заботились о комфорте сына. Несмотря на то что они стеснялись его, они все же не отдали его в детский дом или в специализированную клинику. Инна Станиславовна с Викторией Карловной присоединились к Юлии. Мэрша, заметив интерес к своему сыну, немного оттаяла.

— Мамочка, она очень хорошая, — сказал Стасик, обращаясь к Инне Станиславовне. Он подошел к Юлии и попытался ее обнять.

— Осторожнее, Стасик, я прошу тебя, — приказным тоном произнесла Инна Станиславовна. Было заметно, что она немного побаивается того, как поведет себя ее сын в присутствии незнакомого человека.

— Это мои рыбки, — сказал тот с гордостью, подводя Юлию к большому круглому аквариуму, искусно подсвеченному разноцветными огоньками. На дне аквариума находился крошечный затонувший корабль с сундучком, заполненным стеклянными сокровищами. По воде сновали небольшие рыбки.

— Покорми их, — сказал Стасик, протягивая Юлии коробку с кормом. Затем он показал ей своего хомяка, морских свинок и крысу-альбиноса. Инна Станиславовна, которая до этого явно не хотела, чтобы гости уделяли повышенное внимание сыну, теперь, наоборот, с восторгом следила, как Стасик, полный гордости, показывает Юлии свои владения.

— Вы должны почаще наведываться к нам, Юленька, Стасику нравится ваше общество, — сказала Белякина. — У него ведь практически нет друзей, в основном это врачи и медсестры. Иногда заглядывает Виктория Карловна, я ей чрезвычайно благодарна за то, что она занимается с моим мальчиком... Приходят и другие учителя... Однако ему не хватает живого, непринужденного общения... Вы же понимаете, о чем я. Подростки в городском парке сначала боялись его, они дразнили Стасика и даже издевались над ним. Но потом все как-то нормализовалось. Однако он очень и очень одинокий... Поэтому мы и завели ему зверюшек. Ты ведь любишь своих питомцев, Стасик?

— Я их люблю, — ответил сын Белякиной. — А вот цветы нехорошие. Они злые.

— Почему? — спросила Юлия.

Когда Стасик упомянул про цветы, она вдруг обратила внимание на то, что в комнате сына мэра нет ни единого горшка с цветами. В других помещениях она видела вазы, заполненные живыми и благоухающими цветами, в основном розами и георгинами.

— Мы вас оставим, — сказала директриса. Инна Станиславовна, поцеловав сына, скрылась с ней в направлении гостиной.

— Почему ты говоришь, что цветы злые? — спросила Юлия.

Стасик замотал головой и произнес:

— Они... Они такие нехорошие. Я это знаю!

Трудно быть солнцем

Его настроение разительно изменилось. Полный энергии, жизнерадостный и веселый, он стал замкнутым и чем-то опечаленным. Стасик снова подошел к столу, уселся в вертящееся кресло и принялся что-то сосредоточенно рисовать. Юлия подошла ближе.

На большом белом листе она заметила изображение розы. Однако не такой, каким обычно представляют дети цветок. Роза походила на монстра — вся в шипах, черного цвета. Юлия почувствовала, что у нее перехватило дыхание, когда она заметила, что рядом с этим изображением цветка Стасик выводит неровные, корявые буквы. Он написал: «Ты — тюльпан, символ невинности...»

Точно такой же почерк был на всех письмах, которые получили три жертвы. Юлия не поверила своим глазам. Она попросила у Стасика лист. Тот ответил:

— Я его тебе дарю!

Юлия присмотрелась. Сомнения отпали, она не была экспертом-почерковедом, однако почерк Стасика и почерк на анонимных письмах был идентичен. Такой же почерк, насколько она могла помнить, был и в том письме, которое она получила в Москве, подписанное неизвестным другом. Именно то письмо и заставило ее отправиться в Староникольск.

— Почему ты решил написать это? — ласковым тоном спросила она Стасика.

Тот, нахмуренный и явно утративший хорошее настроение, ответил:

— Потому что так надо.

Юлия поняла — Стасик не может быть убийцей. Нет, конечно же, не может! Но неужели он уже где-то видел эти письма, которые теперь пытается копировать? Или он и написал их? Она не могла собраться с мыслями. Кто-то дал ему поручение написать письма со стихотворными угрозами... Но кто это сделал?

Юлия вспомнила мэра Белякина, самоуверенно заявлявшего, что убийца вскоре будет пойман, а смерти женщин прекратятся. Или его супруга, которая распивала с Викторией Карловной чай в гостиной...

— И часто ты делаешь такие надписи? — спросила Стасика Юлия.

— Часто, — ответил тот. — Тебе нравятся?

— Да, — сказала Крестинина. — Расскажи-ка мне, пожалуйста, о них поподробнее. Тебя ведь кто-то просил их сделать?

— Он просил меня не говорить о них, — ответил Стасик.

Юлия напряглась. Вот это да! Кто-то, просивший Стасика написать эти страшные послания, требовал от него, чтобы Стасик соблюдал секретность. Она почувствовала страх. Так и есть, ей удалось напасть на след убийцы. И единственный, кто в состоянии вывести ее к этому кровожадному монстру, оставляющему на теле жертвы цветок, — безобидный Стасик.

Она попыталась говорить как можно дружелюбнее:

— Стасик, скажи пожалуйста, кто этот человек... Это для меня очень и очень важно. Я тоже хочу с ним познакомиться... Мне так нравятся эти картинки...

— Он приходит ко мне в парке, — ответил Стасик. — Просит написать что-то и дает мне за это сладости. Он хороший!

— Опиши мне его! — сказала Юлия.

Стасик мгновенно надулся и не пожелал отвечать на ее вопрос. Юлии пришлось повторить его несколько раз, прежде чем она получила ответ:

— Он сказал, что я никогда не должен говорить другим о том, что я для него делаю.

— Но какой он из себя? — воскликнула Юлия. — Прошу тебя, это очень важно!

— Не скажу, — ответил Стасик. — Ты на меня кричишь, прямо как мама. Мне это не нравится. Оставь меня!

— Извини, — примирительным тоном сказала Крестинина. Она поняла, что в погоне за «цветочным убийцей» перешла границы допустимого. Стасик на самом деле не подозреваемый, а жертва. Кто-то циничный и слишком хитрый использует его в собственных целях. Стасик — то самое звено, которое соединит воедино всю цепочку.

— Но ведь ты сможешь нарисовать его? Твоего друга?

Трудно быть солнцем

Возможно, я его знаю, — сказала Юлия. — Прошу тебя, сделай мне такой подарок!

— Хорошо, — неожиданно согласился Стасик. — Мне нравится рисовать... Но он говорил, что я перестану быть его другом, если расскажу кому-нибудь о том, что встречаюсь с ним. И он больше никогда не принесет мне конфетки...

— Но ведь он не говорил том, что ты не можешь его рисовать, — сказала Юля.

Она вынула чистый лист бумаги и положила его перед Стасиком. Тот взял в руку карандаш и принялся сосредоточенно чертить. Юлия надеялась, что вот-вот появится знакомое лицо. Но нет, вместо этого Стасик изобразил черную фигуру в плаще с капюшоном. Лица у этой фигуры не было. Точно такой плащ, и эта мысль пронзила ее как молния, они с Викторией Карловной видели в шкафу у Валерия Афанасьевича Почепцова. Историк специально возвращался за ним домой и едва не застукал их на месте преступления.

— Ты знаешь, как его зовут? — спросила Юлия.

Стасик, который закрашивал фигуру в черный цвет, ответил:

— Да. Он сказал, чтобы я называл его Садовником. Он следит за цветами и подрезает их. Он очень хороший!

Юлия поспешила в гостиную, где дамы по-прежнему сплетничали и поедали сладости. Инна Станиславовна внимательно взглянула на Крестинину. Юлии не хотелось, чтобы супруга мэра узнала о сделанном ей в комнате ее сына открытии. Ей было нужно немедленно перекинуться несколькими словами с Олянич. Юлия решительно взяла кусочек лимонного кекса, всухомятку съела его.

— Юленька, что же вы не наливаете себе чай, — встрепенулась Инна Станиславовна. — Прошу вас!

Она потянулась к изящному чайнику, однако Юлия сказала ей:

— А могу ли я попросить у вас... какао! Я так его люблю!

Инна Станиславовна с удивлением взглянула на гостью и ответила:

— Ну конечно же, Юленька. Прошу прощения, я сейчас вам сделаю... Мне придется на пару минут оставить вас одних, вы уж меня простите!

Юлия, которая этого и добивалась, еле дождалась, когда Инна Станиславовна скроется в направлении кухни, и зашептала:

— Виктория Карловна, боже мой, я только что обнаружила человека, который является автором писем с угрозами...

— Да что вы! — ахнула директриса. — Деточка, этого не может быть! Расскажите немедленно, что вам удалось узнать!

Юлия вкратце обрисовала ситуацию. Она заметила на лице Виктории Карловны неподдельный интерес.

— Деточка, что бы я без вас делала, — сказала директриса. — Значит, кто-то использует Стасика... Это кто-то из своих, поверьте мне. Под своими я подразумеваю человека, вхожего в семью Белякина. Значит, Стасик не может опознать человека, который встречается с ним в парке?

— Я надеюсь, что он выведет нас к нему, — ответила Юлия. — Возможно, нам нужно проследить за Стасиком, когда он гуляет в парке, и взять его приятеля, облаченного в черный плащ, с поличным...

— Отличная идея! — похвалила Виктория Карловна.

Появилась Инна Станиславовна, на подносе она внесла большую дымящуюся чашку с какао.

— Ваш напиток, Юленька, — сказала супруга мэра. — Вы, значит, любите какао?

Юлия, которая терпеть не могла какао, с видом мученицы отхлебнула горячую жидкость. В гостиную вошел Стасик. Он протянул Юлии большой лист, на нем было написано стихотворение, посвященное тюльпану. Слово в слово оно копировало то самое послание, которое обнаружили Елена Карловна и Арсений Поликарпович в каморке Настеньки после исчезновения девушки.

— Вот, это для тебя, — сказал, сияя, Стасик.

Инна Станиславовна, в расслабленной позе сидевшая

в кресле, вдруг напряглась и, как коршун, вырвала у Юлии из рук лист со стихотворением.

— Стасик, — зловещим тоном произнесла она, — откуда у тебя это, мой милый ребенок? Что это за стихотворение?

— Мама, ты же его видела, — сказал Стасик, пугаясь. — Это для нее, — он ткнул пальцем в Крестинину. — Она хорошая и любит цветы, а я нет...

Инна Станиславовна бегло просмотрела стихотворение, ее лицо приняло пепельный оттенок. Супруга мэра явно чего-то испугалась. Мадам Белякина, резво вскочив на ноги, сказала:

— Милые мои, была чрезвычайно рада поболтать с вами, но вы меня поймите... Я совершенно забыла, что через двадцать минут у меня важная встреча...

— Да-да, — ответила Виктория Карловна. — Нам тоже пора. Спасибо за гостеприимство и за дивный кекс. И разрешите Юленьке получить обратно подарок вашего сына. Это занимательное стихотворение.

Однако Инна Станиславовна никак не хотела расставаться с листом. Наоборот, она прижала его к груди и ответила:

— О, это такие пустяки. Я уверена, в следующий раз, когда вы нас навестите, Стасик нарисует что-нибудь. Я знаю своего мальчика.

— И все же, дорогая Инна Станиславовна, отдайте нам рисунок, — настойчиво повторила Виктория Карловна.

Белякина, сделав вид, что ничего не понимает, проводила их к двери.

— Было чрезвычайно приятно с вами познакомиться, — сказала она на прощание Юлии.

Дверь за ними захлопнулась, щелкнуло несколько замков. Юлия с Викторией Карловной оказались на лестничной клетке.

— Она не захотела отдать нам рисунок со стихотворением, — сказала Юлия. — Она почему-то разволновалась...

— А не потому ли, деточка, что уважаемой Инне Станиславовне есть, что скрывать? — ответила директриса. — Это стихотворение она уже видела, вы же слышали, об этом сказал Стасик. Это значит, что Инна Станиславовна вполне может быть замешана во всей цветочной истории.

Юлия вдруг подумала — а что, если убийцей является ее супруг, дражайший мэр Петр Георгиевич? Тогда мадам Белякиной есть за что опасаться. Их тайна могла стать всеобщим достоянием.

— Но что мы будем делать, нам ведь необходимо поговорить со Стасиком, а Инна Станиславовна не хочет этого и будет всячески препятствовать, — произнесла Юлия.

Они оказались на улице. День, который начинался с яркого солнца, испортился. Черные тучи затянули небо, в воздухе разлилось предгрозовое напряжение.

— Мы с ним обязательно поговорим. И сделать это нужно как можно быстрее. Но почему-то, деточка, у меня плохое предчувствие...

Директриса замолчала, а затем продолжила:

— Мальчик, я имею в виду Стасика, явно находится в опасности. Он же практически единственный свидетель, он общался с убийцей. То, что этот человек и есть тот самый Садовник, на счету которого три жертвы, я не сомневаюсь.

— Нужно сообщить обо всем Роману, — сказала Юлия, но Виктория Карловна отрицательно покачала головой:

— Чем больше людей знает, тем хуже. Все равно Белякин запретит вовлекать в это дело его сына. С мэром никто не осмелится спорить. Я думаю, нам нужно выждать и самим попытаться выйти на след Садовника. Вы согласны?

Дождь обрушился на город во второй половине дня. Тучи закрыли небосвод, тяжелые свинцовые капли, распугивая немногочисленных прохожих, забарабанили по асфальту.

Стасик Белякин в одиночестве сидел на лавочке в парке. После того, как две гостьи ушли, Инна Станиславовна лично уничтожила все рисунки сына, разорвала наброски стихотворений, которые он сделал по памяти, и запретила ему говорить с кем-нибудь о произошедшем. Затем, заявив, что у нее жутко болит голова, она велела ему, как обычно, отправиться гулять в парк.

— Ты меня очень расстроил, — сказала она Стасику. — За это я даже не буду тебя целовать сегодня!

Стасик не понимал, чем он разгневал маму. Ей всегда нравились его рисунки, но стихотворения, которые диктовал ему его друг в парке, испортили ей настроение. Почему?

— Здравствуй, дурачок, — прошелестел около Стасика тихий голос.

Он обернулся и заметил своего «незнакомца», облаченного, как всегда, в черный плащ-дождевик. Лицо его было закрыто темными очками, руки затянуты в перчатки. Капли дождя стекали с плаща на землю. Стасик поднялся и собрался идти домой. Мама сказала, что он должен быть дома до того, как начнется дождь. Но он замечтался, глядя на тучи и голубей, и остался в парке совершенно один.

— Я сегодня не могу, мне надо домой, — сказал Стасик. Он впервые почувствовал зло, которое исходило от человека, облаченного в плащ. Ему стало страшно.

— Ты уже уходишь? — прошипел Садовник. — Жаль, мой маленький друг, очень жаль... Ну что же, позволь мне на прощанье сделать тебе сюрприз. Ты ведь не возражаешь?

Стасик любил сюрпризы. Каждый раз, когда мама или папа говорили о сюрпризах, он получал в подарок коробку конфет, игрушку или живую зверушку.

— Подойди ко мне, — поманил Стасика к себе Садовник. — Скажи, ты кому-нибудь говорил о том, что мы встречаемся с тобой в парке? Кто-нибудь знает, что ты писал для меня стихи? Отвечай правду!

Стасик замотал головой и ответил:

— Никто, я клянусь!

— Врешь, — рука Садовника, затянутая в черную кожу, легла на локоть Стасика. — Ты меня обманываешь, маленький тупой лгунишка! Тебе нельзя доверять, ты ненадежен! А ты знаешь, что бывает с плохими мальчиками, которые обманывают взрослых? Они умирают!

Стасик почувствовал легкий укол в руку. Он дернулся и попробовал отбежать, но ноги его не слушались. По всему телу разлилась непонятная тяжесть. Садовник спрятал в карман плаща шприц и с удовлетворением взглянул на Стасика, который беспомощно повалился на землю, заливаемую дождевыми потоками.

С самого начала было ошибкой использовать Стасика для этой цели. Письма следовало писать собственноручно. Но что теперь поделаешь...

— Прощай, лгунишка! — сказал убийца и, развернувшись, скрылся в дожде.

Стасик закрыл глаза и погрузился в бесконечную и абсолютно ледяную тьму...

15 сентября

Ясновидящая Бронислава оторвалась от зеркала, в которое разглядывала себя. У нее совершенно не было настроения. На город налетели дожди, но и без этого Староникольск уже давно оказался во власти темных сил.

Она не могла отменить вечеринку, которая планировалась едва ли не за полгода. Сегодня Бронислава отмечала тридцатилетие творческой деятельности, как в шутку именовала это ее верная компаньонка Людочка.

— Броня, ты готова? — спросила Людочка, заглядывая в комнату к ясновидящей сквозь колыхающуюся цветную занавеску. Бронислава, прижав к вискам тонкие белые пальцы, попыталась успокоить себя. В чем дело, почему она так разволновалась?

Скорее всего, из-за того, что уже в течение нескольких дней выдавали ей карты. Смерть, смерть идет по пятам... Бронислава могла предсказывать чужую судьбу, однако она никогда не рисковала узнать собственную. Видимо, как и множеству прорицателей и магов, ей было отказано в возможности знать то, что ее ожидает.

Карты в последние дни как взбесились. Они выдавали

одно — смерть, несчастья, катастрофы. Или это сказываются всеобщее напряжение и страх, которые охватили Староникольск? Бронислава подумала о бедной девочке, студентке, которая, не послушавшись ее слов, ринулась во тьму — и стала первой жертвой цветочного маньяка. Но если бы все на этом закончилось...

После Олеси, так, кажется, звали эту студентку, последовали еще две жертвы. К Брониславе даже приходил симпатичный молодой следователь, который задавал ей различные вопросы. Бронислава заявила ему, что убийца не уйдет от возмездия.

Но вместо этого он снова нанес удар. Жертвой стал сын четы Белякиных, Стасик. Мальчик-инвалид, который никому и никогда в своей короткой жизни не причинил вреда. Его обнаружили в парке, кто-то сделал ему инъекцию сильнодействующего средства. Стасику сказочно повезло — его вовремя доставили в больницу, а его организм оказался чрезвычайно сильным. Он находился на грани жизни и смерти, в бессознательном состоянии. Но кто поднял на него руку?

По городу поползли удивительные и страшные слухи. Оказывается, именно Стасик Белякин писал те самые нелепые стихотворные послания. Кто-то просил его делать это, кто-то, облаченный в черный плащ с капюшоном, по прозвищу Садовник. Мэр отказался давать интервью по этому поводу, заявив, что все это сплетни и досужие вымыслы.

Инна Станиславовна все время проводила около кровати сына в городской больнице, надеясь на то, что он сумеет выкарабкаться. Врачи ничего не могли прогнозировать, говоря, что если Стасик и останется в живых, то, вероятнее всего, функциям его мозга нанесен непоправимый вред — все же Стасик в течение десяти минут не дышал и находился в состоянии клинической смерти.

Бронислава порывалась отменить вечеринку, но верная Людочка убедила ее этого не делать.

— Броня, мы должны показать, что все идет, как в прежние времена. Ты же ничего не боишься?

Бронислава не знала, что ей ответить. Она привыкла к тому, что ее жизнью и ее делами управляет Людочка. Поэтому она покорно согласилась вечером пятнадцатого сентября отметить тридцатилетие своей карьеры.

Приглашены были немногие, Бронислава отмела помпезное предложение Людочки устроить пышный банкет в ресторане и заказать какого-нибудь именитого исполнителя из столицы. Прием должен был пройти в особняке Брониславы. Верные клиенты, представители старо-никольского бомонда...

И правнучка несчастной Анны Радзивилл.

Бронислава настояла на том, чтобы Юлия Крестинина, которую она раньше никогда не видела, также была среди гостей. У Брониславы была причина желать этого — она не говорила об этом никому, даже Людочке. Бронислава пыталась выяснить при помощи подвластных средств, кто же является убийцей. Но единственное, что выдавали карты — одна из женщин была в опасности. Когда Бронислава увидела в местной газете фотографию Юлии, она поразилась ее сходству с Анной и сразу поняла — Садовник наметил Юлию в качестве одной из жертв. Почему — она не знала, но эта мысль, отчетливая и ясная, терзала ее на протяжении нескольких недель.

— Пора, пора, Броня, тебя ждут, — поторопила ее Людочка.

Бронислава задула свечи, стоявшие около зеркала, и вышла в зал. Все было именно так, как она хотела: камерный оркестр из трех скрипачей из староникольской филармонии играл Моцарта и Шопена, два официанта разносили легкие закуски и шампанское. Гостей было не больше двадцати человек.

Бронислава, облаченная в переливающееся изумрудное платье, принимала поздравления, заверения в искренней симпатии, комплименты, признания в любви. Несколько ее клиентов, люди состоятельные, сделали ей царские подарки — соболиную шубу, кольцо с изумрудом и акварель одного из художников-передвижников.

Юлия, находившаяся среди прочих приглашенных вместе с Викторией Карловной, наблюдала за ясновидящей. Она никогда особенно не верила подобным особам, которые, делая пассы руками и говоря замогильным голосом, вещали о судьбе и требовали деньги. Но Бронислава, чуть полноватая статная дама пятидесяти с небольшим лет, произвела на нее положительное впечатление.

— Местная Кассандра и Ванга в одном лице, — сказала саркастическим тоном Виктория Карловна. — Но люди говорят, что она им помогает. Я слишком хорошо знаю семью Брони, ее бабка тоже была колдуньей и вроде бы передала внучке по наследству свой дар. Броня пыталась поступить в медицинский институт, но два раза проваливалась на химии. В итоге окончила пищевой техникум, а потом у нее открылся третий глаз или что-то в этом роде... Я бы сказала, всем заправляет вот эта невысокая особа в неприметном шерстяном костюме, ее правая рука, Людмила. Не думайте, деточка, они деньги гребут обеими руками и ногами...

Ясновидящая подошла к ним. Юлия разговорилась с Брониславой. Та оказалась приятной собеседницей, которая умела слушать. Все разговоры в гостиной так или иначе вертелись вокруг «цветочных убийств». Юлия никак не могла отойти от потрясения последних дней — кто-то пытался убить Стасика, введя ему в парке огромную дозу наркотика. Она чувствовала себя виноватой в том, что произошло. Садовник попытался избавиться от свидетеля, который слишком много знает...

— Я прошу вас об одном, — сказала Бронислава Юлии. — Опасайтесь монастыря. Точнее, звонницы...

— Я не совсем понимаю, что вы имеете в виду, — сказала Юлия.

Ясновидящая охотно пояснила:

— Вам не стоит отправляться в грозу на звонницу Староникольского монастыря, это может лишить вас жизни. Это поведали мне карты.

Юлия пожала плечами. Бронислава пытается оказать на нее воздействие или сделать ее своей новой клиенткой?

— Не запугивайте деточку, Броня, — сказала Виктория

Карловна. — Она и так вся дрожит от событий последних дней.

— Я не могу игнорировать голос судьбы, — ответила Бронислава. — Я знаю, Виктория, вы мне не верите, считаете, что я использую людские страхи и предрассудки, но ведь у меня на самом деле есть дар!

— О, дорогая моя Бронислава, я никогда не ставила под сомнение ваши способности, — сказала примирительным тоном директриса. — Тем более, сегодня не такой день, чтобы подвергать вас критике. Мои наилучшие поздравления! Примите скромный дар от нас с Юленькой!

Олянич преподнесла Брониславе завернутый в цветную подарочную бумагу фотоальбом Староникольска, выпущенный не так давно ограниченным тиражом на средства краеведческого музея. Юлия знала — Виктория Карловна согласилась пойти на торжество ясновидящей по двум причинам: во-первых, Бронислава упорно зазывала к себе Юлию, и отказать ей было бы плохим тоном, а во-вторых, директриса надеялась, что сможет убедить кого-нибудь из состоятельных гостей оказать спонсорскую помощь музею, ею руководимому.

Юлия в который раз оказалась среди староникольской элиты. Ее не покидало странное ощущение, что ее разглядывают, как удивительное насекомое. Ей не очень хотелось отправляться на этот странный прием, но возразить Виктории Карловне и ответить отказом Брониславе, которую вовсе и не знала, Юля не могла.

Несколько раз Юлия порывалась уйти, но никак не могла найти подходящего момента, каждый раз что-то ей мешало. Она заметила Виталия, своего бывшего приятеля. Он был с супругой. Оставив ее разговаривать с Брониславой, Лаврентьев подошел к Юлии. Крестинина вздохнула. Ну вот, ей не избежать этой участи, Виталий собирался с ней поговорить — он и поговорит!

— Привет, как дела? — произнес он тихим голосом.

— Все в полном порядке, — ответила Юлия.

Лаврентьев пытался быть вежливым:

— Потрясающе выглядишь, дорогая...

Трудно быть солнцем

Они помолчали. Говорить им было не о чем. Юлия в задумчивости посмотрела на Виталия. Надо же, он ей когда-то нравился, а теперь.... Теперь она была к нему полностью равнодушна. Виталий залепетал, пытаясь еще раз оправдаться и разъяснить Юлии, что между ними не может быть ничего общего.

— Ты совершенно прав, — сказала она. — Мы не созданы друг для друга!

К ней подошел князь Святогорский, который приехал позже всех и преподнес Брониславе крошечную сафьяновую коробочку, содержимое коей не было показано другим гостям. Виталий явно с облегчением вновь отошел к своей супруге.

— Дорогая Бронислава, — раздался голос одного из гостей, — вы же умеете предсказывать, так можете ли вы сказать, кто является убийцей?

Князь как раз делал Юлии очередной комплимент, как раздался ответ Брониславы:

— Я попробую!

Святогорский сказал недовольным тоном:

— И что это они затеяли?.. Боже мой, Юля, все происходит, как в страшной сказке. Никак не могу поверить, что в склепе моей семьи обнаружили скелет Анастасии Поляковой, к тому же беременной.

Верная Людочка тем временем потушила свет и зажгла несколько настенных бра. В комнате воцарился полумрак. Окна была занавешены тяжелыми бархатными шторами. Ясновидящая уселась за овальный стол из орехового дерева, гости столпились вокруг нее. Людмила принесла магический шар из хрусталя.

— Конечно же, это так не делается, — сказала Бронислава. — Но я не могу отказать своим гостям...

Она закрыла глаза и распростерла ладони над магическим шаром. Внезапно Юлии стало не по себе. Что происходит, почему ей показалось, что в комнате повеяло холодом?

Бронислава напряглась, на ее лице застыла удивленная гримаса.

— Он находится здесь, — произнесла она.

— Кто? — спросила ее Людмила, единственная, кому было разрешено разговаривать во время сеанса.

— Он. Убийца, — сказала Бронислава. — Я это чувствую. Я пока что не могу увидеть его лицо... Еще совсем немного, подождите!

— Вот так она и зарабатывает свои деньги, — тихо сказала Виктория Карловна. — Юленька, неужели вы во все это верите? А вы, князь?

Святогорский ничего не ответил, он уставился на хрустальный шар, над которым держала ладони Бронислава. Внезапно ясновидящая распахнула глаза и произнесла:

— Я увидела! Я увидела лицо убийцы!

— Кто это, скажите ради бога! — раздались со всех сторон просьбы. — Дорогая Бронислава, кто это?

— Один из тех, кто присутствует здесь, — сказала Бронислава. — Это один из вас!

Юлия посмотрела на князя. Тот был бледен, словно то, о чем говорила Бронислава, в первую очередь относилось к нему.

— Я не могу, мне плохо, у меня болит голова, — сказала Бронислава и исчезла за занавеской. Людочка в растерянности последовала за ней и появилась снова через пару минут.

— Вы же знаете, какая хрупкая наша дорогая Бронислава. Ей требуется отдых... Она просила передать, что сегодняшний прием окончен...

Гости медленно расходились, стараясь не разговаривать друг с другом. Даже Виктория Карловна, выйдя на свежий воздух, сказала:

— Надо же, все выглядело так, будто Бронислава на самом деле узнала имя убийцы. Конечно же, это чушь, но завтра в городе только и будет разговоров, что Бронислава опередила милицию и знает имя убийцы. Как вы думаете, деточка, она на самом деле что-то увидела или это шарлатанство?

— Я не знаю, — медленно произнесла Юлия. — Мне кажется.... Мне кажется, что в тот момент, когда она открыла глаза и сказала, что знает, кто является убийцей, она не обманывала...

Трудно быть солнцем

Бронислава, скрывшись из гостиной, заперлась у себя в комнате. Вошедшая вслед за ней Людочка пыталась ее убедить, что необходимо вернуться, гости ждут, оставлять их так нельзя, но ясновидящая, прижав к вискам пальцы, ответила, сидя в кресле:

— Нет, Люда, позаботься о том, чтобы все покинули мой дом. Я хочу остаться одна! И сделай мне, пожалуйста, твой чай... С мятой и корицей.

— Ну конечно, — сказала верная Людочка, несколько обозленная тем, что Бронислава снова упрямится. Однако она не посмела перечить ее желаниям. В самом деле, Брониславе требуется отдых...

Прошло несколько часов, давно наступила ночь, а Бронислава по-прежнему сидела в глубоком кресле, положив ноги на небольшой пуфик. Она чувствовала, что силы оставляют ее. Давно пора отправиться в постель, до этого принять ванну, но она снова и снова возвращалась к тому самому лицу, которое выплыло на нее из тьмы. Убийца.... Садовник.... Она видела его облик. Она знает, кто творит в Староникольске бесчинства. Но что ей делать? Сообщить об этом в милицию?

Людочка сказала ей, что отправляется домой. Бронислава не стала ее задерживать. Людочка предлагала остаться с ней, но Бронислава сказала, что не видит в этом необходимости. Бронислава никогда не страшилась остаться одна, но в этот раз.... В этот раз ее накрыла волна непонятного животного страха. Раньше с ней никогда такого не было.

В дверь террасы осторожно постучали. Бронислава вздрогнула. Через сад к ней приходили клиенты, которые не хотели огласки. Но кто может быть в три часа ночи?

Она подошла к стеклянной двери. Под фонарем, который освещал террасу, она заметила знакомую фигуру. Бронислава впустила незваного гостя.

— Еще раз добрый вечер, — сказал вошедший. — Вы позволите...

— Проходите, — посторонилась Бронислава. — Что-нибудь случилось?

— О да, — сказал пришелец. — Мне кажется, вы правы... В городе произойдет еще одно убийство. И знаете, где именно? В вашем доме!

С этими словами тот, кто вошел в дом, бросился на ясновидящую. Она отступила, но это ей не помогло. На шее у нее затянулся эластичный жгут. Несколько секунд борьбы — и тело Брониславы опустилось на ковер.

Убийца прислушался. Ничего не слышно, только ночные шорохи и угуканье совы где-то вдалеке. Бронислава была слишком опасна. А что, если она в самом деле смогла разглядеть лицо убийцы?

Садовник не знал, что в самый последний момент, до того, как сознание навсегда покинуло Брониславу, ясновидящая оцепенела от ужаса. Она видела совсем другое лицо, и тот, кто на нее напал, не мог быть убийцей...

Она ошиблась! И эта ошибка стоила ей жизни!

16 сентября

Декан факультета лингвистики и межкультурной коммуникации Николай Леонидович Машнэ вышел из машины и направился домой. Несколько дней назад его отпустили из КПЗ, принеся извинения. Надо же, его, профессора, доктора наук, подозревали в том, что он является убийцей. И все из-за того, что у него была эта нелепая ссора с первой жертвой Олесей Гриценко.

Его подозревали в убийствах! Как они могли! Николай Леонидович никак не мог примириться с этим. Но все позади...

Так ли уж все позади? У него только что состоялся неприятный разговор с ректором. Тот, вздыхая, сказал, что Николаю Леонидовичу нужно написать заявление об уходе.

— Вы понимаете, уважаемый Николай Леонидович, князь, наш щедрый спонсор, потребовал, чтобы вы покинули университет...

Это было настоящим ударом в солнечное сплетение. Николай Леонидович, уставившись на ректора огромными глазами-вишнями, наконец произнес:

Трудно быть солнцем

— Но почему, я же невиновен...

— Конечно же, вы невиновны, в этом нет сомнений, — слишком быстро сказал ректор. — Но университет не может позволить себе оставлять на такой должности человека, который... Скажем честно, который подозревался в убийствах. Да и ваши прочие грешки... Это разногласие с Олесей, регулярное исчезновение факультетских средств. Вы думаете, что я об этом ничего не знаю...

Николай Леонидович не мог поверить — его вышвыривают на улицу! И это после того, как он проработал столько лет в университете, после того, как он положил здоровье на алтарь науки!

— Мы все устроим, вы подадите заявление по состоянию здоровья, а князь обещал, что сумеет подыскать вам место в другом вузе. Вас с радостью примут на место профессора. Но только не у нас, поймите же это, Николай Леонидович!

— Я знаю, почему вы меня увольняете, — злобно сказал Машнэ. — Следователь уже успел разболтать.

Ректор сделал вид, что ничего не понимает. На самом деле Машнэ был отчасти прав: ему было хорошо известно, где провел ночь Николай Леонидович с пятого на шестое августа. Он находился в Москве, в элитной клинике, где лечили алкоголизм. Кто бы мог подумать, что доктор наук, гордость факультета, запойный пьяница! Пьяница, которого подозревают в серийных убийствах! Такой человек, и здесь князь был трижды прав, никак не мог руководить факультетом.

Николаю Леонидовичу нехотя пришлось раскрыть свою тайну. Он по настоянию супруги посещал клинику, где его пытались излечить от дурной привычки. Он мог не пить несколько месяцев, иногда даже по полгода, но стоило сорваться — и все начиналось по новой. После скандала с Олесей он никак не мог совладать с нервами, его руки сами тянулись к бару, к бутылке с коньяком. Это его успокаивало, позволяло расслабиться и забыть о действительности. Он никогда не позволял себе напиваться вдрызг или показаться пьяным на глазах у знакомых, однако это не мешало ему за один вечер выпить бутылку коньяка. Николай Леонидович стал жертвой зеленого змия еще студентом и с тех пор никак не мог побороть порок.

В клинике ему делали соответствующие инъекции, которые помогали ему сохранять контроль над собой несколько месяцев. В ночь с пятого на шестое августа, когда была убита Олеся, он находился в больничной палате под капельницей.

И какого черта ему «посчастливилось» оказаться на приеме у вице-мэрши, которую затем убили! Из-за этого его и арестовали, хотя он расстался с Мерзляковой, когда та пребывала в полном здравии. Но как это объяснить следствию? Чтобы отвести от себя серьезные подозрения в убийстве Олеси, ему пришлось выложить правду.

Да, он был в Москве... Так сложно было выговорить, что он является... Является алкоголиком. Но что поделать, молчание могло бы привести его на скамью подсудимых. Зато его алиби было неопровержимо. Он не убийца!

Но разве мог он предполагать, что ректор отреагирует таким образом! Он всегда имел зуб на Николая Леонидовича, наверняка теперь он сам убедил Святогорского, что пора избавляться от скомпрометировавшего себя декана. Но Николай Леонидович не позволит с такой легкостью побороть себя. Он подаст в суд на прокуратуру, потребует моральную компенсацию, начнет судиться с университетом. Голыми руками его не возьмешь!

Он открыл дверь квартиры, прошел в коридор. Из кухни доносился аромат чего-то жареного. Навстречу ему вышла теща. Однако вместо радостного приветствия она намеренно громко запричитала:

— Коля, а почему сегодня так рано? И в чем дело? Ты же сказал, что приедешь вечером?

— Меня вышвырнули с места декана, — ответил он. — Где Марина? Она мне нужна для разговора...

— Мариночка, Коля приехал! — сказала теща, стучась в дверь будуара Марины Васильевны Миловидовой. — Коленька приехал, ты слышала?

Обернувшись к зятю, со сдобной улыбкой она сказала:

Трудно быть солнцем

— Колечка, ты не мог бы принести мне из гаража мешок муки? Я хотела испечь пирожки с капусткой, а хватилась — муки-то нет.

Николай Леонидович хорошо изучил мать супруги. Если та начинала ластиться и говорить успокаивающим, мягким тоном, это значило — она хочет его обмануть. У Марины был методический день, она осталась дома. Сказала, что хочет поработать над статьей.

— Я сначала хочу поговорить с Мариной, твои пирожки потом!

Он решительным шагом направился к комнате жены. Дверь распахнулась, та, облаченная почему-то посреди дня в ночную рубашку, возникла на пороге. Седые волосы, обычно заплетенные в косу, были распущены по жирным плечам, Марина Васильевна, протянув руки, обняла Николая Леонидовича.

— Дорогой, как же я рада, что ты приехал! И что сказал ректор? Почему он тебя вызвал к себе?

— Он меня уволил, как будто я какой-то мальчик на побегушках, — сварливо сказал Николай Леонидович. — Представляешь, дорогая, вышвырнул меня на улицу! Но я этого так не оставлю. Ты же меня знаешь! А ты чем занималась, статью писала?

Марина Васильевна, хрустнув косточками, потянулась и заразительно зевнула.

— Немного вздремнула, Коля. Ты же понимаешь, я чрезвычайно живо воспринимаю все происходящее...

— Я это знаю, — сказал Николай Леонидович. Он почувствовал внезапную нежность к Марине Васильевне. Она — единственный человек, которому он может доверять. Он и Николаша-маленький — те, кого он любит без памяти.

Машнэ обхватил жену, прижал ее пышное тело к своему животу. Марина захихикала и попробовала отбиться.

— Не сейчас, Коля, ну что ты делаешь...

Николай Леонидович толкнул дверь в спальню, которую Марина Васильевна придерживала рукой, и его глазам предстала удивительная картина — на кровати, прямо на перинах, сидел в полосатых семейных трусах и старался попасть волосатой ногой в штанину его аспирант, Владик Вевеютин. Завидев своего научного руководителя, тот оставил попытки натянуть штаны и произнес глуповатым тоном:

— Добрый день, Николай Леонидович!

Марина Васильевна, по-змеиному вывернувшись из объятий мужа, подошла к Владику, швырнула ему в лицо рубашку и сказала:

— Одевайся и исчезни, придурок.

Николай Леонидович захлопал глазами. Жена моментально переменилась. В ее голосе сквозила злоба и цинизм. Откинув седые вальпургиевы космы, Марина Васильевна уселась на кровать рядом со смущенным Владиком.

— Ты что здесь делаешь? — только и произнес Николай Леонидович. Владик, втянув живот, попытался протиснуться мимо Машнэ, стоявшего на пороге, но тот толкнул его обратно в будуар. — Ты что делаешь в спальне моей жены, мерзавец? Марина, что он тут делал?

— Писал свою диссертацию, — сказала та и зажгла сигарету. Марина Васильевна курила чрезвычайно редко, отдавая предпочтение длинным сигаретам с ментолом. Николай Леонидович запрещал ей дымить в квартире, но теперь, намеренно игнорируя его приказания, она пускала дым чуть ли не ему в лицо.

— Извините, Николай Леонидович, вы разрешите? — Владик Вевеютин снова попытался пройти мимо профессора, но Машнэ, чувствуя, что в его жилах закипает кровь, ударил своего аспиранта по лицу. Владик поднял руку, пытаясь защититься, и выронил скомканные носки на пол. Из них вылетела пачка презервативов.

Николай Леонидович ударил его еще раз, Владик нанес ответный удар и снес с лица Машнэ очки. Тот, слепой, как крот, не мог воспрепятствовать тому, чтобы молодой человек ретировался. Хлопнула входная дверь. Николай Леонидович, пошарив по полу, водрузил очки на нос. Догонять Владика было поздно, во дворе взревел мотор его «семерки», и аспирант унесся прочь.

Теща, проворная, как мышь, юркнула на кухню, где на всякий случай забаррикадировалась табуреткой со сковородками. Николай Леонидович, чувствуя, что ему хочется плакать, произнес трагическим тоном, глядя на жену, которая курила на кровати:

— Ты хоть прикройся, Марина!

Та последовала его совету и запахнула ночную рубашку. Николай Леонидович только сейчас увидел, что это вовсе и не ночнушка, а неглиже, причем он такое жене не дарил. Тонкое, шелковое, персикового цвета, в воланах и оборочках.

— Марина, ты мне изменяешь с ним? С этим прыщом? Как ты могла!

Марина Васильевна, докурив сигарету, бросила окурок на пол и произнесла решительным тоном:

— Да, я тебе изменяю, Коля. И удивляюсь, как ты этого еще не понял.

Николай Леонидович подскочил к жене и ударил ее по щеке. Марина Васильевна раскраснелась и заорала:

— Еще раз сделаешь это — и пожалеешь! Ты это понял?

Машнэ захохотал и ударил ее снова. Затем сказал:

— Собирай манатки и выметайся, дрянь. Мне не нужна такая, как ты. Ты хуже, чем портовая шлюха.

— А сам-то кто, дешевый алкаш, — ответила Марина Васильевна. — Декан без факультета... Так тебе и надо, Коля!

В ее тоне звучало что-то страшное и слишком наглое. Николай Леонидович испугался. Он же любил жену и сына, а что, если она уйдет? Но он должен показать ей, кто в доме хозяин.

— И долго ты предавалась... разврату с этим паршивцем? — спросил Николай Леонидович. Ему так хотелось услышать ответ жены: «Только сегодня!»

Тогда он ее простит, он сможет ее понять...

— Уже четыре года, Коля, — ответила Марина Васильевна. — Время от времени Владик бывает милым. К тому же он хочет видеть своего сына, это вполне понятно...

Переваривая услышанное, Николай Леонидович опустился на пол.

— У него есть сын? — спросил он с удивлением. — Я и не знал...

— Ты многого не знаешь, Коля, — сказала Марина Васильевна. — Мне тебя, честно, жаль. Да, у него есть сын. И зовут его Коля.

— Ну прямо как нашего, — сказал Николай Леонидович, вдруг чувствуя, что у него заныло сердце. Так захотелось немного коньяка, пару стопок...

— Да что ты говоришь, — усмехнулась Марина Васильевна. Она возвышалась над супругом, как скала в море. — Владик раз в месяц навещает своего сына. И меня... У него есть на это право!

Чувствуя, что изнутри все леденеет, Николай Леонидович спросил:

— Ты хочешь сказать...

— Да, — буднично ответила Марина Васильевна. — Николаша-маленький на самом деле его сын, а не твой, Коля. Уж извини, но так получилось! Ты давно пропил свою мужскую силу, мне врач так и сказал. Но бросить тебя я не могла, ты же стал деканом, а кому нужна я, баба на четвертом десятке без реальной перспективы удачного замужества? И мне хотелось ребенка... Ой как хотелось! Поэтому я подумала — а почему не толстячок Владик? По крайней мере, я получала с ним удовольствие, в отличие от тебя, Коля!

Николай Леонидович втянул воздух. Его сердце забилось, голова заболела. Что она говорит, Николаша-маленький, это чудо, этот свет луча в темном царстве, вовсе не его сын...

— Но Николаша, как и я, играет на баяне, — не нашелся он ляпнуть ничего умнее. — Ты врешь, Марина, он мой сын!

— По документам — он твой сын, а на самом деле его отец — Владик. Мне ли не знать.

В комнату вбежал мальчик, о котором шла речь. Он прижался к отцу, сидевшему на полу, и сказал:

Трудно быть солнцем

— Папочка, ты привез мне машинку, ты же обещал?.. А шоколадку?

Николай Леонидович уставился на ребенка. Боже мой, как он похож на Вевеютина! А он всегда убеждал себя, что Николаша — его собственная копия. А на самом деле это отпрыск предателя Владика...

— Марина, как ты могла? — произнес он. — Как ты могла? Я тебя убью!

Он поднялся и нетвердой походкой приблизился к жене. Та оттолкнула его и сказала презрительно:

— Что ты мелешь, неудачник. Протрезвей сначала.

— Я выгоню тебя, потаскуха! Мерзавка, я выгоню тебя, лишу всех прав, ты будешь молить меня о прощении, валяясь в ногах! — начал кричать тонким, срывающимся голосом Машнэ.

Марина Васильевна лишь усмехнулась:

— Да ты мне теперь не нужен, Коля. Это не ты меня бросишь, это я от тебя ухожу.

Николай Леонидович крякнул. Затем спросил, чувствуя, что в голове грохочут молоты:

— К кому, к этому ничтожеству Вевеютину? Да я его растопчу, превращу в порошок, и тебя вместе с ним...

— Ну, если ты не смог справиться даже с Олесей... — протянула Марина Васильевна. — Нет, конечно же, я уйду не к Владику. Он так, приятное развлечение. Ты же лишился своего места, Коля. Ты не сможешь меня обеспечивать. Кому ты нужен? Ты, старый, больной, глупый алкоголик со стажем. И несостоятельный в постели к тому же. А будешь орать, скажу, что ты в ночь после убийства Гриценко вернулся домой и сам признался мне, что задушил ее.

— Ты чудовище, — прошептал слабым голосом декан. — Марина, ты монстр...

— Я знаю. — Марина Васильевна перешагнула через супруга и вышла в коридор. — У меня есть друг, Коля... Его тоже зовут Коля, надо же, совпадение. Он бизнесмен в Ярославле. Меня познакомил с ним брат. Тот Коля хороший приятель губернатора, у него собственная фирма, два особняка, полно денег. И он разведен. Он давно предложил мне выйти за него замуж, я это и сделаю. Заберу Николашу и маму — и мы отчалим к нему.

Николай Леонидович увидел, как Марина Васильевна вытащила из комода мобильный телефон. У нее же никогда не было...

— Привет, дорогой, — произнесла она, набрав номер. — Забери нас к черту от этого неудачника. А то он пытался меня избить... Да, приезжай как можно скорее...

Николай Леонидович заплакал. Крупные слезы побежали по его лицу. Марина Васильевна с презрением сказала:

— Хоть один раз в жизни попытайся быть мужчиной, Николай. Не беспокойся, много вещей я не возьму, мой милый купит мне все, что нужно...

Николай Леонидович выбежал из квартиры. Сел в машину и сорвался с места. Он едва не переехал соседку, которая выходила из подъезда. Машнэ отправился в ближайший бар, где упился почти до бесчувствия. Бомжеватые алкаши, слушая его откровения, чесали грязные бороды и давали ему советы. Машнэ принял решение — он убьет Марину. Он не может без нее, но после ее признаний она не имеет права оставаться его женой.

Он вернулся в квартиру поздно вечером. В руках у него был найденный на дороге напильник. Но никого в квартире уже не было. Помещения были пусты, Марина вывезла все, что только было можно. Столы, кровати, стулья, книги, компьютер, гардероб — все исчезло. Ободранные обои, голый крюк вместо люстры. Николай Леонидович щелкнул выключателем. Света не было.

Он остался один. Нет, он ошибался! Посреди гостиной стоял пыльный футляр с его баяном. Это все, что оставила ему Марина.

Николай Леонидович понял, что жизнь его подошла к логическому завершению. Нет ни работы, ни жены, ни сына. Ничего нет! Но что делать дальше?

Словно в ответ на этот вопрос он нащупал в кармане пиджака недопитую — четвертую или пятую по счету, он уже не мог сказать — бутылку дешевого портвейна. Машнэ прислонился спиной к футляру с баяном, вытащил бутылку и приложил ее к губам.

Его обступила тьма.

Алина Потоцкая вздохнула. Завершился очередной напряженный день съемок. Сериал «Колдовские хроники» непременно станет осенним хитом. Осталось еще два дня — и они отправятся обратно в Москву.

Этот Староникольск, маленький, пыльный и такой страшный, не нравился Алине. Когда Глеб сообщил ей, что для съемок в провинции он выбрал именно Староникольск, она сначала испугалась. Этот городок, в котором жили ее бабка с дедом... Они почти никогда не рассказывали о нем, упоминая изредка, что это страшное место. В их роду была какая-то тайна, но Алина никогда не интересовалась семейными преданиями. Она не хотела иметь ничего общего со своим прошлым.

Она, Алина Потоцкая, звезда экрана, великолепная дива, супруга Глеба Плотникова!

— Алина, поторопись, прошу тебя, — сказал Глеб. — Мы же сегодня хотели поужинать в ресторане...

— Там кормят, как в советской столовой, — капризно заметила Алина. — Крабы воняют тухлятиной, а черная икра зеленоватого оттенка...

Глеб Плотников, появившись в комнате старинного особняка, где они проводили съемки, сказал:

— В советской столовой, дорогая моя, не было ни крабов, ни черной икры.

— Ну что ты сегодня так меня нервируешь, Глеб! — вскричала Алина. — И вообще, оставь меня в покое!

— Как хочешь, — развернувшись, Плотников вышел прочь.

Алина слышала, как он отдает громовые распоряжения своим помощникам. Зря она обидела Глеба, Алина знала, что ей нужно холить и лелеять мужа, который был для нее бульдозером, прокладывающим дорогу к вершинам славы. Но иногда — в последнее время все чаще и чаще — она позволяла себе быть капризной и несносной. Да, он Глеб Плотников, но и она — Алина Потоцкая!

Алина медленно снимала грим с лица. Эту процедуру она никогда не доверяла косолапым гримершам. Еще бы, испортят ей кожу, а лицо — ее товарный знак. Не зря же ей предлагали массу ролей в рекламных роликах, и Алина выбирала только те, которые оплачивались соответствующим гонораром.

— Ты как хочешь, а я ухожу, — сказал из-за двери Плотников сердитым тоном.

— Уходи, — ответила Алина. Если Глеб желает показать ей характер, то ему не удастся ее переупрямить. Пусть едет в эту крошечную провинциальную гостиницу и в одиночестве поглощает непроваренный рис и подгоревшие отбивные в заведении, которое гордо и несуразно именуется рестораном.

Она слышала, как взвыли моторы нескольких автомобилей. Ничего, она знает дорогу в гостиницу. Старони-кольск — крошечный городок. Но и здесь имеется свой маньяк! Алина вспомнила процедуру похорон Анны Радзивилл, чьи останки обнаружили во время закладки дворца. Боже, ее убил безумец почти девяносто лет назад. А теперь новый сумасшедший душит женщин... Только вчера была убита ясновидящая. Говорят, что она заявила, будто знает, кто является убийцей, и тот немедленно нанес удар. Алина на ее месте никогда бы не играла с судьбой.

Но если потом правильно создать шумиху в газетах, то маньяк даже поможет рекламной кампании их сериала. Странно, до какой степени зрители любят кровь.

Вообще, ей хотелось как можно быстрее уехать в Москву. Осталось еще несколько сцен — и сериал готов. Глеб пусть корпит в монтажной, а она отправится отдыхать за границу.

Сериал получится захватывающим. Немного мистики, детективная интрига, любовная линия. Тринадцать серий. Алина была уверена — телеакадемия не обойдет вниманием «Колдовские хроники». Они наверняка получат в сле-

Трудно быть солнцем

дующем году «Тэфи» в номинации «Лучший телевизионный сериал». Иначе Глеб вообще не взялся бы за работу!

Алина открыла ящик туалетного столика в поисках салфеток и заметила конверт, адресованный ей. Странный почерк, корявый и детский. Алина вдруг вспомнила — именно такие послания получали все жертвы цветочного маньяка, который именовал себя Садовником.

Потоцкая вскрыла конверт. Белый лист со стихотворным посланием.

> Ты есть тюльпан, цветок вечной юности.
> Ты тюльпан, Алина!
> Тюльпан ты алый, горящий, как голубиная кровь.
> Твой нежный стан, изящный, тонкий,
> Пленяет взор все вновь и вновь.
> Однако стоит Садовнику сорвать тебя на грядке —
> И ты мертва, увяла, в тленный прах рассыпалась...
> Тюльпан погиб, скончался без оглядки...
> Завтра ты умрешь.

Бред, полный бред! Алина испуганно отшвырнула от себя анонимное письмо. Что это значит? Кто-то пытается ее запугать?

Раздался звонок мобильного, Потоцкая, подпрыгнув от ужаса, нажала кнопку.

— Все в порядке? — спросил ее Плотников. — Лина, тебя забрать?

Потоцкой очень хотелось, чтобы муж заехал за ней на машине, но в то же время она не должна показывать ему свои страхи.

— Я сама приду, — сказала он гордо. — Ты можешь наслаждаться ужином без меня. Приятного аппетита, дорогой!

Потоцкая положила трубку. Возможно, она обходится с Глебом чересчур сурово, но ничего, пусть помнит, что истинная звезда в их тандеме — именно она!

Алина снова задумалась и посмотрела на письмо. Кто-то явно решил испортить ей настроение, но кто? Наверное, один из завистников.

17 сентября

Потоцкая снова вздрогнула, услышав, как старинные часы, стоявшие на первом этаже особняка, бьют двенадцать раз. Надо же, она так задержалась. Ей на самом деле пора!

Алина услышала, как хлопнула дверь. Кто-то находился в особняке. Но кто?

— Глеб! — произнесла она испуганным тоном. — Это ты? Отвечай немедленно!

Однако ответом ей была тишина. Потоцкая не на шутку испугалась. Ей до жути не нравилось все это. Письмо с угрозами... Она задрожала. А вдруг это письмо... Вдруг это письмо настоящее. И его прислал тот самый маньяк, который уже убил столько человек.

Алина услышала шаги. Она, вперив взгляд в зеркало, ждала развязки. Дверь комнаты внезапно открылась.

Она увидела его — человека, облаченного в черное. Она не могла видеть его лица. Но этого и не требовалось, чтобы понять: это и есть Садовник.

Закричав, Алина вскочила. Вся трагедия заключалась в том, что в комнате более не было выхода. Садовник загораживал дверной проем. В его руках она заметила шарф с изображением тюльпана.

— Чего вы хотите! — запричитала Алина. — Мой муж... Он здесь! Глеб, помоги мне, спаси меня!

Ее отчаянный крик разнесся по пустому дому. Алина с тоской взглянула на окно. Почему она так глупо повела себя?..

Садовник медленно приближался, Потоцкая завизжала и бросилась прямо на него. Она не даст убить себя, она выживет!

Глеб Плотников, который, проигнорировав глупые слова супруги, все же решил забрать ее, подъехал на машине к особняку. На втором этаже, в угловой комнате, по-прежнему горел свет. Неужели Алина все еще сидит перед зеркалом?

Трудно быть солнцем

В тот момент, когда он выходил из машины, Плотников заметил — из дома вышел человек, одетый в черный плащ с капюшоном. Завидев режиссера, он сначала замер, а потом бросился наутек. Плотникову это не понравилось. Он не стал преследовать незнакомца, но сердце у него защемило.

— Алина! — произнес он, поднимаясь по лестнице на второй этаж. Она не отзывалась. — Алина, я приехал, мы сейчас поедем в гостиницу. Я наберу тебе горячую ванну, сделаю массаж... Прости меня, моя девочка...

Слова замерли у него на губах, когда он вошел в комнату. Алина полусидела в кресле перед зеркалом. Голову она опустила на подбородок, шею ее почему-то обвивал черный шарф.

— Линочка, ну в чем дело? — Плотников приблизился к ней и положил ей руку на плечо. — Я же беспокоюсь о тебе, дорогая...

Алина повалилась на бок. Плотников успел подхватить ее, и в тот момент, когда Потоцкая оказалась в его руках, он понял — она мертва. Он увидел черный шарф с цветком, затянутый на ее шее, и странное письмо, лежавшее на гримерном столике.

Глеб Плотников взвыл, он почувствовал, что в его жилах закипает кровь. Надо же, он только что видел убийцу... Если бы он приехал на десять минут раньше...

20 сентября

— Это все очень странно, странно и страшно, — сказала Виктория Карловна. — Юлечка, вам не кажется, что вам необходимо уехать из города?

— Нет, — решительно ответила Юлия. — Виктория Карловна... Я решила, что останусь в Староникольске до того момента... До того момента, пока не будет положен конец этим кровавым преступлениям.

Олянич вздохнула и сказала:

— А что, деточка, если этого никогда не случится? Что, если убийца не будет пойман?

После убийства Алины Потоцкой, которая, как и предыдущие жертвы, была задушена при помощи черного шарфа с изображением цветка, в Староникольске высадился целый десант журналистов. Еще бы, подлинная сенсация — убита знаменитая актриса, всеобщая любимица, да кем убита, непонятным маньяком, который копирует преступления почти столетней давности.

Мэр Белякин на этот раз уже не делал каких-либо программных заявлений. Он просто заявил, отметая всяческие вопросы, что убийца будет пойман и его ожидает заслуженное, самое суровое наказание. Его собственный сын, Стасик, все еще находился в бессознательном состоянии в староникольской больнице.

Обстановка в городке накалялась. Все с ужасом ждали двадцать четвертое сентября — тот самый день, когда пропала Анна Радзивилл. Это значило, что Садовник снова нанесет удар. Но кто станет его новой жертвой?

Глеб Плотников, который выступал перед журналистами, заявил, что лично займется расследованием и не оставит смерть супруги безнаказанной. Он назначил награду в сто тысяч долларов тому или тем, кто поможет изловить маньяка. Плотников признался, что сам видел Садовника — человека, облаченного в черный плащ с капюшоном...

— Юленька, — сказала после некоторого раздумья Виктория Карловна. — Вы же помните, что мы обнаружили в шкафу у Валерия Афанасьевича...

— Ну да, — ответила Крестинина. — Массу женских нарядов, парики, журналы...

— Да я не о том, деточка. Он возвращался именно за таким плащом, о каком ведет речь Глеб Плотников. Черный, похожий на одеяние палача...

— Да, вы правы! — закричала Юлия. — Вы правы! Виктория Карловна, значит, Садовник — это Почепцов?

— Думаю, нам надо напрямую задать ему этот вопрос, — ответила Оляныч. — Но его, как назло, опять нет в городе. Он уехал в Москву. Вроде бы уехал, хотя на самом деле может прятаться где-то в городе...

Юлия вдруг почувствовала, что разгадка тайны приближается. Еще немного — и черный занавес упадет. Но чье лицо она увидит под капюшоном?

— Значит, это Валера, — прошептала Виктория Карловна. — Он окончательно свихнулся, решил убивать... Как мне его жаль, как мне жаль его... Я же его любила...

22 сентября

Роман Морозов в который раз вчитался в некролог Алины Потоцкой. Что-то не давало ему покоя, в голове засела непонятная мысль. Но что же так и сверлило его, почему ему казалось, что он вот-вот наткнется на что-то важное?

Градоначальник, собрав всех своих подчиненных, потребовал, чтобы убийства были раскрыты как можно быстрее. Хуже всего было то, что никто не знал, кого именно Садовник выберет следующей жертвой. Одну из женщин, но кого именно...

«Полина Аркадьевна Потоцкая (Полякова), родившаяся 12 ноября 1977 года...»

— «Потоцкая» был ее сценический псевдоним, — произнес в задумчивости Роман. Он знал, что актриса считала — «Полякова» звучит слишком уж пресно, ей требовался шик!

Но где же, совсем недавно, он уже слышал эту фамилию? Потоцкая была права — Полякова очень распространенная фамилия... Роман пролистал бумаги, лежавшие у него на столе. Ну конечно же, та самая девушка, Анастасия Полякова, служанка, которая пропала в 1916 году и чей скелет нашли в склепе Святогорских. Значит, она была тоже Полякова, как и Алина. И что это дает?

Роман давно задумался над несуразностью двух последних преступлений. Была убита вице-мэр Мерзлякова, почтенная женщина, однако убийца назвал ее в стихотворном письме орхидеей, символом растленной красоты. И в то же время задушена Алина, которая и в самом деле походила на экзотический цветок, однако Садовник предпочел сравнить ее со скромным тюльпаном. Почему не наоборот? Когда Морозов высказал свои мысли полковнику Кичапову, тот лишь отмахнулся:

— Оставь это, разве мы сможем понять логику этого извращенца! Пусть психиатры разбираются...

Но Роман был уверен — в поведении любого человека, в том числе и Садовника, который являлся в какой-то степени умалишенным, прослеживается своя закономерность. Почему Алина стала тюльпаном, а не орхидеей?

В его голове родилась странная идея. Но если это так... Ему нужно как можно скорее узнать, какую фамилию до замужества носила вице-мэр Ирина Мерзлякова...

23 сентября

Юлия проснулась рано. Она знала, что в ближайшие дни в Староникольск придет непогода. Сентябрь давно вступил в свои права. Шли постоянные дожди, дул холодный ветер. Надо же, расследование, которое началось с глупой шутки, обернулось теперь такой трагедией.

В комнату к Юлии вбежала Виктория Карловна. Директриса была возбуждена до крайности. В руках она держала конверт.

— Юлечка, деточка... — задыхаясь, произнесла она. — Смотрите, я только что обнаружила это в почтовом ящике. Адресовано вам. Мне кажется.... Мне кажется, что это послание от Садовника!

Юлия раскрыла дешевый конверт и извлекла белый лист бумаги. Почерком Стасика на нем было начертано:

> Ты роза, предел совершенства!
> Юлия, я выбрал тебя в качестве последней жертвы!
> Ты роза алая, королева сада!
> Прекрасная и недоступная, как тень звезды...
> Но свой благоухающий бутон свесишь набок ты,
> Когда Садовника секатор острый убьет тебя,
> Лишив тебя великолепного наряда...
> Завтра ты умрешь, Юлия!

Трудно быть солнцем

— Он угрожает вам, деточка, — сказала Виктория Карловна. — Моя дорогая Юленька, мне так страшно... Я не вынесу, если... Если с вами что-то случится!

Юлия направилась к телефону и набрала номер Романа Морозова. Она не собиралась рисковать собственной жизнью. Предупрежден — значит вооружен.

Ей сказали, что Романа нет на месте. И через минуту стало ясно, где он — в дверь раздался звонок, Роман в сопровождении нескольких милиционеров стоял на пороге особняка Виктории Карловны.

— Юля, — произнес он. — Вы станете следующей жертвой... Мне нужно с вами поговорить!

Он заметил в ее руке письмо.

— Значит, он уже прислал извещение, — сказал Роман. — И в этот раз Садовнику от нас не уйти! Мы его схватим!

Полчаса спустя Юлия была в курсе того, согласно какому именно принципу Садовник выбирал свои жертвы.

— Как же это не бросилось в глаза раньше, — сказал Роман. — Он убивает женщин, чьи далекие родственницы стали жертвами первых убийств. Из-за того, что фамилии в результате браков изменились, это и не заметили. Я не заметил! Смотрите, — продолжил Роман Морозов. — Первая жертва в настоящее время была Олеся Гриценко, студентка, первой жертвой в 1916 году — Евгения Ирупова, задушенная после своей свадьбы во время торжеств. Ирупова была двоюродной прабабкой Олеси. Сестра Ирупова не успела, в отличие от брата, уехать за границу и осталась после революции в родном городе. Второй жертвой стала Клара Оганесян, которая до брака звалась Кларой Певичкиной, а ее прабабкой была Екатерина Ставровна Ульрих, богатая вдова, жертва номер два. У нее был малолетний сын, о котором мало кто знал...

— Ну да, — вставила Виктория Карловна, — вы правы, Рома, так и есть...

— Затем наступила очередь Ирины Александровны Мерзляковой, которая являлась не кем иной, как правнучкой Серафимы Никитичны Грач. Ирина Александровна до замужества носила фамилию Кропоткина, а вот ее бабка была Елизаветой Грач... Все сходится! Садовник действует по строгой схеме, поэтому Ирина Александровна, нисколько не похожая на Серафиму Грач, содержательницу борделя, и стала орхидеей, а Алина Потоцкая, чьей троюродной прабабкой была Настенька Полякова, тюльпаном, хотя было бы логичнее сделать наоборот! Садовник пытается убить потомков тех, кого убил его предшественник. А это значит, Юля, что вы следующая жертва. Ваша прабабка Анна пропала без вести, став жертвой Садовника.

— Теперь в этом нет сомнений, — сказала Юлия. — Я же получила письмо от неизвестного друга. Письмо, которое и заманило меня в Староникольск. Но что мне делать?

Роман ответил:

— Не впадать в панику. Мы пока не знаем, кто является убийцей, и я подозреваю, что убийца нынешний и Садовник из начала двадцатого века тоже, как и жертвы, состоят в родстве. Но это только мое предположение, не более того... К вам будет приставлена охрана, Юля. Прошу вас без особой надобности не покидать дом. Мы не дадим Садовнику ни малейшего шанса приблизиться к вам!

Роман удалился, оставив на первом этаже особняка Виктории Карловны двух дюжих милиционеров, которым радушная директриса немедленно предложила поесть.

— Юленька, Роман тот самый человек, который вам нужен, — сказала она шепотом. — Видите, с какой легкостью он выяснил взаимосвязь... Мы бы и сами могли догадаться...

Прошло два часа. Виктория Карловна, уладив кое-какие вопросы по телефону, сказала:

— А теперь, деточка, самое время навестить Валерия Афанасьевича. Если Садовник он, то мы немедленно выясним это. Я предлагаю вам немного прогуляться... Роману и его охранникам пока необязательно знать о наших подозрениях. Мы вдвоем отправимся к Почепцову. Если он и маньяк, то не сможет напасть на нас. Да и, кроме того, у нас в запасе целый день...

Трудно быть солнцем

Сказав милиционерам, что им необходимо отправиться в музей, Виктория Карловна и Юлия поспешно вышли на улицу. Тусклое солнце светило сквозь темные тучи, сгущался легкий туман. Юля поежилась. Погода соответствовала ее настроению.

Они во второй раз подошли к особняку Валерия Афанасьевича. Мрачный и приземистый, он походил на декорацию к фильму ужасов. Нет, к триллеру Хичкока — именно в таком особняке должен обитать злобный маньяк, одну за другой убивающий женщин.

— Он приехал, якобы был в Москве, — сказала Виктория Карловна, нажимая кнопку дверного звонка. Раздался мелодичный перезвон колокольчиков.

Дверь распахнулась, как будто Почепцов ждал их. Он, облаченный в темные вельветовые брюки, вязаную синюю безрукавку, с неизменной бабочкой на худой кадыкастой шее, уставился на них с подозрением.

— Чего вам надо? — спросил он грубо. — В чем дело, Вика?

— Ты знаешь, в чем, — сказала Виктория Карловна и, оттолкнув Почепцова, прошла в холл. Юлия последовала за ней. Она подумала — они поступили крайне неразумно, в гордом и глупом одиночестве отправившись к Почепцову. А если он возьмет ружье и застрелит их? Если он маньяк, то способен на любой поступок...

— Это вторжение на частную территорию, я вызову милицию, — заверещал Почепцов. — В чем дело, повторяю я!

Он захлопнул дверь и, как отметила Юлия, повернул ключ в замке.

— Валера, я думаю, милиция не помешает, — сказала Виктория Карловна. — Она может заинтересоваться, например, тем, зачем у тебя в шкафу черный плащ с капюшоном...

Историк побледнел, его тонкие губы задергались, лицо пронзила судорога:

— О чем ты, Вика, я не понимаю... Откуда ты знаешь...

Он замолчал. Затем внезапно заговорил спокойным тоном, и Юлия неприятно поразилась этому переходу от бабской истерики к ледяному самообладанию:

— Значит, это ты, Вика, украла дневник. Кто же еще, а я грешил на эту тупицу Машку. Она же мне говорила, что встречалась с тобой... Дрянь, ты украла у нее ключи, я же знаю, что ты умеешь делать этот трюк! Отдай мне дневник!

— Он был написан моей бабкой, значит, принадлежит только мне как ее единственной наследнице, — сказала директриса. Ее глаза вспыхнули гневом. — Валера, если ты не скажешь сейчас же всю правду, то мы вызовем милицию. И тебя арестуют за убийства!

— Что ты мелешь, — прошипел Почепцов, судорожно сжимая и разжимая маленькие кулачки. Юлия подумала, что такой худой и астеничный человек, как Валерий Афанасьевич, вряд ли мог совладать с женщинами, ведь некоторые из них были выше и сильнее его. Но у сумасшедших гораздо больше сил...

— Говори правду! — закричала Виктория Карловна. — Скажи, ведь именно ты убиваешь? Валера, мне тебя жаль...

Почепцов вжался в стенку и прохрипел:

— Я никого не убивал, это все клевета...

— А откуда у тебя в шкафу черный плащ? Такой же, как у человека, задушившего Алину Потоцкую.

Почепцов опустил голову и сказал:

— Это мое личное дело, Вика.

— Говори! — Олянич схватила Почепцова и тряхнула его, как игрушку. — Говори, Валера, мы имеем право знать.

— Мне больно, — застонал тот. — Ладно, отпусти, я скажу.

Виктория Карловна отпустила историка. Тот, поправив растрепавшуюся прическу, сказал:

— Да, у меня есть черный плащ с капюшоном, но он мне нужен для моих личных целей, он не имеет ничего общего с этими убийствами... Я являюсь... как бы это сказать... Я принадлежу к адептам Секты Тринадцати. В наших ритуалах мы используем такие плащи. Вот и все! И не говори мне, что я навечно загубил свою душу. Я поступаю так, как считаю нужным. По конституции мы имеем право исповедовать любую религию или не исповедовать никакой.

— Ты еще и сектант, — ужаснулась директриса. — Валера, ты меня просто убиваешь! Тебе надо как можно скорее обратиться к врачу. Поверь мне, это в твоих насущных интересах.

— Замолчи, — рявкнул Почепцов. — Я делаю то, что считаю нужным.

— Но если ты сектант, то вы вполне могли приносить человеческие жертвы, — сказала Олянич.

— Что за чушь, — отрезал историк. — Мы ограничивались... ограничивались кошками и собаками. Зачем нам человеческие жертвы, это поставило бы нас вне закона. Хотя наш магистр... Он несколько раз говорил о том, что скоро настанет пора человеческих жертв, но я ему не верю... Он нагнетал обстановку и создавал атмосферу дешевого ужаса.

— Ага, вот оно что, ваш тайный глава, которого безуспешно пытается найти отец Василий, — протянула Виктория Карловна. — И кто он, Валера?

Историк осклабился, обнажив мелкие акульи зубы:

— Я не знаю, дорогая моя. Я не знаю!

— Я тебе не верю, — сказала Виктория Карловна. — Ты не такой человек, Валера, чтобы позволить руководить собой неизвестному. Я же знаю тебя как облупленного. Ты всегда был склонен к извращениям. Это и привело тебя в стан к сатанистам...

Почепцов произнес:

— Я могу назвать вам имя главаря, но с одним условием. Никто и никогда не узнает о том, что вы видели в моем доме. Договорились?

Юлия, глядя на Почепцова, потирающего сухие ладошки, испытала отвращение. Она не хотела торговаться с ним, но что поделать... Крестинина обменялась взглядами с Викторией Карловной. Та негодующе произнесла:

— Вообще-то меня так и подмывает рассказать всем о портрете твоей мамочки над урной с ее прахом и о женских платьях, пропавших нафталином, которые ты наверняка натягиваешь на себя, когда остаешься один. О твоей кроватке с рюшечками и подушечками. И о порнографических журнальчиках, Валера... Ты болен, мой дорогой!

— Не в большей степени, чем ты или эта девчонка. — Валерий Афанасьевич облизнул малиновым языком губы и причмокнул. — Я не совершаю никакого преступления, если удовлетворяю свои потребности, Вика. Ну что, дамы, вы обещаете мне, что будете молчать? Иначе мне придется заявить о проникновении в мой дом. Вы ведь не были настолько умны, чтобы стереть отпечатки пальцев. Я думаю, ваши следы остались на полированной поверхности шкафа, на урне моей мамочки, на стеклянной раме ее фотографии, на перилах лестницы. Это ведь уголовное преступление, леди. Когда я вернулся за плащом, он требовался мне для участия в московской церемонии, то чувствовал на себе чей-то взгляд. Но я подумал, что это галлюцинации. Ну что, согласны?

— Да, — ответила Виктория Карловна. — Но учти, если ты пытаешься выгородить себя или еще кого-то, то у тебя это не получится, Валера.

— Да зачем мне его выгораживать, я переезжаю в Москву, мне предлагают место в МГУ, — сказал Почепцов. — Столица ждет меня. Староникольск — болото!

Историк замолк, уставившись на Юлию выпуклыми глазами амфибии. Ей стало не по себе.

— Ну что, вам хочется знать, кто возглавляет Секту Тринадцати у нас в городке? Я сам узнал это совершенно случайно, ведь наш магистр скрывает свою сущность от всех, в том числе и от тех, кто принимает участие в ритуалах. Таково обязательное условие. Но я разочаровался в Секте Тринадцати, это дешевая подделка и фальсификация.

— Наверняка нашел себе удовольствие пострашнее и поизвращеннее, Валера, — сказала Виктория Карловна. — Я тебя знаю...

— Мне плевать, — ответил историк. — Если вы будете молчать, буду молчать и я. А то попадете в тюрьму. Я разрушу твою репутацию, Вика, и этой глупой девчонки тоже. Но сделаю это только в том случае, если вы объявите мне войну. Но я вижу, вы умные девочки, что вообще-то нетипично для женщин...

Почепцов вызывал у Юлии стойкое отвращение. Ей хотелось одного — как можно скорее покинуть его логово.

Трудно быть солнцем

— Магистром Секты Тринадцати в Староникольске является человек, который более всего ненавидит эту секту, по крайней мере, в своих пламенных проповедях и речах. Вика, это же так просто. Магистр — это отец Василий!

Виктория Карловна с Юлией брели обратно домой. Наступал вечер. Разговор с Почепцовым оставил неприятный осадок на душе.

— Я не думаю, что он врет, — сказала наконец Виктория Карловна. — Валера заключил с нами сделку, поэтому говорит правду. Но отец Василий... Боже мой! Как это хитро! Он приехал в Староникольск, чтобы активно бороться с ересью, а на самом деле является эмиссаром сатанистов! Все эти четыре года, которые он ведет у нас службы, он не боролся, а распространял лживые сатанинские учения.

Оказавшись в особняке директрисы, Юлия первым делом набросилась на чай, который заварила Виктория Карловна. Позвонил Роман, осведомился, как дела.

— Пока не говорите ему ничего, — попросила Виктория Карловна. — Деточка, прошу вас...

— Но почему мы должны молчать и скрывать от него важную информацию? — спросила Крестинина. — Виктория Карловна, мне кажется, настала пора передать наше расследование в руки профессионалов. Все же роман о мисс Марпл или телесериал о писательнице Джессике Флетчер не имеют ничего общего с реальностью. Вспомните, чем закончилось расследование, которое затеяла Елена Карловна — она стала жертвой Садовника.

Виктория Карловна ответила:

— Да, да, деточка, вы правы... Вы совершенно правы! Я пренебрегаю не только своей, но и вашей безопасностью, у меня нет на это права. Отец Василий, какой удар для меня! Он такой милый, начитанный и любезный человек! Он помог стольким страждущим! На самом деле это искусная маска, под которой скрывается злобный и клыкастый лик бешеного монстра...

Известие о том, что отец Василий является магистром

секты, произвело, как видела Юлия, гнетущее впечатление на Викторию Карловну.

— Дорогая Виктория Карловна, мы и так добились многого, — она обняла директрису за плечи. — Вы очень много для меня значите, я никогда не была столь душевно близка со своей матерью, как с вами. Спасибо вам за все! Но ведь вы сами понимаете, что мы должны сказать обо всем Роману. Я не хочу, чтобы с вами что-то случилось, как с бедной Брониславой.

— Деточка, вы удивительно трезво мыслите, — сказала директриса. — Да, вы убедили меня! Но позвольте сделать это мне! Вы останетесь дома, под защитой наших дюжих милиционеров, а я отправлюсь к Роману и расскажу ему обо всем, что нам удалось узнать. Вы не возражаете?

Юлия улыбнулась. Надо же, Виктория Карловна с большой неохотой расставалась с ролью Шерлока Холмса в женской юбке.

Виктория Карловна переоделась в бордовый шерстяной костюм, надела куртку и сказала:

— Я иду прямиком к Роману, деточка. Расскажу ему обо всем. Я скоро вернусь! Вы правы, отец Василий может оказаться Садовником. Более того, я в этом уверена.

Юлия уселась у окна. Она увидела, как Виктория Карловна вышла из особняка и исчезла в темноте. Снова по стеклу застучал мелкий дождь. Какая все же Виктория Карловна удивительная женщина! Умница, каких поискать. Они вместе раскрыли преступление. Они вместе найдут того, кто убил Анну и Елену Карловну — Юля в этом не сомневалась.

Значит, отец Василий...

Раздался телефонный звонок, Юлия сняла трубку. С ней говорил Роман.

— Все в порядке? — спросил он. — Мои соколы ведут себя достойно?

— Да, все хорошо, они смотрят по телевизору «Каменскую», — ответила Юлия. — Виктория Карловна уже ушла?

— Ушла? — переспросил Роман. — А что, она должна была прийти ко мне?

— Вообще-то да, — сказала Крестинина, чувствуя, что

Трудно быть солнцем

Антон ЛЕОНТЬЕВ

начинает испытывать страх. — Она собиралась сказать вам, Роман, что нам удалось выяснить, кто является главарем секты в Староникольске. Отец Василий, священник...

Голос Романа зазвучал обеспокоенно:

— Юля, когда Виктория Карловна должна была прийти ко мне?

Юлия взглянула на часы. Надо же, как быстро летит время. Директриса ушла полтора часа назад. Сейчас почти десять.

— Ее до сих пор не было, — сказал Морозов. — Вы уверены, что она отправилась ко мне? Потому что от ее особнячка до милицейского управления не более десяти минут пешком. Если она меня не застала, то отправилась бы ко мне домой, это еще полчаса...

Юлия бросилась в кабинет к Виктории Карловне. Так и есть, на письменном столе лежала записка. Крупным, понятным почерком Виктория Карловна написала: «Дорогая моя деточка! Простите, что ввела Вас в заблуждение, но я считаю, что я сама должна разобраться с отцом Василием. Он хороший человек и, возможно, Почепцов оклеветал его. Поэтому я иду к нему. Думаю, что сумею все выяснить. Не беспокойтесь, я скоро вернусь — и тогда мы вместе расскажем все Роману. Ваша В.К.».

Юлия застонала. Боже, Виктория Карловна никак не могла успокоиться! Она отправилась в одиночку к отцу Василию — человеку, который возглавляет Секту Тринадцати в Староникольске и который, что вполне вероятно, является Садовником, убившим уже пятерых человек.

— Она пошла к отцу Василию. Одна! Она там уже полтора часа! Что делать?

Роман сказал:

— Юля, никуда не уходите, оставайтесь в доме, там вы под защитой. Я немедленно попрошу отправить к дому священника наряд и сам выеду туда. Это недалеко, около церкви Вознесения, небольшой домик с остроконечной черепичной крышей. Юля, вы меня поняли? Я вас прошу...

— Я не могу допустить, чтобы с Викторией Карловной что-то случилось, — сказала Юля.

Она положила трубку. Телефон зазвонил через десять

секунд, но она и не подумала ответить на звонок. Поспешно натянув свитер и схватив зонт, Юлия прошла с индифферентным видом через гостиную, в которой два милиционера увлеченно смотрели телевизор, тихо открыла дверь и побежала что есть сил.

Дождь хлестнул ей в лицо, ее обступила сентябрьская тьма, а в голове у Юли билась одна-единственная мысль — церковь Вознесения, небольшой домик с остроконечной черепичной крышей... Она должна попасть туда и помочь Виктории Карловне...

Когда Юля добралась до церкви Вознесения, то ей не составило труда отыскать дом, в котором обитал отец Василий. Небольшой, двухэтажный, с остроконечной крышей, он примостился неподалеку от церкви. Домик с палисадником, такой уютный... И кто бы мог подумать, что в этом доме обитает жестокий убийца!

Роман Морозов уже был там. Несколько милицейских машин стояло около дома отца Василия. Завидев Крестинину, следователь покачал головой:

— Юля, я же просил вас оставаться дома...

— Я не могу бросить Викторию Карловну, — упрямо повторила Юлия.

— Вот что нам удалось выяснить, — сказал Роман. — Примерно полтора часа назад Виктория Карловна пришла в церковь, где у нее состоялся краткий и бурный разговор с отцом Василием. Затем они вместе направились к его дому. Священник выглядел весьма обеспокоенным.

В нескольких окнах второго этажа особняка горел свет. Юлия знала — Виктория Карловна находится там. Она в руках Садовника.

— Спасите ее, — прошептала она. — Она не должна умереть!

— Ну конечно, — ответил Морозов, но в его тоне Юлия не уловила уверенности.

К дому священника подлетел автомобиль, из которого выбрался полковник Кичапов. Он сразу же отдал распоряжение:

— Итак, всем приготовиться! Они внутри?

Трудно быть солнцем

— По всей видимости, да, — сказал Роман.

Полковник потребовал себе мегафон и прокричал:

— Эй, Садовник, мы окружили твой дом! Сопротивление бессмысленно! Так что отпусти женщину и выходи сам с поднятыми руками!

Ответа не последовало. Тогда полковник вздохнул, отер пот с лица и заметил:

— Остается одно — штурмовать дом. Итак, ребята, вы понимаете, какая перед вами задача? Взять и священника живым, и женщине не причинить вреда.

Юлию проводили в машину Романа. Она стала сторонним наблюдателем, хотя ей так хотелось оказаться на месте действия! Полковник повторил свою угрозу в адрес священника, и словно в ответ свет на верхнем этаже особняка погас. Кичапов махнул рукой, и штурм начался.

Темные фигуры бесшумно проскользнули к входной двери, к окнам, к черному входу. Юлия закрыла глаза. Как же ей хотелось, чтобы все завершилось благополучно! Виктория Карловна должна остаться в живых! А что, если... Нет, она жива, она не может умереть!

Раздался звон разбиваемого оконного стекла, и спустя несколько минут все было кончено. Юлия в напряжении ждала. Из дверного проема, поддерживаемая с обеих сторон милиционерами, показалась Виктория Карловна. В помятом, грязном костюме, с паутиной в прическе, без очков — но живая и невредимая!

Юлия бросилась к ней и разрыдалась, прижавшись к директрисе. Та материнским тоном сказала:

— Ну что вы, деточка, все в полном порядке...

— Виктория Карловна, Виктория Карловна, — только и могла вымолвить Юля.

Олянич нежно обняла ее и сказала:

— Ну надо же, Юлечка, если кому и требуется психологическая помощь, то не мне, заложнице маньяка, а вам, дорогая. Ну поплачьте, вам это необходимо!

Они прошли к машине Романа. Виктория Карловна рассказала, как все было:

— Да, с моей стороны было верхом безрассудства отправляться одной к отцу Василию, но я считала, что смогу ему помочь... Я нашла его в церкви и сказала, что мне все известно и мне нужно с ним поговорить... Он не на шутку испугался и заявил, что я должна отправиться с ним к нему домой. И я, дурочка, согласилась! Он набросился на меня, как только я вошла, я попыталась оказать сопротивление, но он же сильнее меня. Он затащил меня в подвал. Боже, видели бы вы, Юленька, как он переменился! Какие ужасные вещи он говорил! Он признался мне, что убивал женщин — ради удовольствия. Он явно сошел с ума, сказал, что приносил жертвы черной богине потусторонних сил. Юлечка, деточка, я думала, что настал и мой черед. Он сказал, что убьет меня... Но ему требовалось выговориться, и он говорил, говорил и говорил. Это и спасло мне жизнь, а также то, что вы так быстро отреагировали...

К ним приблизился Роман Морозов. Он сказал:

— Виктория Карловна, как же вы нас напугали! Вас должен осмотреть врач!

— Это излишне, — к Олянич вновь вернулся оптимизм и самоуверенность. — Со мной все в полном порядке. Только запястья немного болят, он же надел мне наручники... Что с ним?

Морозов ответил:

— Отец Василий мертв. Он покончил жизнь самоубийством, мы обнаружили его тело наверху, в кабинете, за письменным столом. Он выпил какую-то дрянь.

— Садовник мертв, — прошептала Виктория Карловна. — Деточка, я не могу поверить... Бедный, бедный отец Василий...

— Но кто был убийцей в 1916 году? — спросила Юлия. — Как мы узнаем это?

Виктория Карловна ответила:

— Деточка, отец Василий признался мне, что обладает третьей частью дневника Елены Карловны. Он обнаружил ее в церковном архиве. Скорее всего, его воображение, и без того больное, заработало с утроенной силой, когда он прочел об убийстве вашей прабабки Анны. Он вообразил себя новым Садовником...

— В его доме полно занимательных вещиц, — сказал Роман. — А подвал превращен в настоящий храм сатанистов. Придется работать всю ночь... Юлия и вы, Виктория

Трудно быть солнцем

Карловна, немедленно отправитесь домой. И на этот раз, — он махнул рукой, подзывая к себе милиционера, — без всякой самодеятельности. Вам нужно отдохнуть. Вам выносится особая благодарность от лица милиции, но хватит играть в сыщиков... Демьянов, проводи женщин до дома!

— Ромочка, — сказала Виктория Карловна сладким голосом. — У меня к вам будет последняя просьба. Прошу вас, достаньте мне дневник Елены Карловны! Он нам необходим.

— Попробую, но не могу ничего обещать, — сказал Морозов.

Юлия с Викторией Карловной, сопровождаемые полным усатым милиционером, направились по ночному Староникольску. Дождь перешел в ливень, Юлия распахнула зонт. Впервые она ощутила себя в безопасности и почувствовала дикую усталость. Все завершено... Все завершено!

24 сентября

Юлия открыла глаза около двух часов дня. Она ощутила себя отлично выспавшейся. Виктория Карловна, облаченная в светлое платье, выглядевшая удивительно молодой, возилась на кухне, что-то напевая. Завидев Крестинину, она помахала небольшой тетрадью:

— Ромочка оказался таким хорошим мальчиком! Он дал мне вещественное доказательство! И я знаю, деточка, кто убийца, кто был Садовником в 1916 году!

— Кто? — сразу же спросила Юлия, но Виктория Карловна поставила перед ней тарелку с овсяной кашей:

— Вам нужно подкрепиться, всему свое время, деточка! Вы прочитаете, записей совсем немного... Ага, пирог уже готов. Думаю, он вам понравится, с яблочками и смородиной, мой фирменный...

По местному радио передавали единственную сенсационную новость — разоблачение Садовника. В особняке отца Василия нашли огромное количество доказательств его причастности к Секте Тринадцати и убийствам женщин. Среди прочего нашли и список членов секты.

— Вы представляете, деточка, как не повезло Валерию Афанасьевичу, его имя оказалось в списке! А также имя жены мэра! Кто бы мог подумать, что Инна Станиславовна тоже состоит в Секте Тринадцати! Еще несколько именитых персон, например, театральный режиссер, владелец крытого рынка, теща профессора Машнэ... Им придется иметь дело с милицией, хотя вряд ли им что-то смогут предъявить. Отец Василий, оказывается, использовал в церемонии ходули, поэтому и выглядел трехметровым гигантом! Это нагоняло ужас! И он увлекался любительской химией и пиротехникой, устраивал небольшой аттракцион — знаете, синее пламя, которое само по себе гаснет и вновь загорается, летающие огоньки и прочая псевдомистическая чушь...

День выдался хмурым, солнце заволокли тучи, но когда Виктория Карловна предложила Юлии прогуляться, а затем наконец-то прочитать окончание записей Елены Карловна, та тотчас согласилась. Они вышли на улицу. Олянич сказала:

— Мне нравится такая погода, деточка. Пройдемся до монастыря, вы же его еще не видели...

Они отправились к Староникольскому монастырю. Величественное здание, располагавшееся за городом, около речки, было затянуто туманной дымкой. Они прошли сквозь боковые ворота и оказались около звонницы.

— Посмотрите, — прошептала Виктория Карловна, указывая на яркую розовую клумбу. — Именно тут и обнаружили тело Арсения Поликарповича... Только тогда здесь росли астры. Деточка, пойдемте... У меня в монастыре есть своя келья — я так называю небольшое помещение, в котором я иногда работаю. Там множество книг и записей... Там нам никто не помешает.

Они поднялись по винтовой лестнице с истертыми тысячами подошв ступеньками наверх, Виктория Карловна отперла дверь, обитую железом.

Юля и Виктория Карловна оказались в небольшой комнатке со стрельчатым окном, украшенным витражом. В комнате был стол и масса книг — в шкафах, в стопках на полу, в старом кресле и на табуретке.

— Мое тайное убежище, — сказала она Юлии, закры-

Трудно быть солнцем

вая окно. — Посмотрите, какие тучи! Сегодня обещали бурю... Ну что же, деточка, я вижу, вы сгораете от любопытства... Я вас понимаю, я сама прочитала дневник меньше чем за час, ночью... Вот он!

Она протянула Юлии тонкую тетрадь в темном переплете.

— Я вас оставлю, деточка, читайте, вам никто не помешает. Мне надо поговорить с настоятелем монастыря, отцом Сильвестром. Он никак не может прийти в себя от новости касательно отца Василия... Читайте, читайте!

И, оставив Юлию одну, Виктория Карловна вышла. Крестинина устроилась в глубоком кресле и открыла последнюю часть дневника.

Ну что же, Елена Карловна, мысленно произнесла она, так кто же является убийцей?

«Мой рассказ стремительно подходит к завершению, и финал этот является страшным и полным трагического пафоса... Поэтому я постараюсь изложить все en detail, ибо каждый из нас имеет право знать правду. Правда приносит успокоение, будь она даже страшной и горькой.

Мой бедный Арсений, как же я люблю его, теперь я понимаю, как мне не хватает его. Только теперь, когда тело его предано земле и ничего изменить уже нельзя. Я знаю, кто является монстром, именующим себя Садовником, но от этого не легче. Разве это вернет мне любимого? Я дописываю эти строки в полутьме, около меня горит керосиновая лампа, а рядом в кроватке мирно сопит мой Карлуша. Я не знаю, что сделаю, когда поставлю точку. Но все должны узнать, кто же скрывается под черным капюшоном Садовника...

Двадцатого сентября я проснулась от того, что кто-то барабанил в дверь, настойчиво и призывно. Накинув халат, я спустилась вниз. Я думала, что это Арсений Поликарпович, но вместо него на пороге я узрела городничего. Тот, трясясь, как желе, сказал:

— Елена Карловна, Елена Карловна... Арсений Поликарпович... Этого не может быть...

— В чем дело? — спросила я, кутаясь в халат. — Что произошло, вы можете мне сказать толком или нет?

Городничий ответил:

— Арсений Поликарпович умер. Пойдемте скорее, вы нам нужны!

Я, не в состоянии переварить слова, которые произнес городничий, машинально оделась и последовала за ним в пролетку, которая ждала нас около моего дома. Мы направились за город. Рассветало. Серость сентябрьской ночи медленно умирала под жаркими лучами восходящего солнца. Я пыталась выяснить у городничего, в чем же дело, но он не мог сказать ничего путного.

Мы остановились около Староникольского монастыря и прошли во внутренний двор. Там уже толпились монахи, некоторые из них крестились и громко читали слова молитвы. Я увидела настоятеля, отца Иннокентия. Подойдя ко мне, он произнес:

— Дорогая моя, крепитесь...

Я протиснулась сквозь толпу. На цветочной клумбе, среди угасающих звездочек бордовых астр, я увидела распластанное тело. Это и был мой Арсений.

Я не могу писать о том, какие чувства охватили меня. Я склонилась над ним и взяла его безжизненную руку. Уссольцев был мертв. Он лежал лицом вниз, и я отказывалась перевернуть его, дабы не лицезреть его испорченное такой страшной смертью лицо.

— Его нашли братья, — сказал отец Иннокентий. — Рано утром, когда шли к заутрене. Арсений Поликарпович, видимо, выпал оттуда, — он указал на звонницу. — Какая трагедия, но, увы, против воли божьей ничего не поделаешь...

— Смерть Арсения Поликарповича не божья воля, — сказала я, чувствуя, что слезы душат меня. — Это злой человеческий умысел. Вчера вечером он позвонил мне и сказал, что знает, кто является Садовником. Я просила его сообщить мне немедленно, но он отказался, заявив, что хочет поговорить с этим человеком сам. Садовник убил его. Он сбросил Арсения Поликарповича со звонницы...

Городничий взглянул на меня, и я поняла, что он думает: «Бедная, она сошла с ума, видит во всем преступления...»

Я, не обращая ни на кого внимания, прижалась к холодной руке Арсения и зарыдала. Вместе с ним умерла моя любовь, умерла частица меня...

Мне было очень, очень тяжело, и единственное, что отвратило меня от страшного шага самоубийства, был мой Карлуша. Я не могла оставить мальчика одного. Я все думала — что же узнал Арсений Поликарпович, кто же был убийцей? Я только знала, что он посещал дворец Святогорских в тот вечер, когда звонил мне. Итак, это все же молодой Феликс...

События последующих дней позволили мне на какое-то время забыть о своей утрате. Тело Арсения Поликарповича в тяжелом свинцовом гробу отправили в Петроград. Я так хотела сопровождать его, но не могла... Староникольск оказался ловушкой, в которой я была жертвой... Я простилась с Арсением на вокзале в Ярославле, и паровоз, воя и гремя, унес его от меня прочь. Навсегда.

Утром двадцать третьего сентября разразилась буря — в переносном смысле. Моя родственница, вдова Любимова, получила новое послание.

> Ты роза, предел совершенства!
> Клавдия, я выбрал тебя в качестве последней жертвы!
> Ты роза алая, королева сада!
> Прекрасная и недоступная, как тень звезды...
> Но свой благоухающий бутон свесишь набок ты,
> Когда Садовника секатор острый убьет тебя,
> Лишив тебя великолепного наряда...
> Завтра ты умрешь, Клавдия!

Клавдия Любимова, прочитав ужасное послание, грохнулась в обморок. Я могла только грустно улыбнуться, представив, какое это незабываемое зрелище — моя троюродная сестра в обмороке! Все ее десять пудов белого мяса тряслись от ужаса, когда я навестила ее в пансионе. Она заперлась у себя в спальне, обложилась пистолетами, тесаками и топорами.

— Лена, — пропищала она. — Он хочет меня убить, я знаю! Но я не дамся, я не хочу умирать!

— Ты и не умрешь, — успокоила я ее. — Убийца до тебя не доберется. Тебя будут охранять...

Мне показалось глупым то, что убийца привлек столько внимания к своей новой жертве. Но я не знала, что это был коварный трюк, который отвлекал наше внимание. Ибо все силы староникольских сыщиков и полиции были брошены на защиту Клавдии Любимовой и ее драгоценной многопудовой жизни. Садовнику это и требовалось.

Ночь прошла беспокойно, я осталась дома, отклонив просьбу вдовы переночевать с ней в ее спальне. Она находилась под защитой двадцати пяти полицейских, сам городничий дежурил у дверей ее спальни, мое присутствие вряд ли бы чем-то могло помочь ей. Я предпочла остаться в одиночестве и плакать.

Утро принесло кошмарную весть — Садовник все же нанес удар. Но его жертвой стала вовсе не Клавдия Любимова, а Анна Радзивилл. Она исчезла из номера гостиницы, а на ее туалетном столике обнаружили такую же записку, что получила и вдова — только имя было другое. Имя Анны!

Я поняла — хитроумный Садовник, желая навести нас на ложный след, заставил нас поверить, что его новой жертвой станет вдова, избрав на самом деле совершенно иной цветок, который должен пасть под его секатором, — Анну Радзивилл.

Ее тела так и не нашли. Но то, что она стала жертвой Садовника, не подлежало сомнению. Бедная Анна, я не испытывала к ней особой симпатии, она была легкомысленным, вздорным, себялюбивым существом, которое заботилось только о своей красоте, благополучии и синематографической карьере. Но это вовсе не означало, что я желала ей такого страшного конца!

Атмосфера в Староникольске накалилась до предела. Слухи, как черви, множились и множились. Почти все были уверены — виновник происходящего Святогорский-младший. Стоило ему показаться на улице, как его освистали и едва не закидали камнями.

Я, понимая, что нельзя более давать Садовнику возможность безнаказанно вершить смерть, собралась и вечером первого октября отправилась в княжеский дворец.

Никифор, надутый индюк, отказался меня впускать, но я потребовала, чтобы меня принял Феликс-младший.

Трудно быть солнцем

— Его сиятельство изволят почивать, — сказал дворецкий.

— Мне плевать, чем занимается твой хозяин, я должна его видеть, — сказала я. — И немедленно, голубчик!

Никифор окрысился, и тут на меня напало жуткое бешенство, чего ранее никогда со мной не случалось. Я схватила дворецкого, человека сильного, прижала его к обитой синим бархатом стенке и прошептала:

— Никифор, ты ведь знаешь, кто убил твою дочку. Ты знаешь, я по глазам вижу! Сколько тебе заплатил князь, чтобы ты закрыл глаза на ее смерть? Отвечай, а то убью!

Видимо, в моих словах было столько уверенности и злобы, что Никифор, который и не пробовал сопротивляться, просипел:

— Пятьдесят тысяч золотом... Бога ради, отпустите, я задыхаюсь!

Я отшвырнула эту пародию на человека в сторону. Что же, как говорил Шекспир, ежели господь создал его, то давайте считать его человеком. Но разве был человеком этот жалкий мерзавец, который ради денег продал свою дочь и позволил убить ее?

Я отправилась в кабинет к Феликсу-младшему. Надо же, он вовсе не отдыхал, а в великой спешке паковал чемоданы. В камине гудел огонь, пожирая пачки писем. Феликс явно собирался бежать. Увидев меня, он вздрогнул.

— Елена Карловна, что вы делаете в моем доме? — спросил он надменно.

— Пришла проведать вас, Феликс Феликсович, — ответила я. — Давайте перестанем ломать комедию. И вы, и я знаем, кто убил Настеньку. Я видела вас на кладбище, видела, как вы несли ее тело и спрятали его в склепе. Но потом... Потом кто-то пытался убить меня, и этим кем-то были не вы. Но у меня такое ощущение, что вы знаете, кто является Садовником. Итак, я жду!

В этот момент в кабинет через смежную дверь вошла Аделаида. С заплаканным лицом, похудевшая, с черными кругами под глазами, она произнесла вызывающим оцепенение тоном:

— Елена Карловна имеет право знать, Феликс. Скажи

ей. Скажи ей все, покайся! Я прошу тебя! Зачем только я вышла за тебя замуж, я же попала в семью вурдалаков...

— Уйди, — крикнул на нее муж. — Скройся, Ада, отправляйся к сыну.

Феликс швырнул в пламя еще несколько листов бумаги и медленно произнес:

— Ну что же, вы имеете право знать, Елена Карловна. Вы мне всегда нравились... Меня считают в Староникольске Дракулой, убийцей молодых девушек... Вот и Анна мертва, но, клянусь Богородицей, я не причастен к этому...

— У меня не было галлюцинаций, Феликс Феликсович, — сказала я. — Я вас видела на кладбище с телом Настеньки.

— Вы правы, — кивнул Феликс. — Я спрятал ее тело в одном из гробов моих предков. Но, поверьте, так надо...

— Почему так надо? — спросила я, испытывая к Феликсу-младшему непонятное чувство жалости. — Вы убили, потому что она...

Только сейчас я поняла и сразу же высказала эту мысль вслух:

— Потому что она была от вас беременна, — сказала я. — Как же еще я могу объяснить ее странное поведение, ее истерики и ее внешний вид. Феликс, вы чудовище! Вы убили девушку только за то, что она ждала вашего ребенка...

Феликс, низко опустив голову, ничего не отвечал. В кабинет вновь ворвалась Аделаида, которая, видимо, подслушивала под дверью.

— Он никого не убивал, но это ничуть его не оправдывает, — сказала она. — Елена Карловна, неужели вы до сих пор не поняли — Настенька была беременна не от Феликса, а от его отца! От Феликса-старшего, вы понимаете это?

Я замерла, как громом пораженная. Значит, отец так и не родившегося ребенка вовсе не Феликс-младший, а его отец! Но как такое может быть, ведь он — инвалид, прикованный к креслу! Тут я вспомнила, что давно была уверена — старый князь намеренно разыгрывает из себя калеку.

— Если ты боишься, то скажу я, — произнесла Аделаида. — Мой тесть развел амуры с Настей, она ждала от него ребенка. Никифор, это исчадие ада, получил деньги и был

Трудно быть солнцем

рад молчать — еще бы, его внук одновременно будет сыном его обожаемого хозяина!

Феликс поднял голову, в его красивых серых глазах застыла беспредельная душевная мука.

— Когда я нашел ее, то было поздно. Отец всегда был неконтролируемым, — произнес он. — Боюсь, он сошел с ума. Он заколол Настеньку старинным греческим кинжалом. Мне не оставалось ничего иного, как завернуть ее в ковер и спрятать тело. Я решил, что лучше всего это будет сделать на кладбище...

Ноги у меня подогнулись, я опустилась в кресло. Старый князь, который никогда не скрывал своего циничного отношения к жизни и окружающим! Феликс Александрович Святогорский — убийца! А его сын — пособник убийства!

— Если ты решил рассказывать, то расскажи Елене Карловне все. — Аделаида тряхнула головой. — Феликс!

Младший Святогорский поежился и произнес тусклым тоном:

— Мой отец убил не только Настеньку. Он на самом деле не такой беспомощный, каким прикидывается. Он может ходить... В оранжерее, с розой, приколотой на груди брошью, я обнаружил тело Анны. Она была задушена, как и другие женщины. Я не знал, что мне делать... Потому что около ее тела я увидел отца. Он затягивал на ее шее шарф...

Аделаида сквозь слезы воскликнула:

— Елена Карловна, и он снова помог этому монстру, моему тестю, избавиться от тела. Он зарыл Анну в оранжерее, под орхидеями. А мой тесть наблюдал за этим и хихикал. Это было так мерзко и так... так ужасно!

Я поверила Аделаиде Святогорской — мурашки пробежали по моему телу. Садовник — это старый князь!

— Что вы намерены делать? — спросила я. — Он не должен более убивать. Его нужно остановить.

— Надо обратиться в полицию, — сказала Аделаида. — И бежать, бежать, бежать! Я сказала Феликсу, что не останусь более под одной крышей с его отцом. Мы в течение недели уезжаем за границу. Россия в огне, грядет революция... Я не хочу, чтобы мой сын рос здесь, я не хочу, чтобы его воспитывал дед-убийца!

— Вы никуда не уедете!

Я вздрогнула от внезапно раздавшегося позади меня голоса. Старый Феликс, облаченный, как и всегда, в безупречный английский костюм, с пятнистой орхидеей в петлице, сверлил меня злобным взглядом. Он сидел в инвалидном кресле. Только сейчас я обратила внимание — его руки всегда были затянуты в перчатки, наверняка на одной из ладоней у него обнаружится мой укус! Боже, какой глупой и слепой я была до этого!

— А ты убирайся прочь, — это он обратился ко мне. — Музейная крыса, все вынюхиваешь и шныряешь! Это наши семейные дела!

— Эти дела перестали быть вашими семейными с того момента, как вы совершили первое убийство, Феликс Александрович, — сказала я. — Вы больны, вам нужна помощь...

Старик поднялся из кресла. Надо же, он мог ходить! В его глазах горел адский огонь. Он схватил меня за локоть.

— Дождешься у меня, я и тебя убью, — прошептал он еле слышно. — Так же, как я убил твоего хахаля. Это же я сбросил его вниз со звонницы, я пригласил его на разговор — и убил! Он слишком много знал!

Аделаида бросилась ко мне, и мы вышли прочь, оставив отца и сына наедине. Бедная девочка проводила меня по темному коридору к выходу.

— Елена Карловна, — произнесла она. — Я прошу вас, повремените. Я обещаю вам, мы с Феликсом сделаем все, чтобы он больше не убивал. Но не губите моего сына и его будущее! Если старика арестуют, это станет для нас катастрофой... Мы уедем, уедем как можно скорее.

— Но могу ли я быть уверенной, что подобные убийства не повторятся где-нибудь в Париже или Нью-Йорке? — спросила я.

Аделаида кивнула:

— Старику осталось немного, он скоро умрет... Ради меня и моего сына, Елена Карловна...

— Ну хорошо, — медленно произнесла я. — Только ради вас и вашего сыночка. Я же мать и понимаю, что это

Трудно быть солнцем

значит. Я никому ничего не скажу, но обещайте мне, что вы немедленно уедете. Но я оставляю за собой право изложить всю эту историю на бумаге для потомства. Правда — дочь времени...

Я рассталась с Аделаидой Святогорской. Княжеский дворец был пуст, как древнеегипетская гробница-пирамида. В нем обитали не люди, а тени, воспоминания и смерть.

Я сдержала свое слово — я никому ничего не сказала. Святогорские уедут, убийца не понесет наказания. Возможно, я не права...

У меня жутко болит рука, я написала всю историю в течение двух ночей. Сегодня девятое октября... Я заканчиваю — в надежде, что будущее окажется милосердным к Святогорским, к моему сыночку Карлуше и ко мне самой.

Грядет буря...»

— Грядет буря, — прошептала Юля, прочитав последнюю страницу дневника Елены Карловны. Она откинулась на спинку кресла и закрыла глаза. Боже, вот все и закончилось. Тогда убийцей был старый князь, сейчас — отец Василий. Оба они мертвы...

Дверь распахнулась, в комнатке появилась Виктория Карловна, держа в руках поднос с большой красной чашкой.

— Ну что, деточка, потрясены? Я вижу это по вашему лицу... Еще бы, такой неожиданный финал. Вот вам мой кофе со сливками, вы же так его любите. Подкрепитесь, деточка!

— Но что было дальше? — спросила Юлия.

Виктория Карловна помрачнела:

— Мы можем только догадываться. Елена Карловна завершила записи в тот день, девятого октября, когда умерла. Ее тело с проломленным черепом нашли следующим утром, после жуткой бури, которая накрыла Старо-никольск. Тем же утром нашли и тело Феликса с пистолетом в руке и пулей в черепе. Я думаю, моя бабка была излишне милосердной. Она недооценила изворотливость старого князя. Он убил ее, инсценировав несчастный случай, якобы ее повозка в бурю наехала на упавшее дерево, что и привело к гибели Елены Карловны. Он же, я так думаю, застрелил сына, заставив всех поверить, что именно молодой Феликс — Садовник.

Юля поежилась.

— Как страшно, какой же он безжалостный, — сказала она. — Виктория Карловна, мне жаль его!

— Мне тоже, — ответила директриса. — Он бежал вместе с Аделаидой, внуком и верным псом Никифором. Не знаю, каким образом, но старик обрел власть над невесткой, заставив ее молчать и верно служить себе. Аделаида хранила молчание до самой смерти. Она знала, что старик убил ее мужа, собственного сына, но оставалась рядом с ним. Какой ужас!

Директриса подошла к стрельчатому окну, открыла его, в комнату ворвался холодный ветер, перемешанный с каплями дождя.

— Ожидается ураган, деточка. Думаю, мы переждем его здесь, нет смысла возвращаться домой. Я приготовлю нам что-нибудь покушать...

— Виктория Карловна, но почему отец Василий решился повторять эти убийства? — спросила Юлия.

— Это вопрос к вам, деточка, как к дипломированному психологу и кандидату наук. Он и так был личностью с расстроенной психикой, самозабвенно увлеченной сатанинскими идеями, а когда обнаружил случайно заключительную часть дневника моей бабки... Это и возымело решающее воздействие. Он вообразил себя всемогущим и стал убивать женщин, чьих бабок и прабабок лишил жизни князь Святогорский. Извращенная логика... Страшно, страшно...

— Да, так могло быть, — произнесла Юля. — Виктория Карловна, правда должна стать известна. Вы должны опубликовать этот дневник... В течение девяноста лет все подозревали в убийствах Феликса, а на самом деле виновником был его отец.

Виктория Карловна улыбнулась и гордо произнесла:

— Деточка, я уже говорила сегодня утром, пока вы еще спали, с Глебом Михайловичем Плотниковым, супругом бедной Алины. Он сказал, что выплатит мне обещанную награду в сто тысяч долларов. Для меня это нереальная сумма, я пущу ее на ремонт музея. Он очень благодарен мне за то, что я помогла найти убийцу его красавицы-жены. Он сказал, что поможет мне опубликовать книгу. Реальная история реальных преступлений. Я литературно обработаю записи бабушки, а также изложу историю, которую мы пережили вместе с вами за эти полтора месяца...

— Получится бестселлер, — сказала Юля. — Виктория Карловна, я не откажусь от вашего изумительного кофе со сливками! Спасибо, что позаботились обо мне.

— О да, деточка, подождите, — директриса заторопилась. — Я сейчас вернусь. Я захвачу бутылку шампанского, нам же надо отметить нашу победу!

Она скрипнула дверью. Юлия подошла к окну, раскрыла его. В лицо ей ударил резкий ветер и дождь. Небо стало черным, как душа князя Святогорского. Несколько раз сверкнула молния. Речка Тишанка вспенилась, деревья пригнулись к земле.

Буря, буря, буря...

Отпивая маленькими глоточками вкусный кофе, Юлия наблюдала за буйством стихии. Как она устала за все это время!

Комната, в которой она находилась, представляла собой подлинный кабинет ученого. Юлия заметила в углу портрет Елены Карловны, копию того, что висел в музее. Надо же, как чтит память бабки Виктория Карловна. Но Елена Карловна в самом деле была большой умницей. Жаль, что ее постигла такая страшная участь.

Ведь сложись все иначе — и она могла бы быть счастлива в браке с Арсением Поликарповичем. А так — и он, и она стали жертвами хитроумного и не знающего пощады убийцы, старого князя Святогорского.

Юлия подошла к одному из шкафов. Книги, сплошные книги. Она открыла стеклянную дверцу, принялась рассматривать старинные издания. Труды по геометрии, философские трактаты, словари. Собрания сочинений Тацита, Светония и Плиния Старшего. Наверное, достались Виктории Карловне от ее ученой бабки — судя по тому, что все они были изданы в конце девятнадцатого — начале двадцатого века.

Ветер за окном выл, как взбесившаяся волчица. Юля поежилась, ей было холодно и хотелось спать. Виктория Карловна не будет возражать, если она вздремнет в кресле? Но нет, нельзя быть такой соней!

В руках у Крестининой оказался небольшой сборник — темно-синий сафьяновый переплет, пергаментные страницы. Надо же, стихи! Все шкафы были заполнены научной литературой по точным и естественнонаучным дисциплинам, но нигде не было видно художественной литературы, тем более стихов.

Юлия раскрыла сборничек. «В саду Эдема...» Какое затейливое название! Судя по оформлению в стиле модерн, это последние десятилетия девятнадцатого века.

«Ты эдельвейс, символ невинный...», «Ты орхидея, дикая, жестокая, красивая...», «Ты роза, королева сада...»

Что это? Юлию как током пронзило. Стихотворения, набранные старинным, псевдоготическим шрифтом, слово в слово повторяли послания Садовника.

«В саду Эдема...»! Юлия лихорадочно стала пролистывать страницы. Названия стихотворных циклов: «Лилия», «Эдельвейс», «Орхидея», «Гиацинт», «Роза»! Книжечка жгла Юлии руки. Она открыла титульный лист. Получается, что Садовник писал стихи? Кто же автор?

Она знала ответ еще до того, как разобрала витиеватые буквы. Елена Карловна Олянич! Год издания — 1889. Девичьи творения Елены Карловны... Но что же получается...

Плети дождя захлестали по витражному стеклу, затем послышался мерный грохот — белоснежные жемчужины града обрушились на монастырь. Юлия, чувствуя, что слабость разлилась по ее телу, опустилась в кресло. Она вслушивалась в утробно-низкое гудение ветра. За окном царила непроглядная тьма. Вот он, ураган...

Юлия знала теперь, кто является безжалостным Садовником, который душил женщин тогда, в 1916 году. Она знала, кто копировал его преступления сейчас. Но это знание пугало ее.

Трудно быть солнцем

Она захотела подняться с кресла, но не смогла. За дверью раздались тихие шаги. Юлия поняла — это шаги смерти. Ее смерти. Садовник здесь. Он пришел за розой. За последним цветком.

И этим цветком была она!

Кованая дверь, пронзительно заплакав, как душа грешника в аду, раскрылась. На пороге стояла фигура в черном плаще до пят с капюшоном, закрывавшим лицо, в садовых перчатках на руках.

— Юлия, ты же получила мое послание: «Завтра ты умрешь». Завтра наступило. Ты умрешь! Сейчас!

Вошедший снял капюшон, скрывавший его лицо, и Юлия увидела Викторию Карловну. Но вместо обычной милой улыбки на ее лице застыла сумасшедшая гримаса торжества и свирепой хитрости.

— Деточка, я смотрю, ты нашла книжечку? — сладким голосом произнесла Виктория Карловна. — В самый раз! Это — первая и, увы, последняя литературная попытка моей бабки, Елены Карловны. Она в ранней юности увлекалась стихами, издала на свои деньги этот сборник, «В саду Эдема»... Критики и читатели оставили его без внимания. Бедная бабка, это был такой удар для нее! И она решила сделать так, чтобы о ее стихах узнали все!

Юлия видела, как Виктория Карловна приблизилась к ней. В глазах Олянич горело безумие и ненависть.

— Виктория Карловна, — слабым, срывающимся голосом произнесла Юля. — Что было в кофе?

Виктория Карловна усмехнулась:

— Деточка, там был гидрохлорид фенобарбитала в убойной дозе. Еще пара минут — и вы уснете. И более никогда не проснетесь. Жаль, что у меня вышла неудача со Стасиком. Но согласитесь, идея предложить этому придурку писать послания была великолепна! Он так старательно выписывал буковки, и не подозревая, для чего мне эти письма! Он в коме, и даже если когда-либо придет в себя, он мне уже не страшен...

Юлия ужаснулась. Ей нужно как можно быстрее бежать прочь, но она не могла. И куда делась прежняя Виктория Карловна — интеллигентная, добрая, заботливая старая дева, краеведка-энтузиастка? Над ней возвышалась безжалостная, абсолютно свихнувшаяся особа, которая находила удовольствие в убийствах.

— Но зачем, Виктория Карловна, зачем? — спросила Юлия.

Она должна говорить с ней, хотя бы для того, чтобы самой не соскользнуть в сон, который утаскивал ее в мягкую трясину. Она не имеет права спать, потому что тогда... Юлия взглянула на грубые садовые перчатки на руках Виктории Карловны.

— Моя милая Юлечка, потому что так надо, — сказала Виктория Карловна. — Много лет назад я нашла признание моей бабки, Елены Карловны, в сейфе моего отца, Карла Степановича. Там бабка признавалась в том, что именно она является убийцей, тем самым Садовником. Именно она, а не кто-то другой! Это так захватило мое воображение! И я поняла — я должна, как и Елена Карловна, сделать что-то великое и ужасное! Когда же я нашла в бабкиных вещах прекрасно сохранившиеся шарфы, то только укрепилась в своей уверенности.

Она давно и серьезно больна, думала Юлия, и как же я не замечала этого? Но сумасшедшие очень хитры.

— Значит, отец Василий не убийца? — спросила Юлия.

Виктория Карловна расхохоталась:

— Конечно же, нет, деточка! Он — козел отпущения. Этот священник-сатанист подвернулся мне под руку. Сначала я хотела свалить всю вину на Валеру. Отомстить ему за то, что он бросил меня. Но потом решила, что отец Василий — идеальная кандидатура. А до Почепцова я еще доберусь. Он, это ничтожество, жалкий извращенец, переезжает в Москву, будет работать в МГУ. А я? Я в сто раз умнее и талантливее его, а прозябаю здесь, в этом заплесневелом городишке!

— Я думала, вы любите Староникольск, — прошептала Юлия.

— Я? — помрачнела директриса. — Деточка, я его ненавижу! Я ненавижу его, вы слышите! НЕНАВИЖУ!!! А Почепцова я убью потом, все подумают, что он стал жертвой одного из этих парней-проституток, которых он наверняка будет толпами водить к себе в московскую квартиру.

Стук градин усилился. Юлия, вцепившись в подлокотники кресла, чувствовала, что еще немного — и она заснет.

— Это вы всех убили? — спросила она.

Виктория Карловна кивнула:

— Конечно, а кто же еще? Я убила этих четверых дурочек, Брониславу. Помимо этого, моя дорогая, я избавилась и от собственного отца. Он же знал, что истинный преступник — моя бабка, но молчал! К тому же он так долго занимал пост директора музея... В юности было еще несколько жертв. Все эти бездари, как я их ненавижу!

Виктория Карловна взяла сборник стихов, погладила его сафьяновый переплет и продолжила:

— В отличие от Елены Карловны, у меня все получилось. Бедная бабка, ведь когда кто-то убил Настеньку и подделал это преступление под «цветочные убийства», она была вне себя. Кто-то пытается свалить на нее вину за преступление, которое она не совершала! Поэтому-то она и решила оставить записи, чтобы, так сказать, запутать следы. Настеньку убил старый князь, это истинная правда, но в остальных убийствах он невиновен. Старый Святогорский во что бы то ни стало хотел избавиться от Настеньки, которая вдруг понесла от него. И он убил ее, выдав ее за новую жертву Садовника. Он сам сочинил бездарный стих, жалкую копию творения моей великой бабки — ведь о стихах, обнаруженных на месте каждого из убийств, все знали, тексты публиковали в местной бульварной прессе. Моя бабка застрелила и молодого Феликса. Она же подложила в оранжерее тело Анны Радзивилл, но князья просто зарыли его! А бабушка так хотела, чтобы после этого арестовали Феликса!

— А Арсений Поликарпович? — задала вопрос Юля.

— Арсений? Он докопался до сборника стихов, навел справки в литературном мире и наткнулся на бабкины стихи. Ей ничего не оставалось, как прогуляться с ним до звонницы, их, если помните, любимого места для поцелуев, и сбросить его вниз. Он слишком много знал. Да и муж Елены Карловны, скажу честно, погиб не от воспаления легких, а от заботливо приготовленного ею чая. А первой ее жертвой был мой прадед, отец Елены Карловны, который, если вы помните, умер, упав с лошади. Это бабушка подстроила, я уверена!

— Боже, она такая же сумасшедшая, как и вы, — еле слышно произнесла Юлия. — Но ради чего?

— Ради всего! Ради славы! Моя бабка, как и я, талантливее всех, но наверх пробиваются бездари, тупицы и карьеристы. Я стану великой преступницей! Евгения отбила у Елены Карловны князя Шаховского, Екатерина Ульрих не дала ей пожертвования на музей и прогнала прочь, мадам Грач наложила лапу на особняк, из которого сделала бордель, хотя там мог разместиться музей. Четвертой жертвой должен был стать гиацинт, супруга градоначальника, которая считала себя староникольской императрицей, но тут вмешался Святогорский, убил Настеньку, подсунул фальшивый стих и свалил все на Садовника. Мне пришлось послать Алине его бездарное творение, как было задумано моей бабкой. Как же ее разозлило вмешательство князя! Осталась роза — ваша Анна. Она была никчемной мерзавкой и тунеядкой, которую причуда судьбы одарила почему-то красотой и деньгами! Как и вы, деточка!

Юлия не могла поверить — причины для убийств были столь же смехотворны, сколь и ужасны.

— Вы помогли мне, деточка! Вы помогли отыскать дневники Елены Карловны. Я их опубликую, все им поверят. А ведь они — выдумка. Конечно, там много правды, но еще больше лжи. Плотников намекнул мне, что моя книга может принести мне очень много денег, в особенности если ее опубликуют за рубежом. А я все сделаю ради этого! Я давно мечтала повторить преступления бабки, и когда узнала, что Алина Потоцкая едет в Староникольск, чтобы снимать сериал, то поняла: время настало! Я ведь знала — Алина дальняя родственница Настень-

Трудно быть солнцем

ки Поляковой. Потомки трех жертв обитали по-прежнему в Староникольске, Алина сама напрашивалась в жертвы, оставались вы, деточка! Вы были вне досягаемости! Поэтому-то я и послала вам письмецо, которое, как я правильно рассчитала, и возбудило ваше любопытство. И кроме того, тянуть было нельзя: Святогорский собирался восстанавливать дворец, и это значило — тело Анны, зарытое на территории бывших оранжерей, могли обнаружить в любой момент!

Виктория Карловна была чрезвычайно довольна собой, ее глаза сияли, а холеное лицо искажала злобная гримаса умалишенной.

— Знаете, что я сделаю сейчас, деточка? Я снова инсценирую убийство — ваше убийство. Я выброшу вас прямо на розы у подножия звонницы, так что вы найдете свою смерть, как это и должно быть, среди этих цветов. А улики направлю против князя Александра Святогорского. Его арестуют, и его меценатству придет конец. Каков финал: князь — убийца прекрасной Юлии, Садовник — это отец Василий, а его кровавый предшественник — старый Феликс. А раскрыть тайну помогу именно я! Я стану великой!

Виктория Карловна вздохнула:

— Бабке почти удалась ее комбинация, но в дело вмешалась судьба. Она ведь на самом деле погибла во время грозы от несчастного случая. Ее повозка налетела ночью после убийства молодого Феликса на бревно, и она сломала себе шею. А так бы... Она бы опубликовала записи и стала бы знаменитой и богатой! Но я наверстаю упущенное ею! Пора!

Она ринулась к Юлии. Затем, остановившись, полезла в карман плаща и вынула что-то сверкающее. В темноте комнаты, разбрасывая разноцветные блики, сиял овальный камень.

— Это и есть «Утренняя заря», розовый бриллиант, украшавший шею Евгении Ируповой. Бабка взяла его на память о первом убийстве в цветочной серии. Он стоит миллионы! Я нашла его вместе с ее признанием в сейфе отца. И этот бриллиант теперь мой! Я буду богата и знаменита!

Юлия больше не могла бороться со сном. Фенобарбитал оказал свое действие. Она погрузилась во тьму...

Она пришла в себя от холода, который пронзал все тело. Юлия открыла глаза — она лежала на каменном полу звонницы, над ней темнели громады колоколов. Виктория Карловна в черных одеждах, которые развевались на пронзительно-свистящем ветру, схватила ее за плечо.

— Деточка, — произнесла она, стараясь перекричать ветер. — Вы мне понравились. Но пришло время умирать!

Юлия попыталась сопротивляться, но ее тело, одурманенное снотворным, никак не хотело подчиняться приказам разума. Юлия попыталась встать, но вместо этого упала на колени. Виктория Карловна схватила ее и потащила к перилам.

— Я не хочу умирать, Виктория Карловна, — прошептала Юлия. — Прошу вас, вы же говорили, что я вам как дочь...

— Замолчи! — вскричала Олянич. — Не старайся спасти себе жизнь. У меня ведь когда-то была дочь, но она умерла еще младенцем. Она слишком много кричала и мешала мне работать, поэтому ей и пришлось умереть! Ты красива, молода, желанна. А я? Все эти годы мне приходилось наблюдать за тем, как такие, как ты, получают от жизни все. Умри!

Виктория Карловна обладала удивительной силой. Она подхватила Юлию и бросила ее на деревянные перила звонницы. У Юлии закружилась голова. Где-то внизу чернела бездна. Инстинктивно Юлия вцепилась в перила, Виктория Карловна ударила ее по пальцам.

— Отцепись! — закричала она.

Волосы ее, как змеи, метались вокруг лица, искаженного безумием. Юлия почувствовала, что умалишенная сильнее ее. Нет, сопротивляться бесполезно... Она расцепила пальцы и закрыла глаза. Смерть придет незаметно и быстро...

Трудно быть солнцем

— Отпустите ее! — услышала она знакомый голос. Юлия увидела в проеме силуэт. Роман! Но как он оказался здесь?

Виктория Карловна, похожая на ведьму из страшной сказки, прокричала:

— Ромочка, сгинь! Она — только моя! Отойди, иначе я ее сброшу!

В этот момент случилось неожиданное: над крышей звонницы сверкнула молния, затем последовал оглушительный удар грома. Юлия извернулась и сумела освободиться от удушающих объятий Виктории Карловны. Она бросилась к выходу.

— Ты не уйдешь от меня! — прогремел голос директрисы. — Юлечка, деточка, я до тебя все равно доберусь!

Юлия обернулась. Виктория Карловна застыла у самых перил, позади нее чернела непроглядная тьма. Медуза Горгона, вот на кого она похожа, подумала Юлия, в изнеможении опускаясь на залитый дождем пол.

Снова сверкнула молния. Виктория Карловна вскинула вверх руки и прокричала:

— Я всемогуща...

Пронзительно-белая стрела молнии ударила прямо в купол звонницы, колокола запели разноголосыми жалобными тонами. Огненный зигзаг ударил в Викторию Карловну, перила вспыхнули и затрещали...

Директриса изогнулась, ее тело упало на перила, которые — объятые пламенем, не исчезающим под проливным дождем — затрещали и рухнули вниз, во тьму.

Вслед за ними устремилась и потерявшая равновесие Виктория Карловна, похожая в своем последнем смертельном полете на черную хищную птицу с перебитыми крыльями.

Юлия обернулась к Роману, он подхватил ее на руки.

— На этот раз действительно все конечно, — прошептала Юлия.

Еще одна молния ударила в купол звонницы, один из колоколов, басовито охнув, рухнул на пол, где всего десять секунд назад лежала Юлия.

Роман посмотрел на Юлию. Он вовремя оказался в

монастыре, только сегодня утром он понял, что многое в показаниях Виктории Карловны не соответствует действительности. Это она отравила отца Василия! А значит, могла быть причастна и к другим преступлениям. И Юлия находится у нее! Поэтому, узнав, что Олянич с Юлией еще до начала бури отправились в сторону монастыря, он бросился за ними.

А Юлия, прижавшись к нему, мирно спала. И улыбалась!

30 сентября

Вместе с бурей, пронесшейся над Староникольском шесть дней назад, ушел прочь и страх. Юлия, проведя предписанные ей в неукоснительном порядке два дня в больнице, покинула ее и переехала в гостиницу.

Испытывая непонятное чувство щемящей тоски, она собрала вещи в особняке Виктории Карловны. Директриса, в которую ударила молния, приземлившись на клумбу, нашла там свою смерть. В ее кулаке был зажат розовый бриллиант «Утренняя заря».

Права на камень, который, по некоторым сведениям, мог быть предложен на любом из престижных аукционов со стартовой ценой в два миллиона долларов, предъявили родители Олеси Гриценко, прямые и единственные потомки коммерсанта Адриана Ирупова.

Фантасмагорические события в Староникольске привлекли внимание всех средств массовой информации. Сенсационное разоблачение убийцы комментировалось всеми, кому не лень. Юлия отвергла семь предложений выступить в ток-шоу, двенадцать раз дать интервью и не отвечала на телефонные звонки.

Она присутствовала на строгой и закрытой церемонии погребения Виктории Карловны. Кроме нее на кладбище были Роман, князь Святогорский, а также сбитая с толку, растерянная и подавленная младшая сестра Виктории Карловны с мужем и сыном, в спешке прибывшие из Санкт-Петербурга.

Трудно быть солнцем

Заупокойную службу провел отец Сильвестр, настоятель Староникольского монастыря.

Наблюдая за тем, как гроб скользит в могилу, Юлия подумала, что Виктория Карловна, которая погубила никак не меньше десятка человеческих жизней и была готова убивать еще, страдала, как и ее бабка Елена Карловна, по одной причине — из-за отсутствия любви.

— Господь, смилостивься над ее душой, — завершил отец Сильвестр последнее напутствие.

— Она могла бы стать гениальным ученым, — произнес князь, в задумчивости глядя на свежую могилу.

— Весь ужас в том, что она и была гениальным ученым, — сказала Юлия. — Среди женщин практически не встречаются серийные убийцы, но Виктория Карловна и Елена Карловна убивали, скорее всего, не осознавая, что этого делать нельзя. Они походили на шаловливых детей, которые из-за своего каприза или странного любопытства вешают котят или давят жуков. На очень жестоких и в то же время очаровательных детей...

Князь, немного помедлив, сказал:

— Юля, за эти дни я узнал очень многое. Мой дед не является убийцей, но зато мой прадед, старый Феликс... Я ничего не могу поделать с этим... И все же... Вы не откажетесь поужинать со мной? Но только не в Староникольске. Я знаю в Москве один чудесный ресторанчик.

— Я подумаю, — ответила Юлия.

Все ее проблемы разрешились сами собой. Ей уже поступило предложение от двух издательств изложить свою историю на бумаге, причем за весьма весомый гонорар. Князь Святогорский обещал помочь с изданием ее книги за рубежом и рисовал самые радужные перспективы.

Юлия уволилась из института и решила, что ближайший год посвятит литературе. А там... Время покажет. Глеб Плотников, который навестил ее в больнице, сказал:

— Если бы не вы, Юля, я бы всю оставшуюся жизнь боготворил убийцу Алины. У меня есть друг детства, генеральный продюсер на одном из каналов. Он давно носится с идеей открыть криминальное ток-шоу. Знаете, разбирать преступления, по которым иногда уже вынесен приговор, выдавать в эфир сенсационные новые подробности, предлагать альтернативные версии, докапываться до психологической подоплеки всего. И ему требуется женщина-ведущая. Вы же психолог, к тому же кандидат наук. После всей этой шумихи и издания книги вы станете настоящей звездой.

— Я стану звездой? — недоверчиво переспросила Юля.

— Даже не звездой, а солнцем! — сказал Глеб, с улыбкой глядя на нее.

Юля смутилась:

— Наверное, нелегко быть солнцем?

— У вас получится, — Глеб произнес это таким тоном, что ему невозможно было не поверить. — Так вы не возражаете, если я поговорю со своим другом и предложу ему вашу кандидатуру? Думаю, он согласится со мной, что вы — единственно правильный выбор?

— Не возражаю, — сказала Юлия.

Наконец, когда Роман Морозов сказал ей, что всю жизнь мечтал о такой женщине, как она, она тоже обещала подумать. Роман спас ей жизнь. Он вовремя заподозрил Викторию Карловну. Если бы не он... Юля даже не хотела думать, что бы сделала с ней безумная и такая милая директриса в ту ночь на звоннице...

Мэр Староникольска Петр Георгиевич Белякин под нажимом вышестоящих инстанций подал в отставку, мотивировав это семейными причинами. Еще бы, после того, как выяснилось, что его супруга принимала весьма активное участие в деятельности Секты Тринадцати, он не мог больше возглавлять староникольскую администрацию. Его сын Стасик вышел из комы, и врачи обещали благоприятный исход, хотя и долгий реабилитационный период.

Юля приняла решение — возвращаться в Москву. В последний сентябрьский день она решила сесть на автобус до Ярославля, отклонив многочисленные предложения князя, Романа, Плотникова и вновь активизировавшегося

Трудно быть солнцем

экс-друга Виталия добраться до столицы на любом виде транспорта — вплоть до вертолета.

Расследование, начавшееся с анонимного письма, которое отправила сама Виктория Карловна, чтобы заманить Юлию в город и, таким образом, сделать своей последней жертвой, подошло к завершению. Юля пока не сообщала ни о чем родителям, которые, находясь в Южной Африке, не могли знать о старониольской драме.

Часы показывали десять двадцать. Автобус на Ярославль ровно в одиннадцать. Ей позвонили и оставили сообщения на автоответчике четыре человека — сначала Роман, который просил ее о последней встрече или возможности проводить до Москвы, затем князь Святогорский, который тактично напомнил об ужине в ресторане, далее Виталий, затянувший старую песню, что он готов к ней вернуться, и под конец Глеб Плотников, который в последние дни проявлял все больший интерес к Юле, с вестью о том, что его друг-продюсер готов принять Юлию через неделю.

Каждое сообщение заканчивалось одинаково: «Перезвони, я очень жду...»

Но кого же ей выбрать? Юлия посмотрела на часы. У нее был всего один чемодан, главной ценностью в котором были три дневника Елены Карловны. В них, конечно же, полно лжи, но Юля использует их в работе над книгой. К тому же она успела привыкнуть к взбалмошной и любопытной Елене Карловне. Жаль, что у нее, как и у ее внучки, оказалась одна неискоренимая дурная привычка — убивать...

И все же, кого ей выбрать?

Роман, любящий муж? Князь Александр, муж богатый? Виталий, муж занудный? Или Глеб Плотников, муж влиятельный?

Или ни одного из них?

— Пора принимать решение, деточка, — сказала она себе, использовав любимое обращение Виктории Карловны.

Вот она бы подсказала ей... Юлия ощутила с легким ужасом и затаенной тоской, что ей недостает совета Виктории Карловны. Все же директриса была незаурядной личностью, пускай сумасшедшей и с большой склонностью к криминалу.

Пора выходить, до автовокзала еще пятнадцать минут пешком, ей надо удобно устроиться в автобусе...

Юлия улыбнулась и подняла трубку телефона. Пожалуй, она знает, кого она выберет. Для начала, а там посмотрим.

Как когда-то сказала Виктория Карловна (или это была ее бабка, Елена Карловна): жизнь дается всего один раз. Уж они-то, лишившие жизни столько людей, знали это наверняка!

Юля открыла записную книжку и набрала номер. Два гудка, затем раздался знакомый голос:

— Как же я рад, что ты позвонила...

Ага, он ждал ее звонка! Тем лучше.

— Я думаю, нам есть о чем поговорить, — сказала Юлия. — У тебя еще есть полчаса, пока я не уехала в Москву.

— Я мигом! — ответил собеседник. — Но не уезжай, прошу...

Юлия знала, что сделала правильный выбор. Она вышла из номера, повернула ключ и направилась к лифту.

Предстоящие события показались ей чрезвычайно занимательными.

— Деточка, ты еще достаточно молода, чтобы начать все снова, — сказала она себе.

Двери лифта распахнулись, и Юлия вошла в него, нажала на кнопку первого этажа. До отправления автобуса у нее было ровно двадцать пять минут.

И надо же — этого с лихвой хватит, чтобы изменить жизнь!

Литературно-художественное издание

Леонтьев Антон Валерьевич

ТРУДНО БЫТЬ СОЛНЦЕМ

Ответственный редактор *О. Рубис*
Редактор *В. Ротов*
Художественный редактор *А. Сауков*
Технический редактор *Н. Носова*
Компьютерная верстка *Г. Клочкова*
Корректор *Г. Киселева*

В оформлении переплета использована иллюстрация
художника *В. Остапенко*

РОССІЯ

ОБЩЕНАЦИОНАЛЬНАЯ ГАЗЕТА

Путеводитель по событиям

Адрес: 107045 Москва, Костянский пер. д. 13

Телефоны: 208-82-82, 208-85-85, 208-84-32

Факс: 208-91-78

E-mail: info@rgz.ru

http://www.rgz.ru

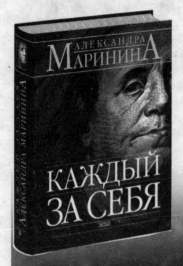